Réflexions
sur la politique extérieure
de la France

FRANÇOIS MITTERRAND

RÉFLEXIONS SUR LA POLITIQUE EXTÉRIEURE DE LA FRANCE

Introduction à vingt-cinq discours
(1981-1985)

Fayard

Des idées simples

La politique extérieure de la France s'ordonne autour de quelques idées simples : l'indépendance nationale, l'équilibre des blocs militaires dans le monde, la construction de l'Europe, le droit des peuples à disposer d'eux-mêmes, le développement des pays pauvres. Les textes réunis dans ce livre en feront apparaître la trame et la raison des choix qu'elles ont inspirés. On y relèvera à la fois la trace continue du sillon, creusé par le destin bientôt millénaire de la plus ancienne nation d'Europe, et la marque particulière qu'imprime à la vie d'un peuple celui qui le conduit. J'ai rencontré sur ce terrain, depuis le premier jour, l'adhésion du plus grand nombre des Français. On sait pourtant que la place que notre pays occupe dans le monde est mieux reconnue à l'extérieur de nos frontières qu'au-dedans. C'est une constante de notre Histoire. Certains de nos compatriotes qu'habite une agitation singulière, se sentent Espagnols ou brûlent pour l'Angleterre en oubliant d'être Français. D'autres plantent leurs oriflammes et campent à jamais sur des lignes Maginot où se terre, pour survivre, une patrie imaginaire.

Dédaignons les collaborateurs. Négligeons les moines ligueurs. J'attache, en revanche, de l'importance aux observations de mes censeurs quand je sens qu'ils cherchent, comme moi, en passant par d'autres chemins, comment le mieux servir l'intérêt national. Bref, mes contradicteurs, lorsqu'ils sont sérieux, m'intéressent. Ils me permettront cependant de leur dire que je les vois trop souvent chausser des verres grossissants pour isoler un fait de ceux qui le précèdent et de ceux qui le suivent, au point de se priver de toute vue d'ensemble. Je souhaite, par ces textes, les convaincre de l'unité d'une démarche qui exprime de bout en bout l'ambition que, d'instinct, de passion, de raison je nourris pour la France. Aussi loin que remontent mes origines, je suis né d'elle et de l'une de ses provinces, et j'en tire fierté tout en m'émerveillant du renouvellement permanent que lui valent les immigrations successives auxquelles elle doit une part de sa grandeur.

L'unité d'une démarche

De cette unité je prendrai un exemple, pour commencer. On se souvient sans doute qu'en 1983, j'ai approuvé l'installation, en Allemagne fédérale, des fusées américaines Pershing II. Cela m'a valu d'être accusé d'atlantisme, sous-entendu, de soumission aux desseins de M. Reagan. L'imputation avait ceci de pittoresque qu'elle émanait non pas de la direction du Parti communiste, alors associée au gouvernement de Pierre Mauroy, mais des milieux conservateurs. L'atlantisme comme péché! Voilà, pensai-je, Tartuffe qui se confesse. Cela ne pouvait me gêner. Mon vote favorable à l'Alliance atlantique, il y aura bientôt quarante ans, me satisfait toujours. Indemne de toute obsession antisoviétique, je continue de croire que le pire danger pour nous, comme pour nos voisins d'Europe occidentale, serait présentement que l'Amérique s'éloignât des rivages de notre continent. Réflexion qui n'altère en rien mes réserves sur divers aspects de la politique des États-Unis. J'ai naguère signifié mon désaccord sur l'intervention américaine au Salvador et au Nicaragua. Je m'en étais ouvert au Président Reagan, rencontré pour la première fois au Sommet d'Ottawa, en juillet 1981, et n'ai pas manqué, par la suite, de le lui répéter. Rappelons ici les termes d'un dialogue aujourd'hui public et que j'ai porté sur diverses tribunes, y compris celle du Congrès américain. J'exprimai à Ronald Reagan ma conviction que les intrusions de son gouvernement en Amérique centrale entretenaient un tragique contresens, que les peuples de cette région luttaient pour une double libération, économique et politique, qu'ils étaient en droit d'attendre de l'Occident qu'il les comprît et les aidât au nom même de sa morale et de sa propre histoire, et que le plus sûr moyen de frayer la route au communisme

Nécessité de l'Alliance atlantique

Débat avec Ronald Reagan

était de conduire les mouvements révolutionnaires à quêter à Moscou l'argent et les armes dont ils avaient besoin, avant que n'arrivent, par la même route, les idées. Pour lui, le communisme sous-tendait la révolution. S'il l'emportait, l'incendie se propagerait, selon les règles d'une stratégie mûrie depuis Lénine. Les États-Unis ne pouvaient accepter pareille menace à leur porte. Pour n'avoir pas agi à temps, l'affrontement prendrait une telle ampleur que la paix dans le monde en serait compromise.

Quel scandale ?

Je reviendrai sur ce débat. Mais j'observe qu'en France, les milieux d'opposition, que semble choquer le fait qu'on puisse ici approuver et là désapprouver notre puissant allié, dénoncèrent comme une contradiction ce qui constitue à mes yeux la cohérence même de notre politique extérieure. Quoi ? Ne pouvait-on sans scandale récuser à la fois le surarmement soviétique et l'intervention américaine ? La France devait-elle se borner à calquer ses choix sur ceux d'un maître ou d'un modèle et renoncer à être ce que les siècles ont fait d'elle ? Cette légèreté me surprit. Il était pourtant aisé de comprendre que, dans l'un et dans l'autre cas, il s'agissait pour moi, par le rappel de deux principes de notre politique extérieure, l'équilibre entre les blocs, seul garant de la paix, et le droit des peuples à disposer d'eux-mêmes, seul fondement d'une société de droit, d'en affirmer un troisième : l'indépendance de la France.

L'indépendance nationale

A peine écrit — et il l'est ici pour la deuxième fois — ce mot détonne. Que signifie l'indépendance en 1986 ? L'attachement au passé ? Un orgueil perdu de saison ? Une vérité pour demain ? Quiconque jette un regard attentif sur le monde alentour constate les solidarités qui se nouent, les frontières qui s'ouvrent, les langues qui s'unifient, les intérêts qui s'interpénètrent, les migrations qui s'enracinent, les empires qui se forment. A cette échelle, le séparatisme, cette recherche d'identité d'autant plus obstinée que le mouvement des sociétés humaines charrie la confusion, ne se distingue guère plus qu'un îlot dans la brume. Chaque jour ce sont les dépendances, les servitudes voulues ou obligées, les grands ensembles qui gagnent du terrain sur le quant-à-soi des rebelles. S'il m'arrive, pour la France, de m'en inquiéter, de redouter cette attraction, je la désire aussi : l'une des idées simples que j'évoquais dès les premiers mots de cette présentation n'est-elle pas l'Europe, ce dépassement de l'Histoire que j'appelle de mes vœux ? Je dirai plus loin en quoi j'estime complémentaires l'indépendance de la France et la construction de l'Europe. Ce sera la grande affaire de la génération qui vient que d'harmoniser cette double démarche. Mais que nul ne crie au paradoxe si je place en exergue notre indépendance nationale. C'est qu'elle reste un levier puissant, déterminant, un instrument moderne, et non pas obsolète, de l'action dans le monde d'un pays comme le nôtre. La France n'est pas un phare éteint, comme le pensent trop de responsables — et si peu responsables — de nos affaires publiques, qui oublient de parler leur langue dans les enceintes internationales, qui s'accomodent de l'absorption des œuvres vives de notre économie par le capitalisme étranger, et pour qui la (fausse) sagesse est de faire acte d'allégeance à la loi des empires. Nous vivons à l'heure de Yalta. Cette réalité nous dicte la hiérarchie de nos devoirs et de nos intérêts. Le plus important est de préserver, face aux deux grandes puissances qui se partagent l'Europe, ce continent qui est le nôtre, l'aptitude à rester soi-même. On n'y parviendra qu'en puisant force et confiance dans nos traditions, notre culture, et en examinant avec nos voisins la façon de mettre en commun nos atouts.

Toujours Yalta

Éternelle dialectique. Dans le temps où s'accélère le mouvement qui pousse les peuples à s'assembler sous la conduite des plus forts, une poussée contraire les incite à cultiver la différence, à perpétuer en eux l'unique. Cela mène sans doute à des luttes inexpiables, sans fin, du type de celle qui oppose Juifs et Palestiniens, deux peuples, deux histoires, deux dieux pour une seule terre ; qui déchire le Liban où un

Préserver l'unique

creux dans la montagne, une rue dans la ville, la borne d'un champ dans la plaine, tracent des frontières de sang moins franchissables que la mer. Mais on ne peut limiter là l'explication, et réprouver sans chercher dans les racines de l'être les causes de cet enchaînement. Voyez la longue théorie des peuples qui défient la violence et la mort plutôt que de perdre et leur terre et leur âme, la résistance hier devant Hitler, non point seulement par conviction politique mais aussi par la conscience profonde, philosophique en somme, qu'il n'y a de salut que dans l'irréductible. Non, patriotisme n'est pas mort ! Il a même de beaux réveils. Le peuple français a connu et surmonté trop d'épreuves pour que son patriotisme ne l'emporte pas, chaque fois qu'il est nécessaire, sur le doute où il se complaît. Mais, pris comme les autres de son voisinage dans les contradictions du siècle, assailli par la vision des masses humaines dont le poids déplace aux bords du Pacifique les centres traditionnels de la puissance, déshabitué de décider pour le reste du monde, il hésite entre deux vertiges, celui du repli sur soi et celui de l'oubli de soi. Pour ceux qui le dirigent, difficile est la tâche de mesurer au plus près la part à concéder et la part du refus. On se défiera, en tout cas, des concepts et des mots reçus. Ainsi en va-t-il de la souveraineté.

Depuis le début du siècle, les renoncements de la France aux attributs de sa souveraineté ne se comptent plus. C'est à Bruxelles que sont arrêtés les objectifs de la politique agricole, à La Haye que sont jugés les procès internationaux où nos intérêts sont en cause, à Luxembourg que sont tranchés les conflits internes à la Communauté. Le G.A.T.T. engage notre commerce, le S.M.E. intervient dans la gestion de notre monnaie, la Communauté dans la fixation de nos zones de pêche et des normes de pollution de nos automobiles, et nous adhérons à des conventions de toutes sortes sur lesquelles nul ne songe à revenir. Je me réjouis de ce que, sur notre planète rétrécie, s'élargisse le champ du contrat. Mais il est des domaines non négligeables, un pré-carré dont je revendique, lorsqu'il est empiété, qu'il soit reconquis et rendu à la France. Dans ce pré-carré, je distingue en premier notre langue, notre industrie et notre sécurité, qui sont autant de fronts où garder nos défenses sans les quitter des yeux. Que l'une cède et la citadelle tombera. Cette image guerrière traduit très exactement ma pensée. Elle s'applique, par définition, à l'armée et à sa force de dissuasion. Je m'en expliquerai. Elle vaut aussi pour l'industrie. On gagne Austerlitz quand on enlève une position dans l'électronique ou dans la biologie ; on perd Waterloo quand on abandonne l'automobile ou la machine-outil. Là sont les véritables champs de

Le pré-carré français

Les champs de bataille modernes

bataille modernes. Quand je souhaite que les pays et les entreprises d'Europe occidentale s'associent pour inventer, construire et vendre (et je m'y emploie par des initiatives comme « Eureka »), je n'en pense pas moins qu'un tel projet, qui demandera temps et patience, dépend de la vitalité de l'industrie française. Qu'elle se laisse absorber par les grands cartels internationaux et c'en sera fini des chances européennes. La réussite de l'Europe suppose la réussite de la France. Quiconque en a la conviction s'étonnera de l'indifférence du pouvoir d'avant 81 pour un pareil enjeu. Il est vrai qu'il pourra plaider l'indifférence encore plus surprenante des dirigeants et actionnaires des entreprises elles-mêmes. Songeons qu'en sept ans — de 1974 à 1981 —, les actionnaires de six sociétés (Bull, Thomson, Rhone-Poulenc, Péchiney, C.G.E., Saint-Gobain) nationalisées par la suite, en ont retiré quatre milliards de dividendes pour un apport en capital d'un milliard et demi. Soixante milliards ont été jetés en vain par l'État dans le gouffre de la sidérurgie sans qu'on eût procédé à l'examen sérieux des chances et des besoins de cette industrie. Et ainsi de suite.

Les nationalisations et les restructurations qui les ont accompagnées ont mis fin à ce pillage et sauvé les entreprises en question, menacées de déconfiture ou, plus insidieuse, de la « vente par appartements » commencée par leurs anciens propriétaires. Sans cette intervention de la puissance publique, nous n'aurions plus que les débris d'une industrie chimique et plus du tout d'ordinateurs français, et les fleurons de notre production seraient sous la coupe américaine ou japonaise.

Chercher, former, moderniser

Dès 1981, j'ai demandé au gouvernement de mettre en œuvre ces mots d'ordre : chercher, former, moderniser. Que vaut l'indépendance d'un pays qui n'a pas besoin de savants ? qui n'enseigne pas à ses enfants les métiers du futur ? qui ne fabrique pas ses outils ? qui laisse rouiller ceux qu'il a ? N'oublions pas que là où l'électronique, la robotique, l'automation sont les plus avancées, il y a le moins de chômage. La crise mondiale, ou ce qu'on appelle ainsi, est le temps de passage d'une révolution industrielle à une autre. Franchir au plus tôt cette distance hâtera le redressement économique dont j'attends qu'il donne un nouvel élan aux conquêtes sociales. L'indépendance est à ce prix.

J'ai voulu, par ces quelques lignes, souligner l'importance que j'attache à la possession par la France d'une industrie forte dans les secteurs-clefs de la compétition moderne. Que mes lecteurs ne croient pas que je me sois éloigné pour autant de la politique extérieure. Nous sommes restés au cœur des rapports de puissance.

Nous y restons de même quand nous

Défendre notre langue

défendons notre langue. Cent trente millions d'être humains la parlent ou l'entendent. Mais, à mesure que la démographie progresse dans le monde, le français recule. Je me fais communiquer régulièrement les statistiques sur le nombre d'enseignants et d'élèves, sur les horaires, sur le rang occupé par le français, qu'il soit obligatoire ou facultatif, dans les établissements scolaires et universitaires étrangers. Je constate (et déplore) notre quasi-absence d'Extrême-Orient où vit le tiers de l'humanité. L'examen des points où nous disposons de positions traditionnelles, en Europe (de l'Ouest et de l'Est), en Afrique, en Amérique latine, sans négliger le Canada, la péninsule indochinoise ou le Moyen-Orient, montre qu'à peu près partout l'anglais gagne du terrain à vive allure, y compris chez nos plus proches voisins. Seule l'Afrique noire résiste, souvent à l'initiative de ses dirigeants, fiers de leur culture, et à qui il arrive de se plaindre auprès de moi de la fâcheuse habitude prise par nos diplomates, nos fonctionnaires internationaux et même nos hommes politiques de s'exprimer dans d'autres langues que la leur. J'ai demandé au Premier ministre et au ministre des Relations extérieures de rappeler nos représentants à leur devoir et de sanctionner leurs manquements. La règle de l'Organisation des Nations Unies et de ses filiales, de la Communauté économique européenne et de la plupart des institutions internationales veut que le français soit l'une des langues officielles. Plusieurs d'entre elles n'en ont cure. Un décrochage du même ordre se produit dans les congrès scientifiques. Je souhaite que la France cesse désormais de participer financièrement aux organismes qui feraient fi de cette obligation. Me plaindrai-je des autres ? C'est chez nous qu'est le mal. Personne n'entend plus un peuple qui perd ses mots. Par l'école, par les médias audiovisuels, par la formation d'interprètes, par le regroupement actif des nations francophones, par l'aide aux associations éducatives, et, avant tout, par l'orgueil et l'amour de ce qu'apporte au monde notre langue, nous renverserons la tendance. Ce sera une œuvre de longue haleine, dont je ne doute pas qu'elle sera poursuivie, au-delà des évolutions de notre politique intérieure, par le gouvernement de la République.

C'est chez nous qu'est le mal

Là ne se termine pas la liste des conditions qu'un peuple doit remplir pour survivre. L'action de nos dirigeants pour le siècle qui vient devra s'orienter tout entière vers le progrès de la natalité et donc passer par une politique familiale courageuse et constante. Mais cette préface n'a pas d'intention exhaustive. J'y traiterai surtout de la sécurité de la France, non sans avoir noté qu'en vérité, l'indépendance est une tournure d'esprit, une façon de voir, une foi en soi-même, une volonté d'être, et la certitude qu'il n'est jamais trop tard pour un peuple qui veut garder l'usage et du oui et du non. Notre intérêt, l'intérêt national, n'est pas d'appartenir à un camp contre un autre, mais, notre identité préservée, d'affirmer encore et toujours, dans le respect des engagements qui nous lient, notre libre appréciation sur chaque événement que l'actualité nous propose, bref, notre liberté de décision. Et de s'en donner les moyens.

Un pacte fondamental

Entre le peuple souverain et celui qu'il porte, par le suffrage universel, à la magistrature suprême, existe un pacte qui s'impose d'autant plus qu'il est enraciné dans l'inconscient collectif de la Nation. Ce pacte, qui touche en premier lieu à la sécurité extérieure de la France, dont les citoyens attendent du Président de la République qu'il l'assume en toutes circonstances, et celles du temps présent sont rudes, trouve son expression dans la Constitution qui fait du Chef de l'État le garant de l'indépendance nationale et de l'intégrité du territoire. Le gouvernement dispose à cette fin des forces armées dont le Président est le chef. Responsabilité ultime, lui seul peut ordonner la mise en œuvre de la force stratégique, c'est-à-dire de nos armes nucléaires.

J'ai beaucoup médité, on l'imagine, sur le devoir de décider qui désormais était le mien, hors de comparaison, par la gravité et l'étendue de ses conséquences, avec ce que le monde a connu jusqu'au malheur d'Hiroshima.

Continuité de la politique de défense

Je me suis naguère opposé à la détention par la France de l'arme atomique. On pouvait concevoir, en effet, dans les années soixante, une autre stratégie. Mais, quinze ans plus tard, notre système de défense reposant tout entier sur la force de dissuasion, s'en priver revenait à priver le pays des moyens de sa protection et à l'abandonner au bon-vouloir des autres. C'est ce qu'a compris le Parti socialiste, que je dirigeais à l'époque, et qui, en 1978, plutôt que de nier la réalité issue de la politique militaire initiée par de Gaulle, a préféré la prendre en compte. D'autant plus qu'à la question posée depuis la signature de l'Alliance atlantique : « les États-Unis d'Amérique s'estiment-ils liés jusqu'à mettre immédiatement en jeu la totalité de leurs forces à la première menace visant un membre de l'Alliance ? », il n'avait pas été apporté de réponse. Ou, plus exactement, s'il y avait eu réponse, elle ne pouvait qu'inquiéter davantage. Non seulement Henry Kissinger, en septembre 1979, à Bruxelles, avait lancé cet avertissement : « Nos alliés ne devraient plus continuer à nous demander de multiplier les assurances stratégiques que nous ne pouvons leur donner ou que, si nous les donnions, nous ne voudrions pas mettre à exécution en risquant ainsi la destruction de la civilisation », mais encore il devait en tirer cette thèse qui résume mieux que toute autre la pensée de la plupart des responsables américains : « La doctrine de l'OTAN souffre d'un vice fatal : les forces conventionnelles d'aujourd'hui, pas plus que celles de demain, ne peuvent adéquatement repousser une attaque conventionnelle soviétique de grande ampleur. De ce fait, la doctrine requiert que la riposte nucléaire soit précoce. Mais la parité nucléaire stratégique dépouille la menace d'un conflit nucléaire général d'une grande part de crédibilité : on ne peut faire en sorte que le suicide collectif apparaisse comme une option rationnelle[1] ». Robert McNamara, après l'Amiral Gayler et bien d'autres, avait dit à peu près la même chose : « Il n'y a pas d'usage militaire sensé de nos forces nucléaires. » Les propos plus ouverts du Président Reagan, s'ils ont mis l'accent sur l'amitié et la solidarité américaines à l'égard de l'Europe, n'ont pas comblé le vide. « Précoce » mais non inconditionnelle, l'intervention nucléaire de nos alliés reste hypothétique, du moins quant au moment où elle interviendra, et en tout cas soumise à leur seule appréciation. Or, en

Une riposte précoce

1. *Time Magazine*, 5 mars 1984.

telle matière, aucune marge d'incertitude ne peut être acceptée. Il appartient donc à la France d'y pourvoir. Ce qui explique pourquoi mon choix de 1978, alors que j'étais dans l'opposition, me paraît en 1985, devenu Président de la République, plus encore justifié, et pourquoi je conduis en conséquence notre politique de défense.

Le principe de suffisance

Il y a deux sortes de dissuasion stratégique. La première, traditionnelle, consiste à se rendre plus fort que l'adversaire pour l'empêcher d'agir : cette conception débouche sur la spirale du surarmement. A l'heure où les données techniques changent tous les quatre ou cinq ans, elle confère aux superpuissances le moyen de se détruire plusieurs fois l'une l'autre — et nous avec. La seconde, plus économique et conforme à l'âge nucléaire, consiste à rendre prohibitif pour le plus fort le prix d'une agression contre le plus faible, ou à faire que le risque soit toujours plus important que l'enjeu. Cette conception, qui ne vise pas la parité avec l'adversaire, oblige à maintenir face à lui une capacité de riposte conforme au principe de suffisance. C'est la stratégie de la France. La course aux armements est pour elle qualitative : il s'agit de garantir, en fonction des progrès technologiques et des contre-mesures toujours plus affinées des plus forts, l'invulnérabilité de sa défense et sa rapidité, sa précision, sa puissance de pénétration dans le système adverse, au sol et dans l'espace.

Mais la dissuasion ne dispense pas d'un effort défensif, surtout s'il s'agit de réduire la vulnérabilité de nos sous-marins en les rendant plus silencieux ou de protéger nos sites ponctuels : bases aériennes ou sous-marines, Plateau d'Albion, centres de communications. Quant à l'accès à l'espace, il implique des installations au sol pour les lanceurs, l'ajustement et la tenue des orbites. Celles-ci, en raison des lois de la physique, doivent être réparties sur la surface du globe. Nos départements et territoires d'outre-mer nous offrent à cet égard les bases dont nous avons besoin.

Une gamme d'armes nouvelles

A cette fin, depuis cinq ans, une gamme très étendue d'armes nouvelles et perfectionnées a complété celles dont nous disposions. Je citerai : le sixième sous-marin nucléaire lanceur d'engins (S.N.L.E.) *L'Inflexible,* doté de seize missiles M 4 à six têtes, qui remplacent les missiles à une tête actuels, les autres S.N.L.E. devant être équipés du même système d'ici 1992 ; la mise en chantier immédiate d'un septième sous-marin nucléaire inaugurant une nouvelle série qui marquera un saut technologique important ; le durcissement des installations du Plateau d'Albion et des centres de commandement de Taverny et de Mont-Verdun ; les premières commandes de Mirage 2000 N, avions porteurs de missiles nucléaires tirés à distance, qui entreront en service en 1988 ; le programme Hades, petites fusées pré-stratégiques dotées d'une tête nucléaire de faible puissance, montées sur semi-remorque et d'une portée de 350 kilomètres (cent vingt d'entre elles seront regroupées dans une grande unité à partir de 1992). Certaines de ces initiatives ont pour objet de parer au contournement de notre dissuasion par des frappes nucléaires concentrées sur des cibles purement militaires. D'autres visent à nous permettre d'infliger aux chars adverses des pertes décisives.

Pour tenir compte de la menace que font peser les systèmes de défense terminale anti-missiles balistiques (A.B.M.) sur nos forces, nous amplifions, dès maintenant, le programme de miniaturisation et d'aide à la pénétration des têtes nucléaires, avec pour objectif de les rendre quasi invisibles avant dix ans. Elles peuvent déjà résister aux explosions mégatoniques proches, ainsi qu'aux phénomènes physiques qui en résultent. Par l'emploi des techniques de pointe appropriées, nous serons en mesure de protéger nos missiles contre les rayonnements des lasers.

La dissuasion est un tout

Mais la dissuasion est un tout, et nous devons veiller à la maintenance et à la cohérence d'ensemble de notre système de défense. Le budget de la marine de 1986 finance le début de la construction du porte-avions nucléaire destiné à remplacer le *Clemenceau*. Un deuxième bâtiment du même type suivra. Nous disposerons de la sorte de bases aériennes mobiles qui, avec leurs avions de patrouille maritime, leurs aéronefs et leurs hélicoptères, projetteront, tant sur les mers que loin à l'intérieur des terres, une capacité redoublée de vigilance et de puissance, tandis que nos sous-marins nucléaires d'attaque élargiront la liberté d'action de nos forces. De la même façon, il faudra, pour les exercices prochains, assurer le potentiel de notre aviation en qualité et en quantité : l'avion de combat futur, un avion de transport, un système de détection aéroportée y pourvoiront. Pour le combat terrestre, nous concentrons nos efforts sur les deux programmes majeurs qui, remplaçant les générations de matériels actuels, donneront à l'armée de terre une puissance et une mobilité accrues : le char futur et l'hélicoptère de combat.

Aviation et détection

Enfin, pour assurer notre autonomie de communications, les satellites Télécom I du réseau Syracuse couvriront l'Europe, la Méditerranée, le Moyen-Orient, l'Afrique, l'Atlantique et une partie de l'Océan Indien en 1986. Les ressources nécessaires au lancement d'un programme de satellites d'observation optique, baptisé Helios, figurent dans le budget qui vient d'être voté.

Bref, j'ai préservé la faculté qu'a notre pays de décider lui-même pour lui-même.

La France ne cherche pas à rivaliser avec les arsenaux des deux plus grandes puissances, dont le surarmement déstabilise en permanence l'équilibre des forces et sape, de ce fait, les bases de la paix. Le principe de suffisance, que j'évoquais plus haut, implique que notre armement soit et reste capable à tout moment d'infliger à qui nous agresse des dommages intolérables. Par référence à ce principe, notre stratégie de défense met à la disposition de notre pays une panoplie assez puissante pour contraindre à la fois un adversaire potentiel à respecter notre indépendance et nos alliés à en tenir compte. Ce concept original et raisonnable rassemble à présent la majorité des Français. Ce n'est pas le moindre avantage. Il n'est pas si fréquent qu'esprit de défense et unanimité nationale aillent de pair. Beaucoup de nos voisins envient cette harmonie.

Bientôt, l'espace

Cependant, l'arme nucléaire et les vecteurs que nous possédons, s'ils répondent aux besoins présents, seront dépassés plus tôt qu'on ne le croit. Leur tenue à jour — je veux dire : à jour des progrès accomplis par les Américains et les Russes — exige un effort de conception, une mobilisation d'énergies, une quantité de crédits dont on ne peut rien distraire, fût-ce à des fins militaires utiles mais secondaires, sans nuire à la sécurité du pays. Quant à l'espace, à moins, ce qui est peu probable, que la course ne s'arrête à la Conférence de Genève, la France doit se préparer à prendre part à la compétition. J'ai exprimé le vœu, à La Haye, que l'Europe occidentale s'unisse pour construire une station orbitale habitée. Notre pays fabriquera, avec qui voudra, Hermes, cet avion spatial lancé par Ariane V, qui reliera dans les deux sens la Terre et les satellites. Il s'agit là d'utilisations « civiles » de l'espace. Mais si l'URSS et les USA persévèrent dans sa militarisation, au nom de quel principe l'Europe s'interdirait-elle d'en faire autant ? Cette question restera néanmoins sans réponse tant que l'Europe occidentale, faute d'avoir bâti son union politique, subira d'autres lois que la sienne.

La France, troisième puissance militaire du monde

En attendant, les forces françaises possèdent, en nombre et en qualité, le troisième armement du monde. Elles remplissent leurs missions de telle sorte que la France peut atteindre, à tout moment et tout autour de la planète, les objectifs qu'elle s'assigne. Elles garantissent enfin, dans les conditions que j'ai dites, notre indépendance nationale.

Les expérimentations nucléaires

Les États du Pacifique sud pressent la France de renoncer à ses essais nucléaires d'Océanie. Ils craignent les retombées atomiques, la pollution des eaux, de la flore, de la faune. Pour répondre à ce légitime souci, le gouvernement français a substitué en 1975 les essais souterrains aux expériences atmosphériques. Depuis lors, un système de contrôle mesure en permanence la radioactivité (une étude de Haroun Tazieff, de 1982, démontre qu'elle est inférieure à celle de Paris), analyse les prélèvements d'air et d'eau, surveille la sismologie.

Les expériences ont lieu à des profondeurs de sept à huit cents mètres dans la roche basaltique. Elles vitrifient la cavité provoquée par l'explosion. Aucune infiltration dangereuse n'a été relevée. L'innocuité est telle qu'aussitôt après les explosions, qui ont lieu à la verticale au-dessous de Mururoa, il arrive à nos marins et à nos ingénieurs de se baigner dans le lagon. Ces précautions et ces démonstrations n'ayant pas suffi à convaincre les autorités des États plaignants, je les ai invités à envoyer sur place leurs savants pour qu'ils procèdent eux-mêmes aux vérifications désirables. L'Australie et la Nouvelle Zélande ont accepté. Une mission scientifique conduite par une haute personnalité néo-zélandaise, le Professeur Atkinson, a enquêté d'octobre à novembre 1983 et consigné ses observations dans un rapport public. Ce rapport confirme les conclusions précédentes : les essais souterrains n'entament pas l'intégrité du massif volcanique et, de ce fait, n'entraînent pas dans

Le rapport Atkinson

la nature — et donc sur l'homme — d'effets délétères. Malgré tout, la campagne anti-française continue.

Campagnes contre la France

Diverses organisations militantes assurent le relais du forum des États du Pacifique sud. La plus active d'entre elles, Greenpeace, envoie des navires à destination des atolls de Mururoa et de Fangataufa. La marine française les arraisonne et les éloigne dès qu'ils pénètrent dans nos eaux territoriales. Ni leurs équipages, ni leurs invités (photographes, journalistes) n'ont réussi à accoster. Y parviendraient-ils qu'ils seraient immédiatement appréhendés et expulsés. Devant cette insistance, on pouvait se demander s'il ne serait pas plus sage de convier les protestataires, plutôt que de les écarter, à constater eux-mêmes de quoi il retournait. Après réflexion, il est apparu que leur objectif n'était pas tant de vérifier nos dires que d'entretenir une agitation politique hostile à la présence française dans cette région du monde. Comme il n'était pas question de renoncer à nos essais, j'ai renouvelé mes instructions aux forces armées. L'attentat perpétré dans le port d'Auckland contre le *Rainbow Warrior*, et la mise en cause de nos services secrets, ne changent rien au fond du débat. Personne ne peut tirer argument d'un acte qui n'engage pas moralement notre pays pour obtenir de lui qu'il relâche sa surveillance autour des atolls et renonce à ses essais. Toutes les puissances nucléaires sont contraintes de poursuivre leurs expériences souterraines et le font. En mettant fin aux siennes, la France se laisserait distancer dans sa connaissance des nouveaux systèmes d'armes, ce qui lèserait gravement la crédibilité de sa dissuasion.

A cette considération, qui n'est pas négligeable, s'en ajoute une autre. Les Américains réalisent leurs essais dans le Nevada, les Soviétiques en Sibérie, les Britanniques sur les sites américains après avoir utilisé les zones désertiques d'Australie (avec, bien entendu, l'accord de ce pays). La densité des populations environnantes fournit un intéressant point de comparaison. Autour de Mururoa, les derniers recensements connus dénombrent 2 300 personnes vivant dans un rayon de 500 kilomètres, et 5 000 dans un rayon de 1 000 kilomètres. Le site soviétique du Kazakhstan comprend 1 200 000 habitants pour la zone des 500 kilomètres, et 4 200 000 pour celle des 1 000. Quant au site américain, il est installé au cœur d'une région englobant, dans des périmètres similaires, 15 et 37 millions d'habitants. Or, pour la seule année 1984, sur 55 tirs souterrains détectés, on en a décompté 8 pour la France, 28 pour l'URSS, 17 aux USA, 2 en Chine. Certes, le nombre d'habitants ne démontrerait pas grand chose si une seule vie humaine était menacée ou perdue. Mais aucune de nos explo-

Cinq mille et trente-sept millions

sions souterraines n'a provoqué de dommages à personne. Quoi qu'il en fût, je n'ai pas eu connaissance d'actions pacifistes proches du lieu des expériences anglaises, américaines ou russes. L'Australie, on l'a vu, a prêté ses déserts aux explosions atomiques du Royaume-Uni. La rigueur à éclipses de ces intransigeants n'est sans faille qu'avec nous. Il est difficile de ne pas discerner dans ce comportement une volonté politique à laquelle il ne reste qu'à opposer la nôtre. Dans cet esprit, j'ai affirmé, le 18 août dernier, que les essais nucléaires français dureraient autant qu'ils seraient utiles à nos intérêts, et que le gouvernement de la République demeurerait seul juge de cette appréciation. Je le répète ici. Assurément, la présence de la France dans cette zone du Pacifique gêne beaucoup de monde. J'ai pourtant l'intention de l'accroître, notamment par la création d'une base militaire à Nouméa qui offrira — ce n'est pas le cas aujourd'hui — des mouillages pour nos sous-marins, des quais pour nos navires de guerre, une piste d'envol pour nos avions supersoniques. Tournée vers le grand large, elle constituera l'un des supports de notre stratégie. Dans la trilogie droits des Canaques, droit des Européens d'origine, droits de la France qui inspire la loi sur le statut de la Nouvelle-Calédonie, elle garantira les droits de la France.

Une base à Nouméa

Cette querelle autour des atolls polynésiens me donne l'occasion de préciser l'une des lignes de conduite de notre politique de défense : aucun interdit ne sera par nous reconnu qui viserait à priver notre pays d'une arme que posséderaient les autres puissances et surtout les plus grandes. Autrement dit, toute arme détenue par les Russes ou les Américains le sera par la France, si celle-ci le juge bon, conforme à ses moyens, utile à sa sécurité.

L'arme à neutrons

Prenons pour exemple la bombe à neutrons. L'Union soviétique et les États-Unis l'ont probablement intégrée à leurs forces. Nos recherches sont terminées. Une pression internationale s'exerce sur nous pour que nous renoncions à la fabriquer. On nous oppose des arguments moraux, arguments qui ont toujours servi contre les formes nouvelles d'armement. Dans un univers différent du nôtre, ils me convaincraient. Mais il n'y a pas de guerre douce. La fronde, l'épée, l'arquebuse, la mitrailleuse ou le canon ne s'inspiraient pas d'un principe moral. L'horreur accompagne la marche des sociétés depuis les origines. Si la guerre moderne peut tuer des millions d'hommes et atteindre à la dimension de l'épouvante collective, cette considération n'en modifie pas la nature.

Trois questions

Les vraies questions s'inscrivent sur un autre registre. Pour ma part j'en poserai trois, conformes à la pensée socialiste et à une grande tradition française, aux maîtres de la paix et de la guerre. La première sera celle-ci : voulez-vous désarmer? La deuxième : acceptez-vous de soumettre votre cause à un arbitrage international? La troisième : renoncez-vous à recourir à la force ? et je répondrai trois fois oui pour la France. En l'absence d'un engagement réel des grandes puissances, notre règle sera celle de l'opportunité. J'ordonnerai donc la mise en œuvre de l'arme neutronique — et de toute autre — s'il est prouvé qu'aucune négociation sur le désarmement n'aboutit; pis encore, si le surarmement des deux blocs continue. Nous le saurons bientôt.

D'abord, la sécurité collective

Quelle nation consentirait à proclamer, pour l'amour de la paix : je ne me défendrai pas ? Cette morale individuelle, sans doute la plus belle, porte en elle la mort ou l'asservissement des peuples qui s'en prévalent. Je crois davantage à l'organisation patiente de la société des nations et aux structures de la sécurité collective. D'ici là, on admettra, comme une vérité d'expérience, que seul l'équilibre des forces atomiques dans le monde a valu à l'Europe quarante années de paix et que la stratégie de dissuasion française reste encore pour notre pays la meilleure façon, non de gagner la guerre, mais de ne pas avoir à la faire.

Pour le désarmement

Je viens d'exposer le pourquoi de l'armement nucléaire de la France, et ma volonté de protéger et de poursuivre nos expérimentations du Pacifique sud. Mais ce discours serait incomplet et donc mal compris si je ne rappelais, avant d'aller plus loin, que le désarmement demeure pour nous prioritaire.

Il faut que l'opinion mondiale s'en convainque : la France s'est engagée dans la stratégie nucléaire par un réflexe de survie et pour ne pas laisser à d'autres l'empire sur la Terre. Non qu'elle y aspire pour elle-même. Mais elle entend demeurer maîtresse de ses choix, et d'abord de celui qui commande tous les autres : la paix ou la guerre.

Claude Cheysson remarquait à la tribune des Nations Unies en 1982, que, si ce n'est pas, à l'évidence, en suscitant et en exploitant la psychose de la guerre que l'on sert la paix, ce n'est pas non plus en multipliant les propositions unilatérales et vagues destinées à abuser les opinions publiques. Les véritables voies du désarmement passent par l'analyse réaliste des facteurs qui augmentent ou peuvent augmenter le risque d'un affrontement général : le surarmement nucléaire, la déstabilisation stratégique qui résulte de l'utilisation militaire des technologies nouvelles, le déséquilibre conventionnel, la menace de guerre chimique. Parler désarmement quand le surarmement s'accélère a quelque chose de dérisoire et mieux vaut s'occuper d'empêcher l'escalade à terre comme dans l'espace.

Enrayer le progrès des techniques de mort

Nombreuses ont été, depuis vingt ans, les initiatives françaises en ce sens. Celles que j'ai prises à mon tour s'inscrivent dans cette même tradition : enrayer le progrès des techniques de mort. Or, notre inquiétude devant la croissance des arsenaux des deux Grands est entretenue à la fois par l'accumulation de capacités surabondantes de destruction nucléaire et par le déploiement ou la perspective de déploiement des armes spatiales. C'est donc à ces deux phénomènes qu'il convient de s'attaquer.

Au surarmement nucléaire, la France oppose le principe de l'équilibre des forces au niveau le plus bas et attend, sans trop s'y fier, des négociations de Genève une réduction significative des potentiels militaires. J'ai annoncé à l'Assemblée générale des Nations Unies, le 28 septembre 1983, que s'il en allait ainsi, nous accepterions nous aussi de prendre part à la limitation générale des armes stratégiques. Mais à condition que soit considérablement rapproché l'écart qui sépare l'arsenal français (150 charges nucléaires actuellement) des arsenaux russe et américain (10 000 charges chacun), et que cessent les interprétations infondées du traité de 1972 sur l'emploi des missiles antibalistiques (ABM).

Au déploiement des systèmes anti-satellites, la France oppose la négociation d'un accord général qui, comblant une lacune des textes existants, prévoirait vérifications et contrôles. Le traité du 10 octobre 1967, négocié sous les auspices des Nations Unies avec l'adhésion des principales puissances, avait défini « les principes régissant les activités des États en matière d'exploration et d'utilisation de l'espace extra-atmosphérique, y compris la Lune et les autres corps célestes », et prohibé la mise en orbite « d'armes de destruction massive », c'est-à-dire les armes atomiques. En 1984, nous avons proposé d'amender ce traité en étendant le champ de l'interdiction « à toutes les autres armes de haute technologie susceptibles de détruire, dans l'espace ou depuis l'espace, missiles ou satellites » — et ce, pour une période de cinq ans, renouvelable. A cet effet, chaque État ou organisme lanceur s'engagerait à fournir des informations détaillées sur les caractéristiques et les missions des objets lancés.

Pas d'armes sur la Lune

Quant aux armements conventionnels, la supériorité de l'Union soviétique a incité la France à provoquer la tenue d'une conférence qui s'est ouverte le 18 janvier 1984 à Stockholm. Afin de réduire le risque d'attaque-surprise entre l'Atlantique et l'Oural, notre délégation a demandé que fût institué un mécanisme d'échange d'informations sur les activités militaires.. Les satellites d'observation aidant, commencement de la sagesse, l'espace servirait à réduire les tensions plutôt qu'à les aggraver, comme on peut le craindre aujourd'hui.

Contre la guerre chimique

On sait, enfin, qu'une convention de 1972 a interdit les armes chimiques et biologiques. Personne ne la respecte. Mais si la France a effectué des recherches techniques, sa protection se limite aux masques à gaz, à quelques tenues spécialisées et à des mesures purement défensives... On ne peut pas en dire autant des deux superpuissances. L'Union soviétique a complètement intégré le chimique à l'organisation et aux prévisions d'emploi de ses forces conventionnelles en Europe. Ses unités d'artillerie, de missiles tactiques et d'aviation d'appui disposent de munitions chimiques. A tous les échelons existe une unité spécialisée dans la défense chimique et affectée soit aux mesures passives (décontamination), soit aux mesures actives (projectiles). Les États-Unis qui, jusqu'en 1980, avaient pris un gros retard, consacrent maintenant d'importants crédits pour l'armement chimique et augmentent leurs effectifs. A Mikhaïl Gorbatchev qui appelait à la création d'une zone sans armes chimiques en Europe centrale, la Maison Blanche a répliqué qu'elle n'admettrait que l'interdiction totale et rien d'autre. A cette occasion, le porte-parole américain a réaffirmé l'intention de son gouvernement d'accélérer massivement la production d'armes chimiques.

D'autres aspects de la politique française de désarmement méritent de figurer dans cet inventaire. J'en noterai trois : le lien à établir entre le désarmement et le développement ; la création de zones régionales de neutralité et de zones non nucléarisées ; l'Agence internationale de satellites de contrôle.

Désarmement et développement

Sur le premier point, on trouvera dans ce livre le texte du discours, déjà cité, que j'ai prononcé devant l'Assemblée des Nations Unies en 1983. Après MM. Edgar Faure en 1955 et Giscard d'Estaing en 1978, j'ai souligné combien était choquant le contraste entre les aides (médiocres) allouées au développement et les sommes (colossales) affectées à l'armement, et soutenu l'idée d'un transfert de l'un à l'autre. A cette fin, j'ai réclamé la mise en place urgente du fonds international prévu par M. Giscard d'Estaing, confié, sans résultat, à un groupe de travail, et qui prélèverait sur les budgets d'armement un pourcentage consacré à des actions de développement. Activement soutenue par les grands pays du Tiers Monde, au premier rang desquels l'Inde, cette initiative n'a pas reçu des grandes puissances de l'hémisphère Nord l'appui que justifiait une telle cause.

Des zones de neutralité, solution pour les conflits régionaux

Sur le deuxième point, en même temps que des zones de neutralité, la France a préconisé l'établissement de zones non nucléarisées là où l'équilibre des forces ne repose pas sur les armes nucléaires de dissuasion. Naturellement, dans les deux cas, ces zones n'existeraient que par l'accord exprès des États intéressés qui, ayant convenu de réduire leurs arsenaux et de renoncer à la production et au stockage d'armes atomiques, recevraient de la communauté internationale les garanties correspondantes.

Quant à l'Agence de satellites de contrôle proposée par la France en 1978 et qui a d'ores et déjà rencontré une large adhésion, elle se heurte, même refrain, à l'indifférence polie des deux Grands qui détiennent le quasi-monopole de l'observation spatiale.

L'initiative de M. Gorbatchev

L'initiative récente de M. Gorbatchev en faveur de la destruction de tout armement nucléaire, d'ici à l'an 2000, contre l'abandon de la « guerre des étoiles », change la nature du débat et doit être saluée comme une audace intellectuelle. La réponse du gouvernement français sera méditée. Mais, sur le champ, je remarquerai que le désarmement a pour objet d'accroître la sécurité et non de la réduire, que la sécurité repose sur l'équilibre de toutes les forces au niveau le plus bas et que le déséquilibre en Europe étant essentiellement conventionnel et chimique, il serait logique de commencer par là.

Quoi qu'il en soit, nous n'en sommes qu'aux préliminaires de cette discussion et chacun comprendra qu'elle butera très vite sur la volonté américaine de remettre en cause ou non l'I.D.S. En attendant, la France constate que rien n'a ralenti la course vers le pire et qu'elle ne pourra durablement prêcher dans le vide le retour à la raison pour la survie de l'espèce humaine. Ses principes, sa politique, sa stratégie font d'elle l'un des principaux artisans du désarmement dans le monde. Mais, faute de sécurité pour tous, elle ne renoncera pas à la sienne et, fût-ce à regret, s'armera en conséquence.

Le refus de la prise en compte de nos armes nucléaires dans la négociation de Genève

Si la France prône le désarmement, elle n'est pas pour autant disposée à mettre sa défense nationale à la merci de la négociation russo-américaine qui se déroule actuellement, négociation dont elle n'est pas partie et dont l'objet n'a rien à voir avec la nature de ses forces.

On sait qu'à la conférence de Genève et jusqu'à la rupture de novembre 1984, Américains et Russes n'avaient inscrit à leur ordre du jour que la question des armes nucléaires à moyenne portée. Or, depuis 1978, les Russes étaient les seuls, en Europe, à détenir des armes de ce type, les fameuses SS 20, avant que les Américains n'installent à leur tour Pershing II et missiles de croisière. On estimait alors à 150 environ le nombre des SS 20, chacune ayant trois têtes, ce qui représentait quelque quatre cent cinquante charges nucléaires. Leur portée de 4 500 kilomètres ne leur permettait pas de traverser l'Atlantique. Leur précision approchait 400 mètres. A qui étaient-elles destinées ? En un quart d'heure, elles pouvaient détruire la totalité des dispositifs militaires du nord de la Norvège au sud de l'Italie. J'avais interrogé le gouvernement français de l'époque qui semblait sourd et aveugle et devait rester muet devant cette menace nouvelle, et je lui avais demandé les raisons de cette triple infirmité. Je n'en avais rien obtenu. Alors que l'équilibre stratégique entre l'URSS et les USA existait, alors que la Russie disposait d'une supériorité reconnue dans le domaine des armes classiques ou conventionnelles, pourquoi, questionnais-je, cette volonté de s'arroger sur notre continent l'exclusivité de telles armes, sinon pour réduire l'Europe au rôle d'un pion sur l'échiquier de l'affrontement planétaire et l'isoler au sein de l'Alliance atlantique ? Sans doute l'URSS ne demandait-elle pas à la France de réduire son potentiel militaire, mais que la somme des fusées de moyenne portée

Ni SS 20, ni Pershing II

installées en Europe par l'Alliance atlantique fût égale à celle du Pacte de Varsovie. Je fis observer à M. Gromyko, en visite à Paris, que c'était sa façon à lui de nous réintégrer dans l'OTAN et que l'insistance de son pays à faire entrer dans ses calculs l'armement de la France et de la Grande-Bretagne — armement porté, pour l'essentiel, par des sous-marins nucléaires et capable, en cas de guerre, de frapper toute cible désignée, ce qui est le propre des armes stratégiques — était d'autant moins recevable que les deux grandes puissances avaient d'elles-mêmes écarté de leur discussion leurs propres forces sous-marines. Je ne suis pas certain de l'avoir convaincu. Je prévins alors les négociateurs que, quoiqu'ils en eussent, la France agirait à sa guise et ne s'estimerait liée par aucun accord passé sans son aveu. Je dois à la vérité d'écrire que M. Gorbatchev m'a réaffirmé que la France n'était pas visée en tant que telle par la démarche soviétique, et que le Président Reagan et ses représentants ont soutenu de bout en bout notre thèse, attitude qui ne manquait pas d'élégance si l'on songe à la déception américaine lors du retrait de la France du commandement intégré de l'OTAN.

Nos armes sont stratégiques

Le moment approchait cependant où, en réponse au déploiement des SS 20 et en application de la « double décision » prise par l'OTAN à l'initiative du Chancelier allemand Helmut Schmidt, les Américains allaient implanter les Pershing II en Allemagne fédérale. D'une moindre portée (1 800 kilomètres) que les SS 20, les Pershing II possèdent une plus grande précision (150 mètres). Mais leur arrivée sur le sol européen signifiait un véritable bouleversement du rapport de forces entre les deux Grands. Six minutes désormais suffiraient aux États-Unis pour frapper la Russie au cœur, tandis que les fusées soviétiques avaient encore besoin de quelque vingt minutes pour atteindre New York. En modifiant à son avantage le facteur temps, l'OTAN, pour rétablir l'équilibre tactique, portait un coup sévère à l'équilibre stratégique. Je comprenais l'inquiétude des Soviétiques, qui devait bientôt se traduire par l'interruption (provisoire) des négociations et le retour aux pires tensions de la guerre froide. Mais que faire ? L'URSS n'avait ni proposé ni accepté de compromis raisonnable. Il ne restait plus à la France d'autre choix que de parer au danger immédiat. Ce que je fis en prenant parti pour l'installation des Pershing II. Je pensais que, même si la « double décision » ne la concernait pas, la France n'avait pas à se taire. Les périls que court l'Europe sont les siens. J'avais, au surplus, le sentiment que le moment était venu de sortir de la trouble torpeur où semblait s'assoupir l'esprit de résistance des vieux peuples — trop vieux ? — de l'Ouest euro-

L'implantation des Pershing II en Europe

péen. Aux foules qui clamaient leur refus désespéré des Pershing II, comme si elles acceptaient de vivre en liberté surveillée sous l'œil froid des SS 20, je préférais opposer ma conviction : l'URSS, quand elle sait que celui qui dit non n'est pas son ennemi, l'écoute et le respecte. Son histoire le lui a, de longue date, enseigné : la paix n'est jamais fille du renoncement.

De nouveau, le dialogue

Comme tous les amis de la paix, j'ai salué le retour des deux partenaires à la table des négociations. Entre temps, la mise en œuvre de l'initiative stratégique du Président Reagan et la montée en force de M. Gorbatchev avaient restitué au dialogue sa tragique nécessité. Mais la priorité donnée aux armes intermédiaires était passée de mode. Le nouveau maître du Kremlin, qui l'avait compris, prépara le rendez-vous d'intelligente façon, à coups de propositions qui ramenèrent la conférence dans le champ du réel. Sa dernière proposition, qui reprend à son compte l'approche de M. Reagan vers la suppression de l'armement nucléaire, mais en suggérant d'y aller directement en sautant l'étape de l'I.D.S., montre que la Russie reste la patrie du jeu d'échecs et que M. Gorbatchev y excelle. Lors de sa visite à Paris, je pus apprécier sa clarté d'esprit, sa perception aiguë du monde tel qu'il est. Physiquement, intellectuellement, la personnalité de M. Gorbatchev me parut

Un athlète sur la ligne de départ

compacte, ramassée sur elle-même, comme on le dirait d'un athlète sur la ligne de départ et que l'action libère en lui prêtant l'aisance d'allure et d'expression qui manquait à ses prédécesseurs. Je pensai, l'écoutant, qu'il assumerait le risque de traiter, pas celui de céder, et qu'il serait sage de ne pas s'y méprendre.

L'équilibre des forces dans le monde

Nous vivons depuis quarante ans, en Europe, dans l'étau des blocs militaires, l'un autour de Washington, l'autre autour de Moscou. Chacun organise la puissance de ses armes en l'adossant à un système de valeurs idéologiques, politiques, économiques, sociales, plus élevé que le mur de Berlin. On peut souhaiter la fin des blocs, et c'est mon cas, mais on ne peut en faire fi. Notre appartenance à l'Alliance atlantique, alliance défensive qui s'exerce à l'intérieur d'une aire géographique délimitée : Atlantique nord, Europe, Méditerranée occidentale, découle de la situation créée en 1945 par la percée de l'armée soviétique en Europe. Ceux qui ont vécu la guerre et l'immédiat après-guerre ont éprouvé cruellement la rupture puis l'affrontement qui ont opposé, sur notre continent, deux mondes, deux conceptions du monde, rejetant, de part et d'autre de la ligne de partage, des civilisations-sœurs, déchirant des affinités séculaires.

Le choix de l'après-guerre

A l'heure du choix, où se trouvait la liberté ? A l'Est ou à l'Ouest ? Des millions de Français, qui avaient soif d'une justice sociale trop longtemps refusée par les classes dirigeantes, l'attendaient de Moscou. Des millions de Français, pour qui la liberté était avant toute chose celle d'aller, de venir, de s'exprimer, d'écrire, de se réunir, de s'associer, de voter, de pratiquer sa foi, tous principes élémentaires de droit public, sentaient, savaient, fussent-ils également prêts à lutter pour que notre société complétât ses conquêtes du Front populaire et de la Libération, qu'elle ne leur viendrait pas d'un système qui, par essence, les niait. J'étais de ceux-là. A deux reprises, les soldats américains avaient apporté, au prix de leur sang, ce message. Grâce à leur sacrifice, liberté et sécurité avaient, pour la majorité des Français, le même contenu. Étions-nous pour autant engagés dans un bloc ? Au voisinage de la Russie, la France a appris à la connaître, à l'estimer. Cinq siècles de relations généralement amicales, le rôle déterminant joué par l'Union soviétique dans la libération de la France et, à l'encontre de l'idée reçue, de multiples attaches sentimentales et culturelles, ont noué entre nos peuples des liens solides. Nos intérêts, plus souvent qu'on ne croit, nous rapprochent. La Russie a toujours représenté dans notre histoire et peut encore représenter un contrepoids utile, soit à l'échelle de l'Europe, soit à l'échelle de la planète. Mais aucune de ces considérations ne comptait dès lors que les avant-gardes soviétiques campaient à notre porte.

Un rapide rappel de l'escalade qui mena les deux plus grandes puissances et, avec elles, leurs alliés à l'extrême tension de ces dernières années, fera mieux comprendre comment ce qu'on nomme l'équilibre stratégique s'est établi au travers de déséquilibres successifs.

L'échelle de perroquet

Après leur victoire commune de 1945, Américains et Russes, désormais rivaux et lancés dans la course à l'armement et au surarmement, grimpèrent tour à tour l'échelle de perroquet dont le dernier barreau se situe dans l'espace. Les Russes, forts de l'avantage que conférait à leurs armées la proximité de leurs bases, prirent leur gage en Europe centrale et orientale et acquirent une supériorité en armement classique qui n'a pas cessé de s'accroître. Les Américains, qui possédaient déjà la bombe atomique à fission (la bombe A), fabriquèrent la bombe à fusion (la bombe H) et un avion capable de la transporter en Europe, le B 36. Ce à quoi les Russes répliquèrent l'année suivante (1953) par l'explosion de leur première bombe H et par la mise en service d'un bombardier, le TU 16, capable de la porter en Améri-

Une course-poursuite sans fin

que. En 1957, changement de dimension. Les Russes avec le Spoutnik, les Américains avec Titan, passèrent du stade de l'avion stratégique à celui du missile intercontinental, puis diversifièrent leur arsenal balistique : missiles tactiques, de théâtre (1978-1979), de croisière (1983). Quand furent mis au point les systèmes antibalistiques, Galosh pour l'URSS, Spartan pour les USA, les deux géants s'inquiétèrent pour eux-mêmes et souhaitèrent une pause : ce furent les accords SALT 1 (1972), MBFR (1973) et SALT II (1979), ces derniers non ratifiés par le Sénat américain. Étaient apparues à la même époque en Russie les SS 20, armes de théâtre auxquelles répondit, nous en avons parlé, le projet de l'OTAN d'implanter en Europe des missiles de même type (Pershing II et missiles de croisière). Une deuxième pause, tentée à Genève, échoua (1983). Les Russes déployèrent alors d'autres fusées, diversifièrent la gamme de leur armement, tandis que les Américains commandaient la construction de fusées à dix têtes, les MX. Parallèlement, les deux superpuissances accrurent leurs forces conventionnelles et leurs armes chimiques, tandis que s'annonçait l'arrivée de nouvelles armes de « saturation » et d'armes « intelligentes » à guidage terminal avec, au bout, la « guerre des étoiles ».

Pendant que se déroulait cette compétition, la France, l'un des cinq pays détenteurs de l'arme nucléaire, assurait à sa force de dissuasion un niveau suffisant pour que nul ne prît le risque de la menacer. Mais elle mesurait en connaissance de cause le danger que faisait peser sur l'humanité tout entière l'accumulation de tels moyens de destruction. Sa doctrine constante avait été d'inviter les surarmés de la planète à ramener à un niveau plus raisonnable l'équilibre de leurs forces dans le respect d'une parité globale et contrôlée. Elle ne pense pas autrement aujourd'hui. Aucun des deux camps ne pourrait compter sur elle pour approuver sa volonté d'acquérir une dangereuse position de supériorité. Au rythme où se déroule la course à l'armement, les recherches en cours déboucheront un jour sur la fabrication et le déploiement d'engins à l'égard desquels la distinction offensif/défensif aura pratiquement disparu, car il s'agira d'armes à effet instantané, à très longue portée et d'une extrême précision. Alors l'affrontement sera proche. Pour celui qui craindra d'être définitivement distancé, la guerre préventive sera la seule riposte. Cette considération donne sa force à l'une des idées simples de la politique extérieure de la France : l'équilibre entre les blocs.

La guerre préventive

Certes, j'ignore ce qu'il résultera de la Conférence de Genève. M. Gorbatchev n'amènera pas M. Reagan à renoncer à son initiative, M. Reagan n'obtiendra pas de M. Gorbatchev qu'il l'accepte. Mais, en dépit des affirmations de principe, par nature catégoriques, je serais étonné d'une nouvelle rupture, du moins à proche délai. On débattra du point où cesse la recherche et où commence le déploiement. On calculera le niveau d'armement spatial acceptable de part et d'autre. On proclamera l'intangibilité des clauses du traité ABM que l'on retouchera peu ou prou. La bataille des experts occupera de longs mois. D'ici là, les deux rivaux moudront leur grain en jetant sur le tapis vert ce qu'ils ont dans la main : le règlement éventuel de conflits régionaux comme celui de l'Afghanistan, et l'on reviendra, pour occuper le temps, aux armes nucléaires à moyenne portée. Mais, comme la négociation porte désormais sur la totalité des armements, tactiques, stratégiques, balistiques, cette affaire devient secondaire. Quoi qu'il en soit, à même question, même réponse : il n'y aura pas de prise en compte. La France décidera, et elle seule, des affaires de la France.

La France, décidera, et elle seule, des affaires de la France

La guerre de l'espace

L'« Initiative de Défense Stratégique » (I.D.S.) ne date pas d'hier. Ni le débat public à son sujet. C'est le 23 mars 1983, par une déclaration télévisée, que M. Rea-

Une lettre d'Amérique

gan en a lancé l'idée. Dans une lettre qu'il m'avait adressée ce même jour, le Président américain m'avait informé de ses intentions : « Nous devons nous efforcer, par tous les moyens possibles, de réduire le niveau des systèmes offensifs... Mes conseillers, notamment le Comité interarmes des chefs d'état-major, ont recommandé un examen plus approfondi des possibilités inhérentes aux technologies de défense, donnant ainsi à notre peuple, et à tous ceux que protège le parapluie de l'OTAN, l'espoir à long terme que nous pourrons un jour assurer notre sécurité sans menacer personne ni aucun territoire », et il avait ajouté : « J'ai, il va sans dire, parfaitement conscience des problèmes que soulève tout effort centré essentiellement sur la défense stratégique. Allons-nous faire de l'Amérique une forteresse ? Avons-nous l'intention de violer d'une manière ou d'une autre le traité A.B.M. ou de ne pas respecter nos engagements envers nos alliés ? Visons-nous une capacité de première frappe ? Toutes ces éventualités n'ont aucun sens. »

Il attendit deux ans avant de donner forme à son projet et de saisir les pays invités à s'y joindre. On en connaît l'économie : un chapelet de satellites tournant autour de la Terre, hors de la couche atmosphérique, surveilleraient notre planète. Munis d'armes adaptées, ils détruiraient en vol les fusées balistiques adverses. Et la philosophie : effacer Hiroshima des consciences, repousser dans la préhistoire le cauchemar de la « destruction mutuelle assurée », soustraire l'espèce humaine aux ravages d'un embrasement sans pareil, tout en assurant la défense du monde libre.

Conversation avec M. Weinberger

Au début de l'année 1985, M. Reagan me confirma ses intentions. Je reçus, le 27 mars, la visite du Secrétaire américain à la Défense, M. Weinberger, chargé de m'apporter les précisions désirables. Mon visiteur insista sur trois points : il s'agissait de recherches, non de fabrication, et encore moins de déploiement; la nouvelle stratégie serait, par nature et par définition, purement défensive; l'Europe serait protégée au même titre que les États-Unis. Quant à l'invitation, on espérait à Washington une réponse rapide. Dans quel délai ? Le Secrétaire à la Défense demeura évasif. Sans doute, devant la réserve irritée des chancelleries européennes, avait-il renoncé aux soixante jours initialement prévus. Une démarche amicale perd ce caractère quand elle cède à l'impatience.

Je donnai ma réponse quelques semaines plus tard. Dans l'après-midi du 2 mai, à l'aéroport de Cologne, un hélicoptère m'embarqua pour me déposer dans le jardin d'un diplomate en poste à Bonn. Ronald Reagan m'y attendait, entouré de ses principaux collaborateurs. Le sommet

Conversation avec Ronald Reagan

annuel des sept pays les plus industrialisés s'ouvrait une heure après dans cette ville. Nous n'avions pas de temps à perdre. Politesses faites, mon interlocuteur attaqua d'emblée le sujet difficile : l'Initiative de Défense Stratégique. La question n'était pas inscrite à l'ordre du jour de la Conférence, mais elle occupait toutes les conversations et remplissait les colonnes des journaux. On savait que le Président des États-Unis souhaitait obtenir rapidement l'accord de ses partenaires. On savait aussi que cinq d'entre eux opineraient et que la France se montrerait rétive. Il m'exposa méthodiquement ses arguments et prêta à sa conviction les accents chaleureux et la sincérité qui font le charme de sa personne. Ronald Reagan respecte, dans le dialogue, ceux qu'il entend séduire. On peut ne pas aimer sa politique, on ne peut refuser à l'homme les égards qu'il prodigue. J'ai eu avec lui, et j'en aurai d'autres, de rudes joutes. J'aurais préféré parfois baisser la garde pour lui être agréable. Mais ce n'est pas de cette manière qu'on règle les affaires du monde et qu'on traite avec les empires. Il développa à son tour l'argumentation de Caspar Weinberger et souligna que la France et ses industries tireraient avantage des offres de sous-traitance que les États-Unis ne manqueraient pas de leur soumetre. Je tiquai sur l'expression « sous-traitance », qui, il est vrai, n'a pas en langue anglaise une signification aussi désagréable que dans la nôtre. J'observai d'abord que la France ne consentirait pas à souscrire à quelque accord que ce fût, notamment dans l'ordre militaire, sans avoir part à la décision, que le rôle d'exécutant qui nous était dévolu suffisait à justifier mon refus. Puis je sortis de ce discours pour discuter le bien-fondé de la stratégie au terme de laquelle on voyait poindre la « guerre des étoiles ». J'en contestai l'opportunité alors que les négociateurs américains et russes venaient de convenir d'en débattre à Genève ; j'en contestai le fond : la défense spatiale ne pouvant avant un demi-siècle, pour le moins, se substituer au nucléaire, que deviendrait l'Europe entre-temps ? Pourquoi sortir d'un équilibre qui garantit la paix depuis quarante ans ?

La crainte de la première frappe

Nous étions pressés, je l'ai dit. Ronald Reagan fit encore valoir l'urgence et la nécessité qu'il y avait à accélérer les recherches en raison de l'avance soviétique dans la connaissance des armes balistiques anti-missiles et anti-satellites, connaissance qui, selon lui, plaçait les Russes en situation de frapper les premiers sans craindre de représailles sérieuses. Nous nous séparâmes après avoir parlé, autre affaire délicate, de la convocation éventuelle d'une conférence commerciale (le G.A.T.T.) pour 1986, et nous partîmes pour le Palais Schaumburg rejoindre le Chancelier allemand, notre hôte.

Cette conversation convainquit sans doute nos amis américains de la résolution de la France de ne pas s'engager dans l'I.D.S. Il n'en fut plus question entre nous.

Les raisons françaises

Je veux maintenant approfondir pour mes lecteurs les raisons, esquissées lors de mon entretien avec Ronald Reagan, qui m'ont conduit à éluder sa proposition et à prendre pour la France le risque d'un isolement qui impressionnera l'opinion française chaque fois qu'elle apprendra l'adhésion de tel ou tel de nos alliés, y compris les plus proches, et qui obligera, dans un premier temps, notre pays à tenir la route par les moyens du bord. Viendra ensuite le moment où, l'un après l'autre, les disciples de la doctrine américaine, les enthousiastes et les tièdes, apercevront qu'au prix de quelques bonnes affaires, ils n'auront accès ni à la stratégie militaire, ni à la stratégie industrielle, ni au choix du plus, ni au choix du moins, et qu'ils n'auront aucune marge d'appréciation autonome sur la marche des pièces, grosses ou petites, de l'échiquier « guerre des étoiles ». Certes, je comprends que les puissances qui ne possèdent pas l'arme nucléaire fassent l'impasse et veuillent accéder au plus tôt aux normes nouvelles de la stratégie mondiale. Mais je crains, d'une part, que l'Europe ne pâtisse de l'évasion outre-Atlantique des savants, des techniciens et des crédits qu'il serait préférable de mobiliser pour une autre ambition, ensuite que l'I.D.S. ne réalise ce que ni les campagnes isolationnistes aux États-Unis, ni les invites soviétiques n'ont obtenu depuis la guerre mondiale : le découplage ou la séparation en deux systèmes de défense, inégalement protégés, de l'Amérique et de l'Europe.

Je ne critique pas ceux qui voient plus loin que le siècle. Le prochain transformera l'espace en boulevard. De cela, on peut être aussi sûr que le sont les visionnaires assez raisonnables pour commander dès maintenant la maquette de l'île et du vaisseau célestes d'où s'étendra l'empire des hommes. Mais la guerre pouvait attendre qu'on essayât la paix.

Des experts contre l'I.D.S.

Personne n'est en mesure, sur la base des données existantes, de démontrer qu'une défense spatiale étanche soit possible d'ici longtemps. Or, sans cette assurance, que vaut la défense stratégique ? De bons experts (américains) estiment que 5 % des têtes de missiles soviétiques atteignant les États-Unis anéantiraient la moitié de la population urbaine. Un bouclier à 95 % serait donc encore loin de compte. Certes, les optimistes (si j'ose dire) répondront qu'on ne peut pas non plus démontrer le contraire. Mais quel grand pays bâtirait sa sécurité sur une hypothèse aussi controversée ? Un haut responsable du Pentagone, M. de Lauer, s'exprimant devant le Congrès, révélait récemment que les forces américaines, pour arrêter les 9 à 10 000 têtes stratégiques soviétiques actuellement répertoriées, devraient concentrer le gros de leurs moyens sur les trois premières minutes de l'envol des fusées. De même, pour identifier les cibles, calculer leurs positions et leurs vitesses, traiter en temps réel les signaux des satellites de surveillance, coordonner l'action de centaines, voire de milliers de stations orbitales, il serait nécessaire de gagner plusieurs ordres de grandeur dans les performances des ordinateurs. On se cogne ici à des lois de la nature et à des principes scientifiques jusqu'ici considérés comme immuables. A qui remarquera qu'« ils ont bien mis un homme sur la Lune », on répondra que prendre le programme Apollo pour étalon serait oublier que la meilleure technologie n'a pas (encore) inventé le mouvement perpétuel, ni des mobiles plus rapides que la lumière, que les plus stupéfiantes percées de la science n'ont pas (encore) renvoyé au néant la rotondité de la Terre, les lois de Newton, la rotation des satellites selon des orbites définies et prévisibles, l'absorption par l'atmosphère des rayons X, la diffraction des rayons laser proportionnelle à la distance, etc. Comme l'observait récemment Paul Quilès, seule une véritable noria de satellites serait à même d'assurer la couverture permanente des sites de lancement et des océans. Les évaluations les plus raisonnables en prévoient plusieurs

Science et nature

centaines, c'est-à-dire une dizaine de milliers de tonnes en orbite, et mille milliards de dollars d'investissement, soit 20 à 30 % du budget américain actuel pendant quinze ans. Après quoi il faudra en assurer la maintenance. Un expert a calculé qu'un lancement tous les quinze jours serait tout juste suffisant.

Contourner le filet spatial, par le bas

Enfin, les anticipations oublient que la Lune est une cible inerte où personne n'attendait Armstrong pour l'empêcher de poser le pied. En revanche, le filet spatial sera vulnérable à des attaques rudimentaires et peu sophistiquées (mines, grenaille, explosions nucléaires aveuglantes), à la multiplication des leurres (faux missiles sans charges), au lancement de missiles de croisière contournant le dispositif par le bas, au choix de trajectoires basses et courtes avec des angles de tir déprimés, cette énumération reflétant l'état présent sans anticiper sur les bonds en avant foudroyants de la science. C'est l'opinion d'un groupe de savants nucléaires, de spécialistes du laser, de Prix Nobel de physique, d'astronomes, etc., membres de l'« Union of Concerned Scientists » qui contredit les prévisions des responsables politiques et conclut : « Les chances d'atteindre le but d'une défense antibalistique effective sont négligeables. La défense du *Stars War* offre si peu de perspectives et tellement de risques que nous ferions bien de renoncer dès maintenant à l'illusion qu'elle incarne de façon si alléchante. » Une étude du Congrès réalisée par le Bureau des Évaluations technologiques (O.T.A.) surenchérit : l'I.D.S. présente le risque de déclencher une nouvelle course aux armements et de créer « de graves instabilités », et conclut que « garantir la protection de la population américaine semble impossible à réaliser si les Soviétiques sont décidés à nous en empêcher ». Quant à M. Lee Aspin, président de la Commission des forces armées à la Chambre des Représentants, il estime « qu'après avoir dépensé des milliards et des milliards de dollars, nous pourrions réaliser que nous avons payé pour la plus grande instabilité que le monde eût connue depuis le début de l'ère atomique ».

D'autres experts pour l'I.D.S.

Cela noté, on se doute bien que d'autres savants pensent et disent le contraire. Ceux-là sont plus nombreux, assez compétents et assez influents pour avoir emporté la conviction du Président Reagan et de ses conseillers. Ils ont une assurance dans leur approbation égale à celle de leurs contradicteurs dans la dénonciation. La plupart des stratèges américains partagent leur conviction. Cela fait du monde. Je ne trancherai pas le tort et la raison. Aux objections scientifiques et techniques, il existe toujours (ou presque) des réponses de même nature. Sur la base des connaissances d'aujourd'hui, je ne préjugerai pas l'échec final d'une expérience qui se projette dans le futur. Je crois, comme Ronald Reagan, à l'inépuisable richesse de l'esprit humain, à son invincible besoin de mettre en œuvre ce qu'il conçoit. Mais, la part faite à l'imagination et au credo dans le progrès continu du savoir, je dois examiner la situation créée par l'I.D.S. du point de vue de mes responsabilités et de celles de mes successeurs au regard de la France et de son système de défense, au regard aussi de l'Europe occidentale en état de déséquilibre, de dépendance et de doute sur elle-même. Sous cet angle, mon raisonnement se borne à cette unique considération : pour le temps qui vient, l'I.D.S. renforce-t-elle ou non la sécurité de la France et celle de l'Europe ? Je pense que non.

Réflexions critiques sur l'I.D.S.

Une première réflexion s'impose : l'Initiative de Défense Stratégique, visée lointaine, provoquera, dans l'immédiat, une réaction soviétique contraire au but souhaité. En effet, la seule perspective d'une défense spatiale antibalistique américaine rend plus aléatoire l'éventualité d'une réduction des armements offensifs soviétiques, les Russes sachant qu'ils ne pourront annihiler le « couvercle » placé au-dessus de leurs têtes qu'en le saturant, c'est-à-dire en multipliant missiles stratégiques et armes anti-satellites. La limitation du mirvage à 10 têtes, qui fit l'objet de la négociation SALT 2, est d'ores et déjà condamnée. De même que la première vague des

ABM, dans les années soixante, a provoqué la multiplication des têtes nucléaires portées par chaque missile, personne n'arrêtera la seconde. L'expérience montre que spéculer sur la résignation soviétique à s'installer dans une situation de faiblesse, n'est pas la meilleure façon de contribuer à la détente.

Deuxième réflexion : après avoir examiné le dossier de ce que le grand public connaît sous le nom de « guerre des étoiles », consulté les meilleurs experts et enregistré les avis les plus contrastés, je dois mettre en garde mes compatriotes contre les espérances infondées. Nous vivons en Europe. Or, l'Europe est ce qu'il y a dans le monde de plus exposé, de plus vulnérable aux dérapages, aux vertiges de l'irrémédiable. Il y a quelque contradiction, côté américain, à appeler plusieurs pays européens à déployer sur leur sol des missiles nucléaires tout en jetant le doute sur l'utilité, voire sur la moralité de ce type d'armement. Dans l'hypothèse — à imprévisible échéance — d'une défense antibalistique efficace, et à supposer qu'elle puisse être étendue à l'Europe, comment cette dernière pourra-t-elle neutraliser, sans moyens de représailles nucléaires, la menace aérienne des missiles de croisière et de portée intermédiaire, la menace chimique et, aussi bien, une agression conventionnelle ? Pour échapper à la pression d'une Union Soviétique surarmée, l'Eu-

Une Europe vulnérable

rope dépendra plus que jamais d'une Amérique surdéfendue. Ce n'est pas le destin que je souhaite pour elle.

La paix n'est pas un cadeau tombé des nues

Troisième réflexion : nulle technique ne délivrera l'homme de sa responsabilité en lui offrant la paix en cadeau. A chaque époque, les divers systèmes d'armes se combinent entre eux, sur un point d'équilibre difficile à prévoir. A peine un système nouveau apparaît-il à l'horizon que prophètes et profanes en font une panacée et sonnent le glas des bâtiments de surface pour cause de sous-marins, des chars d'assaut pour cause d'armes anti-chars, des avions pour cause de missiles, et ainsi de suite. Or, l'âge nucléaire fonde la sécurité de tous sur le risque encouru par chacun. Une fausse impression de sécurité donnerait le sentiment que ce risque n'existe plus. Abandonner les principes et les moyens de la dissuasion reviendrait à échanger l'impossibilité de la guerre mondiale, pratiquement démontrée, contre la possibilité théorique de « guerres limitées », comme les appellent ceux qui n'auraient pas à les livrer sur leur propre sol. On ne rendra pas la sécurité à la Terre en étendant le champ de bataille à l'espace, et rien ne nous dispensera de veiller sur nos chemins de ronde. Au demeurant, tout indique que nous allons vers un monde non pas débarrassé de l'arme nucléaire, mais où des armes nouvelles complèteront, en une combinaison originale, les armes actuelles et futures. J'observe à cet égard que les États-Unis continuent de donner la priorité, dans leurs programmes militaires comme dans leur budget de recherche, au renforcement de leurs moyens nucléaires offensifs (MX, Trident II, etc.) ; que les sous-marins lanceurs d'engins stratégiques qu'ils mettent en chantier sont destinés à être déployés bien au-delà de l'an 2000. On doit donc s'attendre, en dépit des vœux de Ronald Reagan, certainement sincère dans son désir d'écarter le spectre de l'abomination, mais comme le prévoit déjà la machine militaro-administrative, à ce que l'I.D.S., loin d'éliminer le danger nucléaire, ne serve qu'à le renforcer tout en le déséquilibrant.

L'opinion d'un stratège américain

Comme j'exprimais cette remarque à l'un des meilleurs stratèges américains, il me répondit en ces termes : « J'étais hostile à l'I.D.S. et je m'y suis rallié. On ne peut offrir éternellement aux masses la perspective d'un massacre sous prétexte de les sauver. Mais la défense stratégique qui nous dégage de l'obsession de la bombe atomique n'a pas pour objet de la jeter aux oubliettes. Elles devront bien cohabiter. On n'achètera pas la paix du siècle prochain au prix de la guerre dans celui-ci. Les raisons que vous opposez à l'I.D.S. sont d'ordre militaire, alors que je l'approuve pour des raisons politiques. Certes, le Pentagone n'a pas l'illusion de pouvoir encercler la Terre avec ses satellites en bouclant toutes les issues. Il lui suffit, après tout, d'en lancer assez dans l'espace pour protéger les silos où sont abrités nos missiles. Avez-vous besoin d'autres garanties ? Les Russes, le sachant, n'attaqueront pas les premiers. Nous non plus. Et la guerre n'aura pas lieu. Sans doute le premier mouvement des Russes sera-t-il de refuser de vivre sous la menace d'une attaque soudaine et s'engageront-ils, comme vous l'envisagez, dans la fabrication accélérée de nouveaux ABM. Mais je crois au deuxième mouvement. L'effet probable de l'I.D.S. sera d'obliger Moscou à négocier pour de bon à Genève. Fini le cliquetis des propagandes : "moi, je veux négocier, l'autre ne le veut pas". Votre intuition est juste : les Russes n'accepteront pas l'I.D.S. ; votre conclusion l'est moins. Quand vous dites "donc ils rompront", je pense "donc ils traiteront". Je suis convaincu qu'au bout du compte, ils préféreront s'entendre avec nous sur une limitation du déploiement, à un niveau donné, qui leur laissera le temps de souffler, plutôt que d'avoir à supporter le coût d'une nouvelle et gigantesque campagne d'armement qui les empêchera de consacrer leurs finances et leurs techniques au redressement de leur économie. Je n'ai pas besoin d'en dire plus pour que vous compreniez à quel point je déplorerais que le Président Reagan exclue de sa proposi-

La guerre n'aura pas lieu

tion le déploiement des satellites. Il se démunirait de son meilleur atout face aux Russes. J'espère qu'il résistera. »

J'écoutai mon visiteur avec le sentiment d'entendre dévider mes propres arguments sur le probable processus de la « guerre des étoiles », à partir d'un projet dont la logique interne a toute chance d'échapper à l'intention de son auteur. « Allons-nous faire de l'Amérique une forteresse ? » s'interrogeait Ronald Reagan dans sa lettre de 1983. « Oui », répondait une autre voix de l'Amérique, « nous protégerons nos silos et resterons, par là, maîtres de notre capacité de frappe en second ». « L'I.D.S., c'est la recherche et non le déploiement », répétait Caspar Weinberger dans mon bureau de l'Élysée. « La recherche sans déploiement est un non sens diplomatique et stratégique », rétorquait l'autre voix. Qui aura le dernier mot ? Je n'ai pas à douter de l'autorité du Président Reagan, qui a su l'affirmer dans des circonstances difficiles. Mais l'Initiative Stratégique, pour devenir réalité, s'étalera sur plusieurs décennies. Qu'en sera-t-il alors ? Ma décision doit tenir compte de cette incertitude. L'I.D.S., pour un temps indéfini, demeurera un facteur de déstabilisation du système dissuasif fondé sur la vulnérabilité réciproque des territoires et des forces, solennellement garantie par le Traité de limitation des ABM. Je ne puis m'empêcher de déceler

Avoir le dernier mot

dans cette entreprise la volonté d'obtenir la marge de supériorité que les États-Unis recherchent depuis dix ans. L'ayant trouvée dans leur avance technologique et scientifique, ils sont tentés de la mettre à profit sur le plan militaire. Je pourrais me réjouir de voir nos alliés dominer le champ d'une compétition dont l'un des enjeux est notre liberté. Si je m'en inquiète, c'est que je crois, de toute ma conviction, que la paix tient à l'équilibre des forces dans le monde, à l'équilibre des forces en Europe.

Faire l'Europe

Pourvue des moyens de sa sécurité et solidaire de ses alliés, la France s'applique à resserrer les liens qui l'unissent à ses voisins avec lesquels elle partage, depuis des siècles, une histoire foisonnante, dialogue permanent d'une immense civilisation au génie créateur, mais aussi affrontements, déchirements, guerres fratricides, régularité du malheur, désastres au cœur d'un continent où la France et l'Allemagne étaient devenues ennemies héréditaires.

Un congrès historique

L'effort de réconciliation a été entrepris, et réussi, au lendemain de la Deuxième Guerre mondiale, par des hommes qui refusaient les enchaînements de la haine et la fatalité du déclin. Au premier Congrès européen, qui se tint à La Haye en mai 1948, on vit siéger dans la salle des Chevaliers du Palais Binnenhof, Churchill, Adenauer, de Gasperi, Spaak, Eden, Carlo Schmidt, Ramadier, Paul Reynaud, Mansholt. Ce fut le début de la grande aventure qui restera l'œuvre majeure de notre génération. Alors jeune député, je me souviens de l'enthousiasme qui m'animait, témoin silencieux d'un moment historique que je devais, trente ans plus tard, et après bien d'autres, prolonger.

Mais, en dépit des progrès réalisés depuis ce jour dans la construction de l'Europe, la même question, non résolue, m'obsède.

L'Europe absente

L'Europe occidentale, militairement dépendante, politiquement désunie, économiquement anachronique, se révélera chaque jour plus vulnérable aux sollicitations qui la bercent : la soumission à l'imperium américain ou l'abandon au neutralisme, passage obligé vers la domination soviétique. Il suffira aux Russes de jouer sur la complexité et les contradictions des intérêts nationaux, variables selon les latitudes et selon le moment, et sur la crainte de chaque pays d'apparaître comme le point faible du bras de fer Est-Ouest, donc le plus exposé, pour annihiler les résistances l'une après l'autre. A moins que ce ne soit l'Amérique qui, faisant l'impasse sur l'Europe, tranche pour elle et sans elle, et la perde, faute de pouvoir, à si grande distance géographique et psychologique, répondre à ses besoins et à ses aspirations. A Téhéran et à Yalta, en 1943 et 1945, l'Europe de l'Ouest, malgré Churchill, était absente des affaires du monde. Elle n'existait qu'en négatif, champ clos de l'antagonisme russo-américain et ne préservant son fragile équilibre que par cet antagonisme. Réveillée aujourd'hui, elle n'a pas le moyen, parce qu'elle ne l'a pas voulu, de donner vie au rêve qui lui rendra réalité, identité, puissance. Mais elle cherche et se cherche. Certes, personne ne recommandera de sortir de Yalta par la guerre, ni d'en prendre le risque. Cependant, l'affirmation progressive d'une personnalité autonome de l'Europe de l'Ouest, la mise en valeur des complémentarités avec l'Europe de l'Est, l'obligation où se trouve l'URSS, pour ses échanges et son développement, de rétablir un climat plus confiant avec les pays de la Communauté, l'assurance qu'elle doit obtenir de ceux-ci, en retour, que l'indépendance de l'Europe ne deviendra pas une machine de guerre contre elle, déplaceront peu à peu les lignes d'un horizon immobile depuis quarante ans. Il y faudra une longue patience. Mais, sans espérance, il n'y a pas de longue patience.

L'Europe est un continent

J'ajoute que le non-être de l'Europe de l'Ouest entretient celui de l'Europe de l'Est. Celle-ci n'a aucune chance d'ici longtemps, et le sait, d'échapper à la tutelle soviétique. Elle s'interroge, de Varsovie à Bucarest, à peu près dans les mêmes termes. A qui parler ? Vers qui s'ouvrir ? Comment ranimer cette vieille et opulente histoire qui fut celle d'un continent demeuré homogène malgré ses divisions ? Il est heureux que la Communauté ait envisagé de signer des accords de coopération avec les États membres du Comecon. En multipliant et en intensifiant ce type de rapports, d'ordre essentiellement économique et culturel, en intervenant auprès des institutions internationales pour qu'elles aident les pays de l'Est à surmonter leurs problèmes financiers, en leur offrant d'entrer dans les forums dont ils sont écartés, l'Europe de l'Ouest aiguisera chez eux un sentiment nouveau : la conscience, après un demi-siècle d'ignorance mutuelle, d'appartenir au même continent, d'exprimer la même civilisation. Sans doute objectera-t-on que cette démarche se heurtera dès l'abord à l'intransigeance soviétique et que les pays en question seront contraints de s'y soumettre. On peut en effet le prévoir dans un premier temps. Mais la Russie est aussi un grand pays européen. Elle ressent, dans ses profondeurs, ce que nous ressentons. Qu'elle vise à perpétuer son empire sur l'immense domaine qui lui a été concédé et qu'elle agisse en conséquence, va de soi. Je pense néanmoins qu'elle devra tenir compte des aspirations populaires constamment renaissantes qui s'affirment un peu partout. La partie d'Europe qu'elle regarde comme son bien ou comme son aire naturelle d'influence ne lui restera attachée que si, au-delà des moyens de la force, les peuples qui la composent ne se sentent pas extirpés d'eux-mêmes, arra-

Un demi-siècle d'ignorance mutuelle

chés à leur propre histoire. On peut bloquer les échanges, fermer une frontière, élever des murs. Mais, pour reprendre la belle maxime lue à l'entrée d'une petite église du Bourbonnais, « les murs de la séparation ne montent pas jusqu'au Ciel ». Vraie, on le suppose, du Ciel mystique, cette formule l'est assurément du ciel physique : transistors, radios, télévisions franchissent l'espace en se moquant des interdits, entrent dans les foyers, répandent les idées et les modes. Il ne semble pas que l'idéologie marxiste-léniniste soit à cet égard en situation de contenir l'« air d'Occident » qui a déjà gagné les batailles du rock et du jean. Non que je me réjouisse de voir l'Europe de l'Est se tourner vers l'Ouest par le biais des *must* américains — qui ont de quoi séduire. Mais les peuples de l'Europe communiste, comme la Russie elle-même, possèdent des valeurs originales de portée universelle. Ce qui leur manque, l'Europe de l'Ouest peut l'apporter, et vice-versa. Travailler à cette symbiose hâtera l'heure de l'Europe, la vraie, celle de l'histoire et de la géographie.

Une maxime

Des valeurs complémentaires

De telles initiatives seront interprétées à Moscou, officiellement du moins, comme une forme subtile d'agression. Mais l'acte final d'Helsinki consacre la permanence des frontières internes de l'Europe. Le secret de toute politique est de savoir mesurer ses pas. Là comme ailleurs, la marche du temps demeure souveraine.

Que l'Europe à faire se fasse

Encore faut-il que l'Europe à faire se fasse, je veux dire cette fraction d'Europe dont la dernière guerre a taillé durement les contours et que la Communauté préfigure. J'ai pu apprécier la difficulté inhérente à ce genre d'exercice quand, Président du Conseil européen, j'ai eu à m'attaquer, pendant la durée de cette charge, c'est-à-dire pendant le premier semestre de l'année 84, au volumineux dossier des contentieux en cours. J'en ai compté seize, à l'époque, d'importance inégale, mais chacun assez lourd pour avoir échappé à tout arrangement, parfois depuis quatre ou cinq ans. Tous ont été réglés. Non par enchantement, mais pour trois raisons principales : la bonne préparation des sommets précédents, notamment celui d'Athènes ; la solide entente franco-allemande ; un certain assouplissement de l'entêtement britannique. J'ajouterai que j'y ai porté quelque attention.

L'arbitrage de Fontainebleau

J'épargnerai à mes lecteurs la liste complète de ces âpres négociations pour ne citer que celles qui ont eu trait aux excédents laitiers, au mémorable chèque à la Grande-Bretagne, au démantèlement des montants compensatoires, à la discipline budgétaire, au financement des programmes intégrés méditerranéens, à l'élargissement de la Communauté à l'Espagne et au Portugal, questions sur lesquelles les Dix butaient obstinément, sans volonté apparente d'en sortir. Un conflit en cachait un autre. C'est ainsi qu'au travers de la discussion sur la compensation britannique avait réapparu la menace, mortelle pour l'Europe, de la « loi du juste retour ». Et ceux qui s'y étaient opposés l'avaient fait davantage par souci de limiter leurs propres dépenses que pour défendre la lettre et l'esprit du traité. De même, en arrière-fond du débat sur les excédents laitiers, qu'il était raisonnable de vouloir réduire à de plus justes proportions, s'était dessinée une offensive, qui dure encore, contre le Marché commun agricole, les pays à dominante industrielle cherchant à échapper — nonobstant le traité de Rome — à leurs obligations vis-à-vis des pays à dominante agricole. Bref, l'intérêt communautaire craquait sous le dévergondage d'intérêts nationaux, invoqués à chaque virgule de textes anodins. Je note à ce propos l'étrange impression que m'ont laissée ces discussions : une querelle, fût-elle infime, s'enflait au point qu'après la monotone répétition d'arguments cent fois dits et le renvoi rituel au Sommet suivant qui renvoyait l'affaire au Conseil des Ministres qui renvoyait l'affaire au Sommet suivant qui renvoyait, etc., on pouvait croire que la Communauté n'y résisterait pas. Or, elle a tenu et, paradoxalement, la somme de ses échecs semble l'avoir fortifiée. Après le succès inattendu de Fontainebleau, la cassure annoncée, attendue à chaque nouveau rendez-vous, Dublin, Milan, Luxem-

La loi des intérêts

Comme la petite fille Espérance

bourg, n'a pas eu lieu et l'on a vu, en revanche, s'apaiser d'autres différends comme ceux de l'Union monétaire, du marché intérieur ou du vote à la majorité. Plus étonnant, ces progrès ont permis de jauger la capacité de blocage dont disposaient, en fait, les pays intimement hostiles à toute retouche du traité de Rome et du compromis de Luxembourg, alors qu'en droit, il leur eût suffi de dire non. Comme si, par une loi obscure de l'Histoire, rien n'eût pu empêcher la conscience européenne, plus petite que la petite fille Espérance, d'avancer, fragile et vivace, au milieu des périls.

Mais revenons à Fontainebleau. Nous ne pouvions nous contenter d'apurer le passé. C'eût été s'installer dans la gestion à la petite semaine d'un marché qui, abandonné à lui-même et privé d'inspiration plus haute, eût été condamné à se désagréger. Or, il n'y a pas de réalité politique sans structures. D'une part, il devenait urgent que la Communauté se dotât d'institutions plus fermes et plus démocratiques, que le Conseil pût se déterminer sur des votes majoritaires dans la plupart des affaires qui lui étaient soumises, que les pouvoirs d'exécution de la Commission fussent élargis, que le Parlement, consulté dans les domaines prévus par le traité de Rome, fût davantage associé aux travaux du Conseil et de la Commission et qu'il détînt un droit de veto sur des actes

Un projet pour l'Europe

majeurs. D'autre part, cette approche institutionnelle risquait de laisser les Européens indifférents à leur Europe tant que celle-ci resterait elle-même étrangère à leur vie quotidienne ou ne s'y intéresserait que sous l'aspect de contraintes et d'obligations édictées par un pouvoir lointain, presque abstrait. Rapprocher l'Europe des Européens en leur donnant le sentiment qu'un nouveau monde s'ouvrait à eux, fort et libérateur, où ils auraient leur mot à dire et où leur mode d'existence changerait de dimension, paraissait plus nécessaire encore. L'heure était venue de dégager de l'Europe bureaucratique l'Europe des citoyens.

Le comité Dooge et la mission de Maurice Faure

Instruit par la réussite du Comité Spaak — chargé, à Messine, en 1955, d'élaborer le projet d'où sortit le Traité de Rome —, je proposai la création de deux groupes de travail, l'un qui préparerait la réforme des institutions, l'autre qui fournirait un contenu à « l'Europe des citoyens ». Ainsi fut fait. Présidés par l'Irlandais Dooge et l'Italien Adonnino, ces comités s'attelèrent à la tâche et, en moins de six mois, déposèrent leurs conclusions. Pour représenter la France au comité Dooge, et sachant ses vues proches des miennes, j'avais désigné Maurice Faure, principal artisan de la Conférence de Venise qui, quelques mois après Messine, avait débloqué l'ultime négociation sur le Marché commun. Je n'eus pas à le regretter. Nommé par ses collègues rapporteur général, il se mit à la tâche et entraîna les convictions. L'objectif défini — assouplir les procédures qui enrayaient le fonctionnement de la Communauté ; réduire la brèche ouverte dans le pacte fondamental par le compromis de Luxembourg ; limiter le nombre des matières soumises au vote à l'unanimité, cette mauvaise herbe qui avait envahi le champ des délibérations du Conseil européen ; élaborer de nouveaux équilibres entre les trois pôles communautaires : Conseil, Commission, Parlement ; élargir les compétences du Traité de Rome ; renforcer la coopération politique — fut atteint.

L'avancée de Luxembourg

Et c'est sur la base de son rapport, soumis à l'examen du sommet de Milan, relayé par un livre blanc de la Commission sur le marché intérieur, un projet franco-allemand d'union européenne et un memorandum français sur la relance communautaire, que la Communauté reprit son élan pour adopter, à la conférence intergouvernementale de Luxembourg (décembre 1984), un ensemble de décisions qui, bien qu'en retrait sur l'attente des pays les plus engagés en faveur de l'union européenne, parmi lesquels la France, n'en signifièrent pas moins une avancée nouvelle. Je ne cacherai pas que la transaction, qui rallia l'adhésion générale, resta très en deçà de ce que j'appellerai le minimum vital pour l'Europe. On peut hésiter en effet entre deux voies : soit appliquer le traité de Rome en respectant rigoureusement ses clauses — le traité, oui, mais tout le traité —, ce qui se traduira par un contrôle accru de la cour de Justice, une réduction radicale des votes à l'unanimité, des politiques communes plus nombreuses et un rôle plus affirmé de la Commission ; soit dépasser le traité pour en conclure un autre, carrément orienté vers l'union politique de l'Europe, à l'image du projet du Parlement européen (dit projet Spinelli). On connaît ma préférence : elle va au deuxième terme de l'alternative. Mais l'unanimité des douze États-membres est irréalisable sur ce point, et passer outre aboutirait à un dédoublement des institutions européennes, extrême complication qui le rend improbable. Il reste donc à savoir si l'actuelle Communauté sera capable d'acquérir la réalité politique que nous attendons d'elle. Une réponse négative conduirait la France à juger qu'une crise vaudrait mieux que l'enlisement. Mais, aussi curieux que cela puisse paraître, la timide « avancée de Luxembourg » a peut-être tracé une voie médiane en amorçant à petits traits une réforme du traité de Rome qui le restituerait à lui-même.

Une crise, mieux que l'enlisement

L'Europe des citoyens et la mission Gallo

Quant au comité Adonnino où Max Gallo siégeait pour la France, ses suggestions restèrent en suspens, à l'exception de l'initiative fortement appuyée par Bettino

Craxi, président du Conseil de Milan, pour une organisation européenne de lutte contre le cancer et de quelques mesures d'ordre culturel : Université de l'Europe, Académie européenne des Sciences et de la Technologie, harmonisation des diplômes... Toutefois, prenant les devants, la France et l'Allemagne, dont la bonne entente avait forcé bien des obstacles, n'avaient pas attendu pour abattre leurs poteaux-frontières et laisser libre passage aux ressortissants de la Communauté.

L'élargissement à l'Espagne et au Portugal

Entre-temps, l'accord de principe enregistré à Fontainebleau sur l'entrée de l'Espagne et du Portugal dans la Communauté avait connu des sorts divers. Je désirais cette adhésion. Histoire, géographie, culture, tout concourait à ce que l'on accueillît deux pays qui avaient contribué plus que d'autres à la naissance de l'Europe dont ils avaient, avant d'autres, assuré la grandeur. Où seraient-ils allés sans l'Europe ? Du point de vue français, aux inconvénients que j'analyserai plus loin s'opposaient des avantages comme le déplacement vers la France du centre de gravité européen, le poids accru des régions méditerranéennes au sein de la Communauté, la suppression des tarifs industriels discriminatoires entre l'Espagne et ses nouveaux associés, sans parler de la réconciliation franco-espagnole que je plaçais au plus haut rang de mes objectifs immédiats. Le Portugal posait moins de problèmes. Habité par une forte volonté politique, Mario Soares avait balisé le terrain, et il ne restait qu'à apposer les signatures au contrat. Mais l'enthousiasme des États-membres pour l'élargissement, qui ne connaissait pas de frein à l'époque du veto français (mon prédécesseur, initialement favorable, s'était par la suite dédit), avait beaucoup fraîchi depuis que j'avais levé l'obstacle. Devant l'imminence des décisions à prendre, c'était à qui tirerait au renard pour protéger son huile, son acier, ses textiles, ses tomates, ses poissons contre les deux demandeurs soudain considérés comme des prétendants trop pressés.

L'adhésion de l'Espagne, problème pour la France

La France avait aussi à défendre ses intérêts. Plus sans doute que ses partenaires, à cause de la similitude du climat, du sol et des débouchés maritimes entre plusieurs de ses régions et l'Espagne. L'entrée de celle-ci dans le Marché commun a provoqué, provoque encore l'inquiétude et souvent la colère des agriculteurs du Midi qui craignent que la libre circulation des marchandises des deux côtés des Pyrénées ne ruine leurs efforts pour améliorer la qualité de leur production et redresser l'économie de leur région. Leurs prix de revient supportent des charges sociales et fiscales plus lourdes que celles des agriculteurs espagnols, et l'Espagne disposant d'immenses superficies disponibles pour la culture de la vigne, ils supputent les dommages qu'ils auraient à subir si, à qualité moindre et à quantité supérieure, les vins espagnols inondaient le marché. Ils tiennent un raisonnement semblable pour les fruits et légumes qui — motif supplémentaire de suspicion — ont envahi l'Europe avant même l'ouverture des frontières sans se soucier le moins du monde des normes exigées dans notre pays pour la consommation. Nos pêcheurs, enfin, redoutent l'irruption dans nos eaux de la flotte espagnole, la plus importante d'Europe après celle de l'URSS, et qui n'attend que l'occasion d'accéder aux ressources de la zone communautaire.

Accord sur les garanties demandées par la France

Comme j'attachais beaucoup de prix à ces objections, j'admis, en 1981, qu'il était impossible d'accepter, en l'état, l'adhésion de l'Espagne. Une rude négociation commença. Nous posâmes des préalables. L'Espagne s'en formalisa. Rebutée depuis des années dans son intention de rejoindre l'Europe, sa fierté s'exacerba. En dépit de la bonne volonté du gouvernement Sotelo, sa presse, naturellement anti-française, trouva dans cette querelle un aliment nouveau à la violence verbale dont elle fait son pain quotidien. On frôla la rupture.

L'arrivée au pouvoir de Felipe Gonzales, que des relations amicales unissaient aux dirigeants français, permit une détente. Les garanties demandées par la France furent examinées point par point. Un premier accord porta sur les fruits et légumes. On s'entendit sur une période de transition de dix ans, divisée en deux phases. Quatre ans pour protéger le marché de la Communauté. Six ans pour libérer les courants d'échanges de l'Espagne vers l'Europe. Le règlement sur le vin, intervenu peu après, s'inspira des mêmes principes, fixa un plafond à la production espagnole et rendit la distillation obligatoire pour tout déséquilibre du marché. Pour la pêche maritime, les Dix qui venaient de créer l'« Europe bleue » offrirent un front uni aux revendications espagnoles. On se donna quinze ans pour conclure.

Des esprits délicats s'étonneront de ces détails. Mais ce qui paraîtra négligeable ou subalterne à certains, signifie pour des milliers de foyers français l'ultime chance de survie sur leur terre. Je m'étais engagé en 1979, soit deux ans avant d'être élu Président de la République, à poser, le cas échéant, des conditions strictes à l'élargissement du Marché commun. Elles étaient réunies. L'Europe des Douze pouvait naître.

Une Communauté qui change de nature

Mais, six en 1957, neuf en 1972, dix en 1981, douze en 1986, cette expansion de la Communauté, de son aire géographique, du nombre de ses habitants, de son poids économique et commercial, en modifie substantiellement la nature. A six, elle vivait commodément sous la triple protection de son union douanière, de ses tarifs préférentiels et de son marché commun agricole. A douze, elle intègre des intérêts hétérogènes, des traditions contraires, des ambitions rivales — la Grande-Bretagne et son Commonwealth, l'Irlande et sa neutralité, les normes constitutionnelles danoises, la Grèce entre deux mondes, et j'en passe !

Quatre interrogations

Quatre interrogations, deux à court terme, deux à long terme, subsistent. A la première : que deviendront les conventions passées avec les pays tiers, Maroc, Tunisie, Israël, dont les productions sont directement concurrencées par celles de l'Espagne ?, a répondu un manque évident d'entrain communautaire. Cette réticence, insolite de la part d'une communauté signataire des remarquables accords de Lomé, et qui a contraint la France à retarder son vote de ratification pour obtenir en temps utile les assurances indispensables, s'est provisoirement estompée.

La deuxième interrogation touche aux ressources de la Communauté. L'élargissement coûte cher. L'élévation de 1 à 1,6 % par pays du plafond de la TVA se révélera insuffisante à court délai. On perçoit, chez quelques États-membres, l'envie d'en rester là. La France plaidera au contraire, et elle ne sera pas seule, pour qu'on atteigne les 2 %. L'augmentation des ressources n'empêche pas une plus grande rigueur dans le contrôle de la dépense ! Et le budget de la Communauté, encore faible par rapport au produit intérieur brut moyen des États-membres, doit s'adapter à ses obligations.

Le Marché commun agricole menacé

Le devenir du Marché commun agricole justifie la troisième interrogation. Car il est menacé. Cette tendance provient principalement de deux causes. L'une est que l'Europe résiste mal politiquement à l'offensive américaine, l'autre découle du fonctionnement de la Communauté. Le décalage entre la demande mondiale de produits agricoles, qui croît lentement (le Tiers Monde n'a plus le moyen d'acheter) et l'offre qui croît beaucoup plus vite (les pays industriels se sont considérablement équipés), suscite une concurrence entre pays exportateurs et précipite la chute des cours mondiaux. Or, la règle de la Communauté veut qu'elle rembourse à ceux de ses membres qui exportent la différence entre leurs prix de vente et les prix mondiaux. Comme les premiers sont plus élevés que les seconds, l'écoulement des produits agricoles européens à l'extérieur se fait au détriment de la caisse commune. C'est vrai surtout des céréales. D'où la controverse entre la France, gros producteur (30 milliards nets d'exportations en 1985) et ceux qui le sont moins et souhaitent par conséquent réduire la somme des remboursements. Je n'entrerai pas dans le débat technique qui tourne autour de questions du type : faut-il limiter la production par des quotas comme pour le lait ou le vin ? faut-il différencier les prix selon les quantités produites ? Mais je connais au moins une réponse : la France n'acceptera pas que la Communauté européenne se détache des principes auxquels elle doit d'exister, d'autant plus que tous et chacun ont tiré un immense profit de ce pacte initial.

Une offensive américaine

Contester le droit de la France à recevoir le juste prix de son effort de modernisation agricole revient à livrer les marchés aux États-Unis d'Amérique. Le gouvernement de Washington, et plus encore le Congrès, harcelés par les agriculteurs du Middlewest, supportent de moins en moins les embarras que leur commerce doit aux règles du Marché commun. Oublieux des contreparties reçues, notamment celles qui leur furent accordées à la conférence du G.A.T.T. de 1962 et 1967 par l'exemption des taxes et droits de douane sur le soja et les aliments du bétail à l'entrée du Marché commun, ils insistent pour que l'on entame une nouvelle négociation. J'ai expliqué plus haut dans quelles circonstances je m'y étais refusé, convaincu que le Marché commun agricole serait la cible unique de nos amis américains et que, pour sa défense, nous trouverions peu d'alliés au sein de la Communauté. Mais, dès lors que l'ordre du jour comprendra d'autres dossiers prêts à être examinés comme celui des normes, des services, des interdits sanitaires, des privilèges de navigation, etc., bref, dès lors que tout sera mis sur la table, la France sera présente au rendez-vous.

Pour un grand marché intérieur

La quatrième interrogation vise l'existence même de la Communauté. A mesure qu'elle grandit — et, aujourd'hui, son territoire s'étend des îles Shetland aux rivages de l'Asie mineure, du Skagerrak à Gibraltar —, l'attrait qu'exerce sur elle la perspective d'une zone universelle de libre-échange se précise. A l'extérieur les États-Unis d'Amérique, à l'intérieur plusieurs des États-membres, et non des moindres, l'appellent de leurs vœux et travaillent en conséquence. D'un grain plus mou, la Communauté actuelle est plus friable que celle d'hier. Mais elle possède plus d'atouts. Il n'est qu'une médecine à ses maux : à communauté plus large, institutions plus fortes. Le besoin s'en fera d'autant plus vivement sentir que le grand marché intérieur de l'Europe sort des limbes. Jacques Delors, à la tête de la Commission, en a été l'artisan décisif. Trois cent vingt millions de consommateurs et la libre circulation des personnes, des biens, des capitaux et des services, voici qu'apparaît en pleine lumière la première puissance commerciale du monde. L'opération de mise en place devra être terminée le 31 décembre 1992. Face à cette échéance, une prise de conscience s'opère. L'accord de Luxembourg en témoigne. La règle de l'unanimité cède du terrain, l'environnement et la technologie entrent

A communauté plus large, institutions plus fortes

dans le traité, le système monétaire et l'ÉCU s'y glissent par une discrète — trop discrète — référence, on commence à parler d'aménagement du territoire entre les régions riches et les régions pauvres, on accepte, fût-ce du bout des lèvres, l'espace social européen dont la seule idée révulsait en 1981, un début de coopération politique s'organise (sur le règlement des conflits régionaux, pour la lutte contre le terrorisme, pour la défense des droits de l'homme, etc.), les législations sociales et fiscales se rapprochent, l'ère des vetos s'apaise. La France, dans l'aventure, a tout à la fois à perdre et à gagner. Les secteurs dynamiques de notre industrie et de nos services s'engouffreront avec profit dans l'ouverture offerte par ce marché unique, d'autres y trouveront le stimulant qui leur manquait, d'autres encore y succomberont. Je ne m'en plaindrai pas. Rien n'est plus détestable qu'une rente de situation fondée sur le soutien de productions inadaptées. L'économie s'étiole sur un terrain malsain. A cause de cela, j'applaudirai à l'élimination des protectionnismes avoués ou honteux. Grâce à la gestion des gouvernements Mauroy et Fabius, qui commence à porter ses fruits, la France se débarrasse de ses vieux complexes et s'habitue à croire qu'elle peut gagner, qu'elle gagne. Je vois donc arriver le grand marché sans crainte. Plus que cela, je l'espère. Là comme ailleurs, en servant l'Europe, on sert la France.

Contre le protectionnisme

L'Europe de la technologie

J'ai déjà rappelé qu'à La Haye, en mai 1984, j'avais invité les Européens à s'unir pour construire et lancer une station orbitale habitée. Pourquoi, disais-je, l'espace serait-il américain ou russe ? Aucun décret divin ne l'avait ordonné de toute éternité. Nous avions un savoir suffisant, des techniques à jour et les ressources nécessaires, à condition, bien entendu, de les mettre en commun. Je n'affirmerai pas que l'idée ait obtenu un franc succès. Le traité de Rome avait prévu trois politiques communes : les transports, l'agriculture et le commerce. La politique des transports n'avait reçu qu'un très modeste commencement d'exécution. Pourquoi s'aventurer en terre inconnue ? Des renforts pourtant m'arrivèrent de plusieurs côtés. Le 15 décembre 1984, l'Assemblée de l'Union européenne occidentale (UEO) adopta une recommandation conviant les sept États-membres à « relever le défi spatial » et « à promouvoir une politique européenne unifiée dans le domaine de l'utilisation militaire de l'espace ». Ce n'était pas exactement ce que j'avais demandé, mais je ne pouvais me fâcher d'un écho qui revenait porteur des mots « station spatiale européenne ». Puis ce fut au tour des ministres européens de l'Espace, les 30 et 31 janvier 1985, de proclamer, à Rome encore, « la nécessité d'étendre la

Une proposition pour l'espace

capacité autonome de l'Europe et sa compétitivité dans tous les secteurs des activités spatiales », et de retenir trois projets : le lanceur Ariane V, une participation au programme américain Columbus, mais à partir d'éléments « pouvant être le cœur d'une station autonome », et le projet d'avion spatial Hermès. Enfin, au sommet des pays industriels de Bonn, le 8 mai 1985, le communiqué final mentionna symétriquement les deux projets de stations spatiales américain et européen. Je ne m'illusionne pas, toutefois, sur la fermeté de ces déclarations d'intentions. Persévérer suppose une volonté politique qui reste, à l'heure présente, très inégalement partagée. La France continuera donc de presser ses partenaires pour que soit élaboré et établi un calendrier d'études techniques et de financement qui devrait porter sur quinze ans. C'est par et dans l'espace que l'Europe s'affirmera.

Réussites européennes

Mais la maîtrise de l'espace dépend de la maîtrise d'autres technologies désormais à notre portée. L'Europe occidentale, dont les savants occupent le premier rang dans de nombreuses disciplines fondamentales, n'a plus à faire preuve de son savoir-faire en matière de recherche appliquée et d'innovation. Elle compte à son actif de grands succès technologiques : Ariane, Airbus ; le Joint European Taurus (JET) pour la physique des hautes énergies ; le Centre européen de recherches nucléaires

(C.E.R.N.) pour la fusion nucléaire ; le programme « Esprit » pour l'informatique qui, en même temps que « Race » pour les télécommunications et « Brite » pour les technologies industrielles, associe petites et grandes entreprises aux ressources du Fonds communautaire ; l'Institut Laue-Langevin pour la physique des milieux solides ; Superphénix, franco-italo-allemand, prototype de centrale nucléaire à réaction rapide — et de grands projets en voie de réalisation comme la soufflerie cryogénique franco-allemande, le Synchrotron franco-italo-allemand, source de rayons X de grande précision, le « lien fixe » franco-britannique à travers la Manche, les trains à grande vitesse qui relieront Paris, Bruxelles, Amsterdam, Cologne, Stuttgart et Londres. Et cette liste n'est pas close. Mais, hors ces réussites, la plupart des activités scientifiques et technologiques s'exercent dans le cadre national ; d'un pays européen à l'autre, leurs entreprises se livrent une concurrence sévère et les États encouragent cette compétition. Les tentatives de cartel entre firmes européennes échouent le plus souvent, chacune d'elles préférant contracter des alliances extérieures, américaines ou japonaises, pour s'assurer l'avantage. L'écart se creuse au détriment de l'Europe qui dépense en recherche et développement civil et militaire moitié moins que les États-Unis, et de surcroît en ordre dis-

Des concurrences trop sévères

persé. Or, un découplage technologique entre l'Europe et l'Amérique ne serait pas moins grave qu'un découplage militaire.

Eureka

J'ai abordé de deux façons cette situation qui me préoccupait plus que toute autre. D'une part, en plaidant pour que la technologie fût admise parmi les politiques de la Communauté, ce qui a été décidé à la conférence intergouvernementale de Luxembourg. D'autre part, en proposant aux pays d'Europe qui souhaiteraient s'y joindre un projet central autour duquel s'échafauderaient des ententes industrielles dans les domaines les plus divers : intelligence artificielle, grands ordinateurs, lasers de puissance microélectronique, optronique, logistique spatiale, biotechnologie, etc. Ce projet, baptisé « Eureka », présenté par Roland Dumas aux chancelleries, a obtenu immédiatement l'adhésion de dix-huit pays : les douze de la Communauté, la Finlande, la Suède, la Norvège, l'Autriche, la Suisse et la Turquie. Sa force d'impact est si grande que le Canada, l'Argentine, le Brésil ont fait savoir qu'ils s'y intéressaient, de même que le Japon et plusieurs pays de l'Europe de l'Est. Les dix-huit fondateurs ont tenu au Palais de l'Élysée, en mai 1985, leur assemblée constitutive, et cinq mois plus tard, à leur deuxième session, celle de Hanovre, vingt projets ont été approuvés qui recouvrent aussi bien l'électronique que la robotique, les techniques de communication que celles des matériaux nouveaux et de l'environnement.

Ce qu'est et ce que n'est pas Eureka

Contrairement à l'idée répandue, Eureka n'est pas un décalque ou une réplique de l'I.D.S., ne s'inscrit pas dans un effort d'armement offensif ou défensif, ne postule ni n'exclut aucun choix stratégique, et vise simplement, en amont du « civil » et du « militaire », à mettre l'Europe en prise sur les technologies dont les retombées et applications bouleverseront, domineront en toute certitude les données du futur. Il ne s'agit pas non plus d'un programme étatique. Certes, la France lui a consacré, dès le point de départ, un milliard de francs, l'Allemagne et le Royaume-Uni ont annoncé qu'elles engageraient des fonds publics. Mais, formule souple à géométrie variable, Eureka laisse aux entreprises et aux centres de recherche la responsabilité du choix des partenaires et des programmes, dont le nombre et la nationalité varient selon diverses combinaisons. C'est ainsi que des entreprises françaises coopèrent, depuis la conférence de Hanovre, avec des allemandes pour le traitement du silicium amorphe, matière première des composants électroniques ; norvégiennes, pour des calculateurs de puissance ; portugaises pour des robots textiles ; italiennes, anglaises et allemandes pour les lasers ; danoises pour des membranes de filtration utilisables en biotechnologie — cinq exemples parmi

Empêcher la fuite des cerveaux

vingt, les uns immédiatement opérationnels, les autres à plus longue distance. Ces projets s'articuleront sur des structures aussi réduites que possible afin d'éviter que la bureaucratie publique ou privée n'engorge les circuits. A vocation géographique plus large que la Communauté, ils n'en seront pas moins reliés organiquement à la Commission européenne. La diversité, l'étendue, l'exigence scientifique des recherches fondamentales et appliquées mobiliseront sur place, en Europe, les compétences et les intelligences. Bien qu'Eureka et l'I.D.S. ne se situent pas sur le même plan, on perçoit l'immense danger que feraient courir à l'Europe et la « fuite des cerveaux » vers l'Amérique et l'éparpillement de ses (trop modestes) crédits. Heureusement, dans ce domaine capital, les Européens ont rassemblé leurs ambitions. Ils ont choisi d'agir en conséquence, bref d'exister. Qui ne se sentirait étranger chez soi dans un monde d'où l'Europe continuerait d'être absente ? L'arme de la science est celle de l'esprit. Qui la possède vivra.

Réflexions sur la défense européenne

J'examinerai le dossier de la défense européenne sous le seul angle franco-allemand.

On insiste en effet de tous côtés, ces

derniers temps, pour que notre force nucléaire, sortant du concept de « sanctuaire national » et élargissant celui d'« intérêt vital », étende au territoire ouest-allemand les normes de la dissuasion stratégique applicables au nôtre.

Le couple France-Allemagne

De bons esprits, et quelques autres qui le sont moins, présentent cette évolution de notre doctrine comme la condition du devenir de l'Europe, lui-même lié au sort du couple France-Allemagne. L'argument parfois tourne à la polémique : s'y refuser, dit-on, reviendrait à donner un coup d'arrêt aux relations privilégiées entre les deux pays dont la querelle sanglante a grandement contribué à l'abaissement de l'Europe — et au leur — et signerait l'échec de la construction européenne en renvoyant l'Allemagne à sa double tentation, américaine ou russe, américaine et russe. Je ne méconnais pas le risque. Mais il a été pris avant moi. Je ne puis faire que l'Histoire n'ait pas existé et que l'héritage de la génération précédente ne soit celui d'une Europe coupée en deux et sous haute surveillance, démunie en tout cas d'une défense qui lui soit propre. La dernière guerre mondiale n'a pas seulement coupé l'Europe en deux, elle a aussi projeté l'Allemagne et la France dans des systèmes de défense différents à l'intérieur du même camp. La décision de l'Allemagne, en ce domaine, n'est pas autonome. Celle de la France, si. Quand le second réflexe de l'Allemagne menacée la poussera vers la France, le premier l'aura déjà précipitée vers l'Amérique. Il n'y a pas lieu de s'en étonner ni de s'en plaindre. On n'exagérera pas non plus les conséquences de cette ambivalence. Il n'est, pour l'Allemagne et pour nous, qu'une alliance. Mais on comprendra que chaque prévision, sur le plan militaire, tienne compte de cette différence et qu'il faudra du temps pour en finir avec le passé.

Une seule alliance, plusieurs systèmes de défense

Les choses étant ce qu'elles sont, il faut le répéter, l'Allemagne, qui paie au prix fort ses guerres perdues du XXe siècle, ne possède pas, n'est pas en droit de posséder l'armement nucléaire. Désire-t-elle cet armement ? Il semble que non. Sous le regard de l'Union soviétique, elle connaît ses limites. Que la République fédérale ait choisi de s'amarrer à l'Europe occidentale, l'histoire de ces quarante dernières années le prouve. Mais elle ne le fera pas contre l'unité allemande. Elle a dit oui à la Communauté charbon-acier, à la Communauté des Six, des Dix, des Douze, à Eureka — et y joue un rôle éminent —, comme demain elle dira oui à la mise en œuvre de l'union européenne, synonyme d'Europe politique, projet qu'à sa demande les Dix ont adopté chez elle, à Stuttgart. Sa réticence actuelle à renforcer le système monétaire européen, sa chouannerie sur les prix agricoles, son pointillisme budgétaire n'atteignent pas en profondeur l'engagement européen qui reste sa principale ligne d'action, maintenue avec ténacité et conviction par Helmut Kohl. La France n'a pas meilleur, plus solide partenaire en Europe où elle en compte d'excellents. L'attraction qu'exerce sur elle la politique américaine n'atténue en rien ces vérités premières : l'Allemagne est d'Europe, sans l'Allemagne il n'y a pas d'Europe, sans l'Europe il n'y aura pas, il n'y aura plus de grandeur allemande. De tout cela, elle a pleine conscience. Mais qu'y peut-elle ? Les événements qui se sont produits chez elle à l'occasion de l'implantation des Pershing II — cortèges, manifestations, rassemblements, attentats —, l'évolution du Parti social-démocrate (SPD), hier au gouvernement et initiateur de cette implantation, aujourd'hui dans l'opposition, et hostile, révèlent bien autre chose qu'une simple réaction pacifiste ou neutraliste. J'y vois la volonté d'un peuple qui refuse d'être un peuple-objet. Son territoire, bourré d'explosifs comme aucun autre au monde, ne lui appartient pas dès lors qu'est en question sa perte ou son salut. Sa sécurité est dans la main des autres. Il se sait le premier client de la guerre. Comment n'aurait-il pas une réaction d'affirmation de soi ? Ami de la France et des États-Unis, il n'aime pas que Paris ou Washington tranche pour lui et, le cas échéant, aggrave son risque. Mais ce n'est

L'Allemagne est d'Europe, sans l'Allemagne il n'y a pas d'Europe

pas de la possession de la bombe atomique que l'Allemagne attend d'être délivrée de l'épreuve. Faute de disposer elle-même d'une force armée capable de contenir une offensive nucléaire, elle a dû se satisfaire depuis trente ans d'appartenir à une alliance où siègent trois puissances atomiques, au premier rang desquelles les États-Unis d'Amérique. Y trouve-t-elle une garantie suffisante ? Ou attend-elle de notre pays qu'il apporte un *plus* au « parapluie américain » et qu'il lance ses fusées à la première foulée d'un soldat ennemi sur son sol ? Aucun responsable allemand n'a évoqué cette hypothèse au cours des multiples conversations que nous avons eues depuis quatre ans. Le serait-elle qu'une évidence s'imposerait : la dissuasion ne convainc que par sa vraisemblance. On ne doute pas de la résolution d'un pays dont l'indépendance est en jeu sous le coup d'une menace directe (le sanctuaire national) ou indirecte (l'intérêt vital), appréciation qui relève du seul chef de l'État. On en doute autrement. L'Allemagne ne demande pas à notre pays ce qu'il ne peut donner. Certes, l'attente (légitime) de gages nouveaux apportés par la France à la sécurité allemande mérite d'être prise en considération. Non parce qu'elle rencontre l'adhésion d'une vaste opinion, mais parce qu'elle répond à un besoin. C'est dans cet esprit que j'ai décidé de donner vie, vingt ans après, à l'article du traité de

Dissuasion et vraisemblance

Réveil d'un traité de vingt ans

l'Élysée du 22 janvier 1963 par lequel Charles de Gaulle et Konrad Adenauer s'étaient promis : « 1) sur le plan de la stratégie et de la tactique, de s'attacher à rapprocher leurs doctrines en vue d'aboutir à des conceptions communes ; 2) de multiplier les échanges de personnel entre les deux armées ; 3) d'organiser un travail en commun dès le stade d'élaboration des projets d'armement et la préparation du financement. »

Désormais, les ministres de la Défense et les ministres des Affaires étrangères des deux pays ont quatre rendez-vous obligés par an, et beaucoup d'autres par occasion. Ils s'y informent mutuellement du développement des techniques militaires, de leurs projets, de leurs moyens et des dispositions de leurs gouvernements et des états-majors. Ce travail de réflexion se traduit sur le terrain par des visites réciproques d'unités, par l'utilisation commune des champs de tir et par des exercices communs de cadres et de troupes. Il pourrait demain se prolonger par l'entraînement commun de grandes unités, alors qu'on n'a pas dépassé jusqu'ici l'échelon bataillon ou régiment, tandis que s'organiserait une formation commune de cadres supérieurs civils et militaires dans un institut spécialisé. Un groupe de planification logistique étudie les problèmes liés à l'engagement de la force d'action rapide (FAR) française, créée par Charles

La coopération franco-allemande s'étoffe

Hernu en 1983, et qui a, entre autres missions, celle d'agir aux côtés des forces allemandes. Des projets communs ont abouti pour l'hélicoptère de combat, le missile anti-chars de la 3e génération, le missile anti-navires supersonique. D'autres sont en cours d'examen. On peut imaginer des formes plus poussées de coopération. La France y est prête. L'Allemagne fédérale souhaite que l'on s'oriente vers l'apport de forces conventionnelles plus nombreuses, mieux armées, plus mobiles. Dès lors qu'un conflit s'annoncerait, les plans tracés à l'époque du Général de Gaulle pour l'emploi de notre première armée restent d'actualité et rien ne s'oppose à ce que la FAR précède ou accompagne ce mouvement, sans aller, bien entendu, jusqu'à l'incorporation de nos forces dans les mécanismes de la « défense de l'avant » qu'assure le commandement intégré de l'OTAN. Il est exclu que nous occupions un « créneau » dans ce dispositif. Mais ne confondons pas géographie et stratégie. Qu'est-ce que la « bataille de l'avant » quand moins de deux cents kilomètres séparent le Rhin du saillant de Thuringe, soit trois quarts d'heure de vol pour une division aéromobile et six minutes pour une formation d'avions ? Une dispute théologique.

L'impossible et le possible

L'impossible est que des éléments de l'armée française échappent à la stratégie autonome de la France ; le possible est que, au gré des nécessités, et dans le cadre de cette stratégie, ces éléments avancent (je pense notamment à la FAR) au-delà des lignes actuellement convenues sur le territoire ouest-allemand avec nos partenaires de l'alliance. Je conçois mal nos troupes campant en Allemagne fédérale comme elles le font aujourd'hui et, à la première alerte, exécutant un demi-tour pour rentrer à la maison. La mobilité de nos actions en cas de guerre n'a pas besoin d'une définition nouvelle et l'« intérêt vital » se suffit à lui-même puisque le chef de l'État en est juge.

Un hypothétique kriegspiel

Il est bon qu'on sache en revanche que la France, au sein de l'Alliance atlantique, ne s'enfermera pas dans une répartition des rôles qui lui réserverait l'instrument, fût-il perfectionné, des guerres anciennes et freinerait le développement de ses techniques modernes. Elle ne dispose pas non plus de crédits à tout va et doit continuer de porter son effort à l'endroit qui lui paraît répondre à la réalité prévisible d'un conflit à venir. Si l'on suppose — je ne crois pas aux intentions belliqueuses de l'Union soviétique en Europe, qui choisira toujours d'acquérir sans guerre l'enjeu incertain d'une guerre —, si l'on suppose, hypothèse risquée, que les divisions classiques de l'Union soviétique envahissent l'Allemagne de l'Ouest et que les forces également classiques de l'OTAN les repoussent, qui croira que l'URSS signera sa défaite sans puiser dans ses réserves nucléaires ? Dans le cas contraire d'une offensive foudroyante qui verrait l'armée soviétique enfoncer la résistance alliée, qui croira que l'Occident évitera l'escalade ? On revient de la sorte au postulat qui sépare ceux — dont je suis — qui ne conçoivent pas qu'en Europe la guerre du XXe siècle et du début du XXIe puisse échapper à sa logique et donc au nucléaire, et ceux qui pensent le contraire.

La logique du nucléaire

Mais, tandis qu'à terre et sous les mers s'affirmeront les progrès dévorants des armes atomiques, concurremment la stratégie du siècle prochain s'étendra dans l'espace. J'attends du patriotisme européen qu'il le comprenne et s'y prépare. L'Europe de la Défense a plus de chances de s'incarner dans les technologies du futur que dans les manœuvres figées du passé ou la quête impossible d'une réponse commune au défi nucléaire. Au demeurant, pour commencer, comment veiller sans voir ? L'Europe ne possède pas un système suffisant de satellites d'observation. Une fois admis que la France et l'Allemagne ont à parfaire leurs interconnexions dans les armes classiques et à préciser leurs procédures de consultation avant l'emploi éventuel du nucléaire préstratégique ; une fois reconnu qu'il ne tient qu'à elles de fabriquer ensemble et d'organiser un dispositif terrestre et aéroterrestre permettant de défendre sur leurs

Patriotisme européen

territoires les sites les plus sensibles, une démarche commune dans la connaissance de l'espace apporterait la preuve qu'il existe une volonté réelle d'aller vers cette « défense européenne » dont on parle beaucoup dans nos capitales, sans trop savoir par quels chemins.

L'idée d'Europe et l'idée de défense

L'idée d'Europe est indissociable de l'idée de défense. Or, présentement, il n'est de défense qu'atlantique. Je n'écris pas cela comme un reproche qui viserait l'Alliance, et principalement les États-Unis d'Amérique. Nous leur devons notre sécurité, donc notre liberté, et le discours d'ingratitude n'est pas mon fort. Je désire seulement distinguer, une fois dissipé le brouillard des rêves à bon marché, quelques idées claires ancrées sur le réel. Seule la France, en Europe de l'Ouest, dispose de son autonomie de décision dans l'ordre stratégique. Et le seul embryon de défense européenne commune réside dans le traité franco-allemand de l'Élysée. Cela tient sans nul doute, et on ne peut lui donner tort, au fait que l'Europe cherche ailleurs les assurances de sa sécurité.

Unité politique et forces centrifuges

Tout corps politique parvenu, d'une façon ou d'une autre, à la cohérence, acquiert les réflexes de sa propre durée : nation française, peuples russe, espagnol, Royaume-Uni, État prussien. L'Europe n'en est pas là. Les six pays fondateurs de la Communauté, signataires du traité de

Rome, s'en inquiètent et se sont mis en quête d'unité politique. Mais ils ne peuvent empêcher que chacun d'eux, l'Europe s'étant brisée sous le choc répété de ses guerres intestines, soit aujourd'hui dépendant de solidarités centrifuges.

Deux anecdotes

Ces considérations n'ôtent rien au sentiment que j'ai du besoin de l'Europe. En voyage au Bengale, il y a quinze ans, et avide de nouvelles, je lisais la presse quotidienne. Dix jours durant je n'ai pas relevé une seule fois le nom de la France. Pas davantage celui de l'Allemagne. Dix jours pendant lesquels le monde a tourné avec son cortège de joies et de malheurs, ses découvertes, ses accidents, ses affaires d'argent, de cœur et de mort. Russes, Américains, Japonais ou bien les gens du voisinage, Indiens, Thaïlandais, Chinois, Indonésiens ou bien de petits peuples turbulents faisaient la une et les pages intérieures. Nous avions disparu. J'en souffrais. Je n'étais pas en mal de publicité pour la France. J'avais mal de son absence. J'avais mal aussi pour l'Europe, cette idée, mais aussi chair de notre histoire, géographie de nos mémoires. Je me

Un voyage à Pékin

souviens également — c'était en 1961 — de ces deux Allemands, passagers comme moi de la ligne Prague-Moscou, qui se rendaient comme moi à Pékin par Tomsk, Irkoutsk, Oulan-Bator. Nous n'avions pas échangé un mot pendant ces longues heures. Ils avaient, il faut dire, l'aspect caricatural des dessins de Hansi. J'éprouvais pour eux l'antipathie des anciens jours, celle qui vous comprimait les tempes en passant place de l'Opéra devant la Gross-kommandantur. Ce qu'ils pensaient, je l'ignore, mais devait ressembler à ce qui se passait dans la tête des concitoyens de mes deux Allemands qui, des fenêtres de la Gross-kommandantur, regardaient place de l'Opéra... Nous nous séparâmes sans un signe. Pour quelles raisons, quinze jours plus tard, quand nous nous retrouvâmes au restaurant du dernier étage de l'hôtel des Chinois d'Outre-mer, à Pékin, nous sommes-nous serré la main avec la chaleur des vieilles amitiés, interrogé sur nos santés, enquis de nos familles, assis à la même table et communiqué nos adresses, je me le demande encore. Ah ! qu'il faisait bon parler de l'Europe, de chez nous !

On manque d'Europe comme on manque d'air dans le métro

Je ne soutiendrai pas qu'il soit nécessaire d'aller jusqu'à Pékin ou Calcutta pour découvrir que l'Europe existe. Heureusement. Nous sommes nombreux à le savoir ici, dans nos villes et nos villages : on y manque d'Europe, comme on manque d'air dans le métro. Le débat ne sera jamais clos entre ce qui a été accompli et ce qui aurait pu l'être, le temps perdu, le temps gagné. L'Europe a franchi les étapes que lui permettait l'état du monde et des forces qui s'y affrontent. Mais, aujourd'hui, vaincre les pesanteurs veut dire : construire l'union européenne, en d'autres termes, l'Europe politique.

Le lecteur, lisant ces lignes, s'étonnera de l'incidente et croira mon sujet perdu. Non. Je constatais à ma façon que l'Europe reste à faire. Et je m'adressais d'abord à l'Allemagne. Nous sommes au moment où tout se rejoint, notre patrie, notre Europe, l'Europe notre patrie, l'ambition de les épauler l'une par l'autre, l'exaltation de notre terre et des hommes qu'elle produit, la certitude qu'une dimension nouvelle les attend, comme l'arbre qui grandit, dont les racines s'enfoncent toujours plus profond dans le sol pour qu'il croisse toujours plus haut.

L'Europe, notre patrie

« Entre la France et la République fédérale d'Allemagne », déclarait récemment Helmut Kohl à un journal de son pays, « s'est développée au cours des dernières années une communauté de destin. La France et la République fédérale ne peuvent maîtriser leur avenir qu'ensemble. »

J'ai vécu la relation franco-allemande avec trois chanceliers : Willy Brandt, Helmut Schmidt, Helmut Kohl. Aussi différents, aussi opposés que soient entre eux ces hommes d'État, ils ont parlé, ils parlent au nom de l'Allemagne. Tous ont voulu que l'amitié avec la France fût la pierre angulaire de notre commune Europe. Une égale continuité a marqué la politique française en ce domaine privilégié. On peut évidemment souligner le plus, le moins, et, d'un responsable à l'autre, de multiples inflexions dans la façon de concevoir l'Europe, son rapport avec l'Ouest, son rapport avec l'Est. Mais nul n'a remis en question la « communauté de destin » qui désormais nous lie à l'Allemagne. Je n'agirai pas, demain, autrement.

Relisant les discours auxquels ces réflexions servent d'introduction, j'ai relevé que vingt sur vingt-cinq d'entre eux évoquaient les problèmes liés au droit des peuples à disposer d'eux-mêmes et au développement des pays pauvres, ou leur étaient entièrement consacrés. Je n'ai donc pas jugé utile de reprendre ici, sous une autre forme, les principes, les arguments, les commentaires amplement exposés ailleurs et que la pratique de la politique mondiale a malheureusement laissés, d'une façon générale, en l'état. Pour la commodité du lecteur, je rappellerai seulement les données permanentes de la politique française en ces domaines.

Le droit des peuples à disposer d'eux-mêmes

La défense du droit des peuples à disposer d'eux-mêmes ne souffre pas d'exception : droit des Afghans, des Cambodgiens, des Nicaraguayens, des Sahraouis, des Namibiens, des Tchadiens, droit des Palestiniens, pour ne citer que les conflits qui occupent le devant de la scène, sans négliger les peuples qui possèdent une identité nationale mais n'en ont pas l'usage, ou ceux que l'Histoire oublie et qui, englobés dans des États dont ils contestent l'autorité et l'authenticité, ne parviennent pas à faire entendre leur voix. Il est parfois difficile de distinguer l'affirmation nationale d'une communauté ancienne, originale, ayant disposé de structures autonomes ou pouvant y prétendre, des revendications exprimées par les minorités ethniques qui refusent d'appartenir à un plus vaste ensemble, État, nation, empire, bien qu'elles n'aient jamais acquis pour elles-mêmes ce statut. Ce phénomène se retrouve partout, mais prend un tour singulier là où s'est exercée une domination coloniale, particulièrement en Afrique. Les frontières tracées à l'époque ont projeté les ethnies déchirées dans des univers culturels, linguistiques, politiques radicalement dissemblables. C'est au compas, dans un salon du

Dans un salon du Quai d'Orsay

Quai d'Orsay, qu'ont été délimités le Niger et le Nigéria, par le soin de diplomates anglais et français que n'embarrassait guère le sort des groupes humains qui vivaient là depuis des siècles. Mais les États nés de la décolonisation, ayant considéré ces frontières comme une garantie contre les risques d'éclatement (il existe une soixantaine d'ethnies en Côte-d'Ivoire, et plus de deux cent cinquante au Zaïre, et tout à l'avenant), ont réclamé et obtenu la reconnaissance de ce fait accompli. Pour démêler les fils de situations embrouillées, la France s'inspire d'une règle de sagesse : d'une part elle encourage et soutient les aspirations légitimes des peuples dont la réalité historique ne peut être niée, d'autre part elle respecte l'intégrité des États admis à l'Organisation des Nations Unies.

Plusieurs conflits régionaux ont éclaté au cours de ces dernières années. Aucun n'a été résolu. Tous se sont aggravés. A qui s'interrogera sur les raisons de cette loi du pire, on répondra que la politique des blocs étend son ombre sur la Terre et que tout affrontement local qui dure cesse bientôt de dépendre de la seule décision des parties en cause pour passer dans la main de plus puissants que soi... quand ceux-ci ne sont pas déjà à l'origine de la crise. Résultat : le règlement particulier attend le règlement général.

Israël et les Palestiniens

Au Proche-Orient, j'ai souhaité que la paix fût rétablie par un accord direct entre Israël et les pays arabes, comme ce fut le cas pour l'Égypte. Cet espoir s'est révélé vain. Il paraît désormais très difficile d'y parvenir hors d'un forum auquel participeraient, parmi d'autres, c'est la position de la France, les cinq membres permanents du Conseil de Sécurité. Les États-Unis et l'Union soviétique disposent dans la région d'alliés privilégiés et se satisfont du dosage de leurs zones d'influence. La marge d'appréciation des belligérants s'amenuise à mesure que leurs besoins d'aide en armes et en crédits s'accroissent. Plus vite se tiendra ce forum et plus grandes seront leurs chances d'être entendus. Mais que l'un ou l'autre s'enferme dans ses intransigeances et ces chances seront perdues. Sur le fond, j'ai plaidé à Jérusalem pour le droit du peuple palestinien à disposer d'une patrie, donc d'une terre, et d'y bâtir les structures étatiques de son choix ; à Alger, Taïf et Damas, pour le droit d'Israël à l'existence dans des frontières sûres et reconnues, selon les termes des Nations Unies ; et j'ai recommandé à tous l'acceptation explicite des résolutions 242 et 338 du Conseil de Sécurité. Peu après mon élection à la Présidence de la République, j'ai mis fin au boycott qui frappait nos échanges avec Israël et, par une visite d'État, j'ai rompu l'espèce de quarantaine où l'avaient placé mes prédécesseurs. Mais j'ai condamné ses actions militaires au Golan et au Liban ainsi que son raid de représailles contre l'OLP en Tunisie. Pour être complet, j'ai approuvé le projet Hussein Ier-Arafat en faveur d'une confédération jordano-palestinienne, seule novation dans un débat qui n'a guère évolué, soutenu l'initiative égyptienne à l'ONU, et encouragé l'ouverture d'esprit de M. Shimon Peres. Prise entre ses amitiés, la France les a gardées, au risque de les perdre, par le respect du droit. Cela lui a valu d'abord, de part et d'autre, d'amères critiques et un soupçon de virevolte. Puis le temps a passé et chacun a compris que nous n'avions qu'un langage. Les fortes relations qui nous unissent aux pays arabes, sans que soient relâchées celles que

Un seul langage

nous entretenons avec Israël, ont autorisé le roi du Maroc, lors de son dernier voyage à Paris, à désigner la France comme une nation capable d'être entendue des deux côtés.

La passion du Liban

La cause immédiate de la crise où se perd le Liban résulte de l'exode des Palestiniens, chassés de leur terre après la création de l'État d'Israël. Plusieurs milliers d'entre eux émigrèrent au plus près, dans ce pays prospère et accueillant, pour y trouver asile et continuer le combat. Mais cette arrivée massive d'hommes en armes et de familles en détresse ne fit qu'ajouter aux déséquilibres ambiants. Le Liban, à l'étroit dans ses habits constitutionnels considérés longtemps comme un modèle de droit public, vivait mal l'évolution démographique qui bouleversait l'ordre établi des communautés chrétienne et musulmane. De plus, la montée des intégrismes, l'un entraînant l'autre, aiguisait, à l'intérieur de chaque communauté, les rivalités séculaires. J'ai rapporté, dans un autre récit, l'extraordinaire leçon de géographie historique que m'avait donnée, un soir, chez moi, le chef des Druzes, Kamal Joumblatt, me désignant de l'index, sur une carte, les villages où s'étaient entretués au Moyen Age les monophysites et les monothélites en querelle sur la nature du Christ. Puis il avait dénombré la kyrielle des sectes musulmanes traditionnellement disposées, avec une égale fureur, à trancher ici-bas par le fer, la corde et le feu les problèmes de l'au-delà. Admirable et cruelle passion de l'esprit qui s'accommode malaisément de la vie quotidienne ! Eh bien, la guerre religieuse d'hier épousait à peu de choses près les contours de la guerre civile (et toujours religieuse) d'aujourd'hui ! Tandis que Joumblatt parlait, je mesurais la réussite, rare en ces lieux, des générations libanaises qui, au lendemain de la Première Guerre mondiale, en symbiose avec la France, avaient bâti l'État moderne, actif et solidaire, que nous avons connu. Sur ce terrain miné de charges explosives, l'irruption des ambitions extérieures ne pouvait qu'avancer l'heure du drame.

Dernière lettre d'un ambassadeur

L'ambassadeur de France à Beyrouth, Louis Delamare, me l'avait écrit le 27 août 1981 : « Dans la septième année de la crise, aucune solution n'apparaît en vue et le désespoir commence à s'emparer du peuple libanais, martelé de toutes parts dans sa chair et son économie. Le sentiment d'être le jouet des ambitions de ses deux puissants voisins et de la rivalité américano-soviétique, l'absence de toute perspective de solution prochaine du problème palestinien, dont le Liban supporte seul tout le poids, commencent à ébranler la confiance, jusqu'alors incroyable, de ce peuple en son avenir. Tous, chrétiens et musulmans, manifestent leur extrême lassitude et redoutent l'effondrement.

« Sur le terrain, la réalité du pouvoir est exercée par les uns et les autres, parfois par des groupuscules armés, mais presque nulle part par l'autorité légale à qui n'est abandonnée que la charge des services publics.

« Aucune des trois principales forces extérieures, la Syrie, Israël et l'OLP, ne veut abandonner les gages qu'elle détient... » Une semaine plus tard, Louis Delamare était assassiné. L'année suivante, l'attaque en force d'Israël, désireux d'en finir avec les camps palestiniens, la prise de Beyrouth-Est, le bombardement de Beyrouth-Ouest précipitèrent l'événement. Le corps social, politique, religieux du Liban commença de se dissoudre et de se disperser. Le 28 juin 1982, je reçus ce courrier du Chef de l'État, le Président Sarkis : « En ces heures critiques où les Libanais retiennent leur souffle devant les périls qui menacent la ville de Beyrouth d'une destruction totale et meurtrière, je vous adresse un appel qui jaillit de la conscience d'un peuple torturé et menacé dans ce qu'il a de plus cher. Sauver la vie de centaines de milliers de civils innocents, préserver Beyrouth, haut lieu de culture et de civilisation de l'homme, tel est l'objet de l'appel urgent que je vous adresse, afin que vous joigniez vos efforts aux nôtres en vue d'épargner à cette ville un désastre aux conséquences incalculables. »

L'attaque d'Israël

J'aurais jugé insupportable que la

France, comme tant d'autres, détournât les yeux et se tût. Je communiquai au Conseil de Sécurité des Nations Unies les quatre conditions que je jugeai nécessaires à notre intervention : une demande expresse et renouvelée du gouvernement libanais; l'accord explicite de l'OLP; l'agrément des Nations Unies ; la définition précise du mandat. Ces conditions réunies, un premier détachement français de 320 hommes débarquait à Beyrouth le 20 août 1982 dans le cadre d'une force multinationale d'interposition qui, à la sollicitation libanaise, comprenait des unités américaine, italienne et française. Le premier à m'en remercier fut M. Yasser Arafat qui insista pour que nos forces fussent, de préférence à d'autres, placées à l'entrée des camps palestiniens. Le Président Reagan, à son tour, exprima sa reconnaissance. Entre-temps, j'avais exposé, par lettre, à M. Brejnev l'objet premier de cette initiative : sauver des vies. L'évacuation des combattants palestiniens commença aussitôt pour s'achever le 3 septembre. Nous assurâmes l'embarquement de 4 000 d'entre eux. Nos soldats regagnèrent la France — ou du moins ceux dont nous parlons, car depuis le premier jour, les douze à quatorze cents Français sous commandement des Nations Unies, la FINUL, continuent et continueront de servir la paix au Sud-Liban.

Sauver des vies

Retour en France

Cette brève relation suffit à montrer

l'inanité des accusations portées contre notre pays par certains groupes extrémistes qui ne rêvaient déjà que de mort et de sang. Quand on fera le compte de nos actions au Liban, on constatera qu'aux quatre mille Palestiniens de Beyrouth épargnés en 1982 se sont ajoutés ceux de Tripoli, en même nombre, dont nous avons assuré, sous le feu des canons, la protection et le départ en 1983, et les quatre mille six cent quatre-vingt trois prisonniers palestiniens échangés par nos soins contre six Israéliens la même année. De ces faits que je rappelle ici par souci de clarté, nous ne tirons pas gloire. Mais je cherche en vain la justification que peuvent invoquer les assassins de nos soldats. Nous avons secouru leurs frères. Voilà le crime.

Sabra et Chatila

Nous sommes revenus au Liban dix jours après l'avoir quitté. Les 16 et 17 septembre, en effet, dans les camps de Sabra et Chatila, à Beyrouth-Ouest, mille à mille cinq cents Palestiniens étaient massacrés à la suite d'une obscure intrigue. Le même scénario se reproduisit : appel à l'aide désespéré du gouvernement libanais, nouvelle force multinationale au sein de laquelle un contingent français, de quelque deux mille hommes cette fois-ci, et qui prit ses quartiers à la jonction des zones chrétienne et musulmane.

Les Français, de nouveau...

Commencèrent des mois où l'on vit nos soldats, mêlés au mouvement de la rue, préserver les pauvres rythmes journaliers d'une ville percluse de haine. Plusieurs furent tués, abattus par traîtrise. Le 23 octobre 1983, deux minutes après l'explosion du casernement où devaient périr deux cent quarante soldats américains, l'immeuble où cantonnait le gros de notre contingent sautait sous le choc d'une voiture piégée, ensevelissant sous les décombres cinquante-huit hommes qui payèrent de leur vie la présence de la France, aux côtés du pays aimé et déchiré d'où remontent des profondeurs du temps les sources d'une culture qui nous reste commune et les accents de notre langue.

La violence pour la violence, personne ne reconnaît personne

Mais rien ne guérissait le Liban de son mal. Israël, la Syrie, bientôt l'Iran, la vindicte qui divisait les Palestiniens partisans et ennemis de Yasser Arafat l'emportaient dans un tourbillon où personne ne reconnaissait personne. Quelques lueurs dans ce ciel sombre — le président syrien Assad prônant la trêve, les démarches du président Amin Gemayel à Damas, le retrait israélien —, vite éteintes.

Chrétiens minoritaires et menacés, prises d'otages, rivalités sanglantes entre amis de la veille, les meilleurs dont la voix se brise à force de crier à vide, les coups de feu qui se répondent sans que nul ne sache qui tire sur qui, n'est-ce pas le moment, pour les puissances proches et lointaines dont il est inutile d'énumérer les noms, pour les Nations Unies en tout cas, et pour la Communauté européenne aussi, de prêter assistance aux gens qui vont mourir ? La France est disponible. A la condition préalable que les Libanais, dans leur diversité, finissent par le comprendre : c'est leur peuple qui d'abord se sauvera lui-même.

La guerre Irak-Iran

La guerre entre l'Irak et l'Iran se déroule là où l'histoire et la géographie se confrontent depuis des millénaires, à la charnière des mondes arabe et persan. S'y ajoutent aujourd'hui les enjeux du pétrole. Qu'il se mette à flamber et la prédiction de Helmut Schmidt sera proche de se réaliser : « On assistera, a-t-il dit, au début de la Troisième Guerre mondiale ». Ce sombre pronostic explique sans doute la prudence affichée par les superpuissances à l'égard des deux adversaires. La France a choisi en 1974 de vendre des armes à l'Irak, contrat renouvelé en 1977 et deux fois depuis lors. Il est capital, en effet, que soit maintenu le *statu quo* sur le Chott el Arab. D'autres contentieux nous ont éloignés de l'Iran, notamment le droit d'asile accordé, selon nos traditions, aux réfugiés politiques qui représentent — ou ont représenté — toutes les strates de l'histoire iranienne des vingt dernières années. Mais la France ne se veut pas l'ennemie de l'Iran. Sans préjuger les effets du dialogue récemment repris, je me réjouirai de tout succès de la raison.

L'occupation de l'Afghanistan par l'ar-

Guerre en Afghanistan

mée soviétique demeure pour moi une énigme. Je m'interroge sur le sens de cette intervention dans un pays où la Russie exerçait depuis longtemps une emprise que personne ne songeait sérieusement à contester. L'accusation portée contre les États-Unis et la Chine de chercher à provoquer des troubles pour que l'Afghanistan rallie le camp anti-soviétique n'entraîne pas la conviction. L'URSS a laissé dans l'affaire beaucoup du crédit que la politique de Lénine et de ses successeurs lui avait acquis auprès du Tiers Monde, qui plus est, musulman. Il est évident que le retour au droit suppose le retrait des forces d'occupation. Mais je ne suis pas sûr que l'exigence d'une évacuation préalable à toute négociation soit la meilleure façon d'aboutir. Je crois très opportune la proposition naguère formulée par l'actuel Secrétaire général des Nations Unies, M. Perez de Cuellar, qui recommandait plusieurs démarches simultanées dont le terme serait le retrait soviétique total, le retour des réfugiés, une consultation démocratique laissant le soin au peuple afghan de choisir librement ses dirigeants et ses institutions, un statut de neutralité garanti par l'ONU. Ce que j'en ai dit à M. Gorbatchev en octobre 1985 a été, me semble-t-il, écouté avec soin.

Pour la renaissance du Cambodge

Une autre crise asiatique oppose le Vietnam à la résistance cambodgienne. La France a cessé ses relations diplomatiques avec le Cambodge après la prise de Pnom-Penh par les Khmers rouges et le génocide qui s'en est suivi, mais elle n'a pas reconnu la « République populaire du Kampuchea » installée par le Vietnam, que sa victoire sur les Khmers rouges a rendu maître du pays. Ce désaveu ne nous a pas conduits, cependant, à soutenir la coalition « démocratique » qui anime la résistance, toujours à cause de la présence en son sein des Khmers rouges. Des relations, en revanche, existent avec les chefs nationalistes et le Prince Sihanouk est reçu régulièrement par les autorités françaises. Indépendamment de l'aide humanitaire que la France apporte aux Cambodgiens, tant sur la frontière thaïlandaise qu'à l'intérieur du pays, elle préconise, là comme ailleurs, le retrait des troupes étrangères, un processus d'autodétermination et la restauration d'un Cambodge indépendant, neutre, doté d'un gouvernement représentatif issu d'élections libres. Mais, en arrière-plan, nul ne l'ignore, la lutte d'influence que se livrent la Russie et la Chine obéit à une logique qui n'a qu'assez peu de rapport avec ces considérations.

Intervention militaire de la France au Tchad

Des conflits d'un autre ordre, mais de même nature, se déroulent en Afrique — au Tchad, en Namibie, au Sahara occidental, notamment. Que se passait-il au Tchad quand j'ai pris mes fonctions, le 21 mai 1981 ? M. Goukouni Oueddei présidait le gouvernement, l'armée du colonel

Un interminable ballet

Kadhafi occupait ou contrôlait la totalité du territoire et M. Hissène Habré, écarté du pouvoir par la force des armes, campait avec une petite troupe de partisans fidèles à la frontière du Soudan. Aujourd'hui, M. Hissène Habré préside le gouvernement, M. Goukouni Oueddei, écarté du pouvoir par la force des armes, dirige, d'une oasis du nord, une petite troupe de partisans fidèles que l'armée du colonel Kadhafi encadre et contrôle. M. Goukouni Oueddei avait été reconnu en qualité de chef d'État par l'OUA et par l'ONU. M. Hissène Habré l'est à son tour. La France a exécuté le même mouvement tournant que les organisations internationales. Mais ses principes et ses objectifs, eux, n'ont pas bougé : l'indépendance, l'unité, l'intégrité du Tchad.

Tout le temps que j'ai eu M. Goukouni Oueddei pour vis-à-vis, j'ai entrepris de le convaincre qu'il ne pouvait compter sur le concours de la France pour la reconstruction de son pays qu'autant qu'il reconquerrait le plein exercice de la souveraineté tchadienne et s'essaierait à réconcilier les tendances qui déchiraient ce malheureux État.

Cinq mois s'écoulèrent avant que mon interlocuteur obtienne du colonel Kadhafi qu'il ramenât ses troupes en Libye. Mais ces cinq mois ne suffirent pas à réduire la lutte des factions. Les armes, les munitions, les équipements reçus par M. Goukouni Oueddei étaient immédiatement distribués entre les chefs des sept principales factions rivales. Pas d'État, pas d'armée ; ou, si l'on préfère en raison de la nature du pouvoir dans cette région du monde, pas d'armée, pas d'État. Le support libyen ayant disparu et la France ne désirant pas contrevenir à ses engagements de 1976, M. Goukouni Oueddei ne put s'opposer au retour victorieux de M. Hissène Habré qui récupéra les places fortes, les points d'eau et les villes jusqu'à la capitale. Alliés contre la France en 1968, associés au pouvoir en 1978, maintenant ennemis, les deux hommes allaient jouer une nouvelle figure du ballet qui résume l'histoire du Tchad depuis plus de quinze ans. M. Goukouni Oueddei céda le terrain pied à pied, s'accrocha dans les replis du Tibesti, batailla, harcela et perdit. Après avoir investi Abéché, M. Hissène Habré, originaire du nord, comme son adversaire, ne put résister à l'envie de récupérer Faya-Largeau. C'est alors que M. Goukouni Oueddei remit une fois encore le sort du combat au chef de la Jamahiria libyenne. Avec ses seuls moyens, M. Hissène Habré ne pouvait résister. A l'instar de ses prédécesseurs, Tombalbaye en 1969, Malloum en 1978, Goukouni en 1981, il appela la France à l'aide.

6 mars 1976 : la France s'éloigne

Ce simple rappel des événements survenus dans ce pays durant les premiers mois de ma présidence soulignera l'étonnante faculté qu'a le Tchad de vivre en permanence des situations provisoires. Cela tient au fait qu'il n'a pas eu d'autre existence que celle que lui a procurée la France à l'époque coloniale. Cette époque terminée, ce fut la guerre. Elle dure encore. J'ai écrit un peu plus haut que la France ne désirait pas contrevenir à ses engagements de 1976. En effet, le 6 mars de cette année-là, le Premier ministre français, M. Jacques Chirac, et le chef de l'État tchadien, le général Malloum, avaient signé, à N'Djamena, une convention dont l'article 4 stipulait que l'armée française ne pourrait « en aucun cas participer directement à l'exécution d'opérations de guerre [au Tchad] ni de maintien ou de rétablissement de l'ordre ou de la légalité ». J'ai pu constater, lors du sommet franco-africain de Bujumbura, en 1984, qu'à l'exception de M. Hissène Habré, les chefs d'État et de délégation présents ignoraient ou avaient oublié cette disposition. Et, à Paris, la lecture des journaux m'a appris que l'opinion française n'était pas mieux informée. Mais la réalité est celle-ci : depuis 1976, aucun accord de coopération, d'assistance ou de sécurité ne nous lie plus au Tchad. J'estime que nous y avons cependant deux sortes d'obligations.

Deux expéditions pour rien

La première est qu'en dépit des difficultés rencontrées par la France dans ce pays — le Général de Gaulle y avait envoyé, en 1969, un corps expéditionnaire qui avait dû se retirer après trois ans d'une guerre du désert coûteuse en hommes et en argent, aventure recommencée par M. Giscard d'Estaing en 1978 et qui s'était achevée, deux ans plus tard, dans les mêmes conditions, laissant à notre armée un goût amer, le dernier soldat français quittant N'Djamena à l'heure où le premier soldat libyen apparaissait dans les faubourgs — nous ne pouvons tirer un trait sur plus de trois quarts de siècle de vie commune avec le Tchad. La seconde est que la France, sans se prévaloir d'aucune mission particulière, représente économiquement, politiquement, culturellement, pour une grande partie du continent africain, un facteur incomparable d'équilibre et de progrès, et que de véritables traités d'alliance militaire l'unissent à plusieurs États francophones. Tous, ou presque, s'inquiètent des ambitions de M. Kadhafi. Et tous, ou presque, attendent de la France qu'elle les en protège.

Les devoirs de la France

Intervenir, oui. Mais où ? M. Hissène Habré insistait pour qu'on se portât à son secours dans le Nord. Je considérais, au contraire, que c'eût été une grave erreur que d'engager nos soldats dans le massif montagneux du Tibesti, loin de toute base utile, et d'obliger notre aviation à des allers-retours de 2 500 à 3 000 kilomètres. Quant à croire, comme le conseillaient bruyamment quelques têtes légères, qu'un raid punitif de nos Jaguars protégés par nos Mirages, à de pareilles distances, au-dessus d'un sol fait de roches et de caches, suffirait à régler l'affaire, je ne retins pas une seconde cette idée, d'autant plus que les précédents malheureux de 1969 et 1978 incitaient à la prudence. De toutes parts, les pressions s'accentuaient. Le Président Reagan invita par deux fois la France à prendre les devants. Du haut de leurs déconvenues, les responsables français du retrait de 1976 et de l'évacuation de 1980 dictaient l'ordre du jour des futures victoires. Une mauvaise fièvre coloniale s'emparait de l'opinion. Les États d'Afrique noire s'interrogeaient, mais je continuai de refuser une opération dans le Nord. La petite armée de M. Hissène Habré dut battre en retraite.

Une mauvaise fièvre

L'opération « Manta »

C'est alors que j'ordonnai l'opération « Manta ». L'État-major avait situé le cran d'arrêt à l'avance libyenne sur le 15e parallèle. Deux objectifs étaient visés : tenir le Tchad utile et interdire aux troupes libyennes le voisinage de l'Afrique noire. Au nord de ce parallèle, sur d'immenses étendues, vivent 150 000 des 4 300 000 habitants du Tchad. Hors les dattes, on n'y produit rien. Aucune grande voie de circulation n'y passe. C'est le plus rigoureux des déserts. Le Tchad utile commence au sud de cette ligne. Je fis savoir à M. Hissène Habré qu'en dépit de la situation juridique créée par les accords de 1976, puisque son gouvernement m'en priait et que l'urgence commandait, ce serait là que l'armée française se posterait. La Libye fut informée en même temps que toute tentative de forcer le barrage, que toute pénétration par air ou par terre de ses troupes à moins de 50 kilomètres des nôtres, déclencheraient l'affrontement. Après qu'un de nos avions de reconnaissance eut été abattu, seule perte subie par « Manta » en quinze mois, nos troupes avancèrent de 100 kilomètres, donc à hauteur du 16e parallèle. La Libye ne bougea pas. Le gouvernement de M. Hissène Habré put s'affermir, rallier des groupes dissidents, commencer d'apaiser les révoltes du Sud. En revanche, le GUNT de M. Goukouni s'effrita. De multiples tentatives eurent lieu pour amorcer une réconciliation. Malgré les bons offices des présidents du Congo, du Gabon, de la Côte-d'Ivoire, du Mali, du Togo, elles échouèrent.

Sur le 16e parallèle

Message du colonel Kadhafi

Le temps passa. Un jour d'avril 1984, l'ancien Chancelier d'Autriche, M. Bruno Kreiski, me transmit un message du Colonel Kadhafi, par lequel ce dernier proposait que fussent retirées du Tchad la totalité des troupes libyennes et françaises, le soin étant laissé aux responsables tchadiens de résoudre les problèmes de leur compétence tandis que la Libye et la France s'abstiendraient de toute ingérence militaire. Dans les mois qui suivirent, ces intentions me furent confirmées par divers canaux. Elles me convenaient. Entre-temps, M. Hissène Habré avait affirmé ses qualités d'homme d'État et paraissait en mesure, s'il était dégagé de la menace libyenne, d'imposer son autorité. A Claude Cheysson, le Colonel Kadhafi réitéra son vif désir d'un retrait mutuel et son souhait de s'en entretenir avec moi. Le 17 septembre, l'accord était signé. L'évacuation commencerait le 25 septembre pour se terminer le 9 novembre, sous le contrôle d'un comité mixte d'observateurs. Et, le 9 novembre, en effet, deux communiqués séparés, mais publiés simultanément à Tripoli et à Paris, annonçaient la fin de l'opération. « Ni soldats français, ni soldats libyens », répétaient à l'envi nos interlocuteurs libyens. Il n'y en avait plus.

Un accord est signé

Mais l'encre des communiqués n'était pas sèche que notre État-major signalait le retour d'éléments libyens au Nord, ce que la proximité de la bande d'Aozou rendait aisé dès lors que la parole donnée n'était pas respectée. Or, le lieu et la date d'une rencontre avec le Colonel Kadhafi avaient été fixés : en Crète, le 15 novembre, en présence d'Andréas Papandréou, Premier ministre de la République hellénique. Il ne s'agissait plus pour moi d'examiner, conciliation faite, les nouveaux rapports entre nos deux États, mais d'avertir mon interlocuteur que la France s'opposerait par les armes à toute nouvelle tentative d'occupation du Tchad. J'allai au rendez-vous. « J'ai promis. Ni Français, ni

Avertissement en Crète

Libyens. Je n'y reviendrai pas », me dit le Colonel Kadhafi. Je lui fis observer que nous n'en étions plus là et que la tournure prise par les événements, au Tchad et en Tunisie, aggravait les tensions autour de la Libye de sorte qu'il n'y avait plus de marge entre la paix et la guerre.

Le droit du Tchad

Depuis ce 15 novembre, les infiltrations libyennes se sont poursuivies dans le Nord mais n'ont pas franchi le 16e parallèle. Sans Manta, le gouvernement de Hissène Habré, dispose des mêmes garanties qu'avec Manta. On le sait à Tripoli. Le droit du Tchad est celui de tout membre de la société internationale. La France a fait ce qu'elle devait et continuera de le faire. Il appartient aux États africains, pour le reste, de veiller à ce que soit respectée leur règle d'existence : l'intégrité des frontières héritées des puissances coloniales. Ils y prendront garde, je suppose.

Attente en Namibie

Devant la révolte, sourde ou violente, selon le moment, des populations autochtones, le Conseil de Sécurité a adopté en 1976 une résolution prévoyant que la Namibie, dégagée du mandat sud-africain, accéderait à l'indépendance au débouché d'élections sous contrôle international. Un groupe dit « de contact » ou de bons offices, composé de cinq pays, les États-Unis, le Royaume-Uni, la République fédérale d'Allemagne, le Canada et la France, était alors constitué pour préparer la mise en œuvre de cette procédure. Les conclusions du groupe ayant été approuvées par le Conseil, on commençait à croire à la possibilité d'un règlement pacifique. Mais huit ans ont passé et la négociation reste bloquée depuis que l'Afrique du sud et les États-Unis ont posé en préalable le départ d'Angola des troupes cubaines qui y font le coup de feu contre la rébellion de l'UNITA et les incursions sud-africaines. La France, hostile à cet amalgame, s'est retirée du jeu — et du groupe de contact. Elle ne se prêtera à de nouvelles conversations que s'il est bien clair que l'indépendance de la Namibie en résultera.

L'apartheid

Droit des peuples à disposer d'eux-mêmes, droits de l'homme, comment, à propos de l'Afrique du Sud, ne pas évoquer l'apartheid qui les bafoue et qui les nie ? La France, au Conseil de Sécurité, au sein de la Communauté européenne, aux sommets franco-africains, partout où sa voix s'élève, a condamné et mis aussitôt en accord ses paroles et ses actes. La conscience universelle a le sommeil lourd. Il serait temps de l'alléger.

Pour un referendum au Sahara

Dans le mois qui a suivi mon arrivée à l'Élysée, j'ai exprimé au roi Hassan II le souhait de la France de le voir accepter l'autodétermination des anciennes possessions espagnoles du Sahara occidental, par le moyen — comme dans les situations comparables — d'un referendum sous contrôle international. On connaît l'objet du litige. D'un côté, le Polisario, mouvement nationaliste, revendique pour ce territoire le sort réservé à l'ensemble des ex-pays colonisés d'Afrique ; de l'autre, le Maroc, excipant à la fois des droits de l'empire chérifien antérieurs à la colonisation et d'un traité passé avec l'Espagne, occupe militairement la plus grande partie de la zone contestée. D'où une guérilla qui se prolonge et entretient un climat dangereux entre les États riverains. Tour à tour l'Organisation de l'Unité africaine, le Polisario, l'Algérie, la Mauritanie et le Maroc lui-même, ont approuvé le principe d'un referendum. Mais chacun, sans doute, prêtait aux mots une signification différente. Les exigences se durcirent. Les combats aussi. Le Maroc déclina la demande qui lui était faite par l'O.U.A. de négocier directement avec le Polisario les modalités de la consultation populaire, et dénonça l'admission de la République sahraouie au sein de cette organisation — dont il prit congé. Peut-être M. Abdou Diouf, son actuel président, réussira-t-il à renouer les fils aujourd'hui rompus. Ses récentes démarches auprès des Nations Unies en autorisent l'espoir. S'il échouait, on ne sait qui, mieux que lui, pourrait se faire entendre. La France, en tout cas, continue d'appuyer ses efforts et persévère dans ses propositions initiales.

En Amérique centrale, une révolution victorieuse au Nicaragua, mais contre la-

Révolution au Nicaragua

quelle se dressent la résistance armée d'éléments attachés au régime précédent et d'anciens partisans devenus rebelles au nouveau pouvoir, pose à son voisinage un difficile problème. La proximité de Cuba, la parenté des mots d'ordre et des modes de lutte, l'existence d'un noyau dur léniniste, ont conduit les Américains du Nord, par crainte de la contagion, à soutenir la double opposition au gouvernement sandiniste. Par là, ils donnent aux masses d'Amérique latine le sentiment de faire obstacle au droit des peuples à disposer d'eux-mêmes et de préparer la revanche des oligarchies détestées. En vérité, ce dont ils ne veulent pas, c'est d'une progression communiste dans la région. Cette crainte les amène à voir le communisme là où il n'est pas et à précipiter du même coup sa venue ou à accélérer ses progrès, tant les peuples en lutte pour leur libération économique et politique sont prêts à suivre quiconque les aidera à sortir de l'état de dépendance et de misère où ils ont si longtemps vécu.

Comprendre la nature des révolutions

Les États-Unis ont rendu trop de services à la liberté dans le monde pour mériter les jugements sommaires dont on les accable le plus souvent. Mais on attend d'eux qu'ils analysent plus strictement la nature des révolutions qui les entourent. Comme on attend des dirigeants de ces révolutions qu'ils respectent les libertés qu'ils ont conquises et mesurent plus justement, là où ils se trouvent, leurs chances et leurs risques. Il semble malheureusement que les dés soient jetés. Les tentatives de conciliation engagées par la junte sandiniste en direction de Washington ont échoué. Elles m'avaient paru raisonnables. Si l'on s'inquiète de la tendance qui pousse un régime menacé à céder aux extrêmes, on doit se garder des propagandes qui le caricaturent.

La France préfère croire aux vertus du dialogue. Aussi a-t-elle déploré le blocus du Nicaragua, la pose de mines explosives à l'entrée de ses ports, l'envoi d'instructeurs et de conseillers militaires auprès des forces d'opposition. Mais je n'ai pas dissimulé mes inquiétudes au commandant Ortega, chef de la junte, que j'ai rencontré plusieurs fois, devant les mesures d'ordre interne qui tendent à réduire le pluralisme politique. Isolée, dans l'attente de secours lointains qui lui viendraient de l'Est et qui arriveraient toujours trop tard et parcimonieusement, la révolution sandiniste finirait par s'user, se lasser et lasser le peuple qu'elle veut servir. Or, elle a su montrer son sang-froid dans des circonstances périlleuses et saisir l'ouverture favorable que lui offre l'initiative de quatre pays situés à la périphérie de l'Amérique centrale, le Mexique, le Panama, la Colombie et le Venezuela, qui, sous le nom de Contadora, petite île du Pacifique, lieu de leur première réunion, ont décidé de favo-

Le groupe de Contadora

riser la recherche d'une solution négociée. Fidèle au message de sa révolution, celle de 89, qui continue d'inspirer les hommes et les peuples avides de liberté, la France s'est associée à la démarche du groupe de Contadora auquel se sont joints le Pérou, le Brésil, l'Argentine et l'Uruguay, soucieux, eux aussi, de répondre aux aspirations de leurs frères tout en leur recommandant de refuser les entraînements de la violence et la substitution des idéologies aux réalités nationales.

Salvador, une guerre civile qui tourne sur elle-même

Au Salvador, la guerre civile, qui compte déjà vingt — ou trente mille — victimes, comment savoir ?, oscille et tourne sur elle-même. Les maquis ne parviennent pas à prendre le pouvoir, le pouvoir à juguler la rébellion. Le 28 août 1981, la France signait avec le Mexique, et à l'initiative de ce dernier, une déclaration qui, appelant les Nations Unies à faciliter le rapprochement « entre les représentants des forces politiques salvadoriennes en lutte, afin de rétablir la concorde dans ce pays et que soit évitée toute ingérence dans les affaires intérieures du Salvador », jugeait « légitime que l'Alliance [des Fronts révolutionnaires] participe aux négociations nécessaires à la solution politique de la crise ». Cette déclaration fit scandale. Mais je n'en retrancherai pas un mot... quatre ans et demi après. J'en ai saisi de nouveau le Président Duarte, réélu récemment à la tête de l'État et dont une longue période de retraite, la droite extrémiste régnant, a mûri la réflexion. Des signes d'espoir apparaissent enfin dans les décombres, la ruine et le malheur.Nul n'osera les interpréter.

Épilogue

J'ai rédigé ces réflexions en guise d'introduction aux textes qui vont suivre. Au lecteur, s'il le désire, d'aller plus loin. Mon intention première était d'écrire une vingtaine de pages que je savais devoir arracher, quart d'heure après quart d'heure, à un calendrier serré. Si j'ai, visiblement, dépassé la mesure que je m'étais fixée, je n'ai pas pour autant souhaité dresser un bilan de la politique extérieure des années 1981-85. J'aurai ou n'aurai pas, plus tard, le temps, j'aurai ou n'aurai pas l'envie, plus tard, de l'établir. D'autres, de toute évidence, le feront pour moi, sans moi et sans m'attendre. Il s'agissait dans mon esprit, pour bien marquer leur unité, d'extraire l'essentiel des discours qui, de Mexico à Jérusalem, de Bonn à Washington, de New-York à Rome, de Moscou à Strasbourg, en passant par bien d'autres lieux, m'ont permis d'aborder quelques-uns des domaines dont dépend le sort des hommes. Quelques uns, mais pas tous. D'où mon choix, déjà exprimé, d'éviter l'approche exhaustive d'une matière qui ne l'est pas. Je n'ai pas estimé devoir revenir sur certains sujets qui constituent l'armature et le fond de la plupart de mes interventions publiques. Par exemple, le développement des pays pauvres. On sait ce que j'en pense : ne pas réduire l'écart, qui, au contraire, s'élargit entre les pays pauvres et les pays riches, voue le monde à des ruptures sans pardon. Or, la chute du dollar, nouvelle variation et non pas la dernière de la monnaie-reine, accroît, s'il est posssible, l'ampleur de ce désastre qu'est devenu l'endettement, désastre pour les pays emprunteurs où produire n'a plus de sens, désastre pour les pays prêteurs que guette — s'ils ne se mobilisent pas — un krach sans précédent. Je n'éprouverai pas la maigre satisfaction d'avoir, au nom de la France, et propositions à l'appui, alerté dès juillet 81 les dirigeants des grands pays industriels sur la terrible absence d'un ordre économique plus juste et de son corollaire, un système monétaire plus stable : le maelström qui se prépare n'épargnera personne. Je préfère espérer qu'ensemble nous comprenions qu'il n'y a plus de temps à perdre.

Mais ce n'est pas qu'une affaire de monnaie. Ces milliards d'être humains ballottés par un taux de change, quel prêche sur les droits de l'homme pourront-ils entendre sans rire ou sans pleurer ? Les Droits de l'Homme, avec les majuscules que leur prêtent les discours officiels, sont au centre de tout. Il n'est pas de politique extérieure qui, au bout du compte, se définisse autrement que par eux, selon qu'elle sert la liberté ou l'emprisonne, qu'elle aide à vivre ou qu'elle tue.

J'aurais aimé approfondir dans cette introduction l'autre idée simple qui anime une grande part de mon action, l'ouverture de notre pays vers la Méditerranée et l'Afrique. Je l'ai délibérément écartée de ces pages bien qu'elle réponde à la plus ancienne comme à la plus actuelle vocation de la France. Le lecteur aurait peut-être mieux perçu le lien qui rattache l'une à l'autre les démarches conduites en direction de l'Algérie, de l'Italie et de l'Espagne qui, maintenant, ont retrouvé leur rang parmi nos amitiés, en direction de l'Afrique noire, plus proche que jamais. Mais chaque chose en son temps. Ce sera pour une autre fois.

François MITTERRAND

20 septembre 1985-28 janvier 1986

DISCOURS
(1981-1985)

Les textes de présentation et les notes sont de l'éditeur.

I
De l'indépendance nationale

« UNE FRANCE JUSTE ET SOLIDAIRE »
(Jeudi 21 mai 1981)

Le jeudi 21 mai 1981, jour de son investiture, le Président de la République prononce au Palais de l'Élysée sa première allocution de Chef d'État : « Il est dans la nature d'une grande Nation de concevoir de grands desseins. »

Il souligne la nécessité, « dans le monde d'aujourd'hui..., de réaliser la nouvelle alliance du socialisme et de la liberté », et insiste sur le rôle, dans cet univers troublé, de notre pays : « Une France juste et solidaire qui entend vivre en paix avec tous peut éclairer la marche de l'humanité. »

Messieurs les Présidents[1],
Mesdames, Mesdemoiselles, Messieurs,

En ce jour où je prends possession de la plus haute charge, je pense à ces millions et ces millions de femmes et d'hommes, ferment de notre peuple, qui, deux siècles durant, dans la paix et la guerre, par le travail et par le sang, ont façonné l'Histoire de France sans y avoir accès autrement que par de brèves et glorieuses fractures de notre société.

1. MM. Roger Frey, Président du Conseil Constitutionnel, Alain Poher, Président du Sénat, Jacques Chaban-Delmas, Président de l'Assemblée Nationale.

C'est en leur nom d'abord que je parle, fidèle à l'enseignement de Jaurès, alors que, troisième étape d'un long cheminement, après le Front populaire et la Libération, la majorité politique des Français démocratiquement exprimée vient de s'identifier à sa majorité sociale.

Il est dans la nature d'une grande nation de concevoir de grands desseins. Dans le monde d'aujourd'hui, quelle plus haute exigence pour notre pays que de réaliser la nouvelle alliance du socialisme et de la liberté, quelle plus belle ambition que l'offrir au monde de demain ?

C'est, en tout cas, l'idée que je m'en fais et la volonté qui me porte, assuré qu'il ne peut y avoir d'ordre et de sécurité là où règnerait l'injustice, gouvernerait l'intolérance. C'est convaincre qui m'importe, et non vaincre.

Il n'y a eu qu'un vainqueur le 10 mai 1981, c'est l'espoir. Puisse-t-il devenir la chose de France la mieux partagée ! Pour cela, j'avancerai sans jamais me lasser sur le chemin du pluralisme, confrontation des différences dans le respect d'autrui. Président de tous les Français, je veux les rassembler pour les grandes causes qui nous attendent et créer en toutes circonstances les conditions d'une véritable communauté nationale.

J'adresse mes vœux personnels à M. Valéry Giscard d'Estaing. Mais ce n'est pas seulement d'un homme à l'autre que s'effectue cette passation de pouvoirs, c'est tout un peuple qui doit se sentir appelé à exercer les pouvoirs qui sont, en vérité, les siens.

De même, si nous projetons notre regard hors de nos frontières, comment ne pas mesurer le poids des rivalités d'intérêts et les risques que font peser sur la paix de multiples affrontements ? La France aura à dire avec force qu'il ne saurait y avoir de véritable communauté internationale tant que les deux tiers de la Planète continueront d'échanger leurs hommes et leurs biens contre la faim et le mépris.

Une France juste et solidaire qui entend vivre en paix avec tous peut éclairer la marche de l'humanité. A cette fin, elle doit d'abord compter sur elle-même. J'en appelle ici à tous ceux qui ont choisi de servir l'État. Je compte sur le concours de leur intelligence, de leur expérience et de leur dévouement.

A toutes les Françaises et à tous les Français, au-delà de cette salle, je dis : ayons confiance et foi dans l'avenir.

VIVE LA RÉPUBLIQUE !
VIVE LA FRANCE !

« LÀ OÙ LA JUSTICE RÈGNE, LA LIBERTÉ VIT ET LA PENSÉE RESPIRE »
(19 octobre 1981)

La célébration du bicentenaire de l'Indépendance américaine suscite de nombreuses manifestations. Entre autres en Virginie, sur le champ de bataille de Yorktown où les Français participèrent aux combats aux côtés des troupes américaines commandées par le général Washington.

Le 18 octobre, à Philadelphie, le Président Reagan avait rappelé la liberté défendue par les États-Unis et la France. Le 19, le Président de la République évoque à son tour la signification de Yorktown et de la guerre d'Indépendance des États-Unis.

Monsieur le Président[1],
Monsieur le Gouverneur[2],
Chers Amis américains et français,

Dans le sang, l'effort et le courage, quelque chose d'immense a commencé ici : ce premier chapitre de l'Histoire moderne, nos aïeux l'ont écrit ensemble. De nouveau, nous voici au rendez-vous du souvenir, mais

1. M. Ronald Reagan, Président des États-Unis d'Amérique.
2. M. John N. Dalton.

aussi face à l'avenir offert à nos deux peuples sous l'image contrastée de l'espérance et de l'inquiétude, espérance que peut éclairer comme il y a deux siècles le même amour de la liberté, inquiétude que suscitent trop souvent dans notre monde les atteintes aux droits et à la dignité de l'homme.

La victoire de Yorktown se serait qu'une date parmi d'autres si nous ne retenions pas la leçon qu'elle nous donne.

Qui ne se souvient des péripéties de cette guerre qui n'en finissait pas : fatigues et souffrances des combattants, hésitations des chefs, difficultés pour aboutir à un commandement unifié des forces américaines et françaises sous les ordres de Washington. Là-haut, dans le Nord, Rochambeau s'impatientait de l'inaction relative imposée à son corps expéditionnaire, pendant que la guerre pourrissait autour de New-York où les soldats de la vaillante Angleterre tenaient bon. L'une des plus belles flottes mise sur les mers par la monarchie française demeurait apparemment inutile dans la rade du Cap Français.

Comme il arrive souvent, quand s'enlisent les combats, les opinions s'interrogent, l'argent commence à manquer, la lassitude gagne. Mais un sursaut de clairvoyance et de volonté va suffire à faire tourner la chance et à maîtriser le destin. Une succession de chassés-croisés transforme vos provinces insurgées en un gigantesque échiquier. Lafayette, qui servait dans votre armée grâce à l'accueil paternel de Washington, attire progressivement les 10 000 hommes de Cornwallis au plus profond de la Virginie, d'abord pour défendre celle-ci, puis pour fixer et immobiliser les forces adverses.

L'intelligence du terrain et le sens de l'action lui

montrent que tout peut se jouer autour de Yorktown si les Caps de la Chesepeake sont transformés en piège. Lafayette alerte Washington et Rochambeau qui comprennent qu'il ne faut pas s'obstiner sous New York et descendent avec leurs troupes pour cette fameuse marche de plus de 200 lieues, du Nord au Sud, que des volontaires américains viennent de nous faire revivre.

Tout s'accélère en octobre 1781. Et tout va basculer. Lafayette a bien manœuvré; Washington et Rochambeau bien décidé. Mais la flotte anglaise, encore maîtresse de la Chesepeake, peut toujours rembarquer Cornwallis et battre les forces combinées des alliés.

C'est alors qu'intervient notre Amiral de Grasse, dépassant des ordres trop étroits par l'un de ces coups d'audace qui jalonnent l'histoire des grandes victoires militaires. Louis XVI avait signifié à l'Amiral de garder sa flotte loin des combats, mais Washington l'appelle à l'aide. Sans attendre un nouvel avis du Roi, de Grasse met à la voile et la flotte française arrive avant les vaisseaux anglais au point déterminant. La bataille de la Chesepeake va disperser la flotte adverse de Graves et de Hood.

Il reste à réduire l'armée de Cornwallis au cours du siège dont nous percevons encore les traces grâce à votre admirable reconstitution du terrain. Un geste va donner tout son sens à la victoire et ce geste eut lieu ici même, presque à la même heure du jour. Le Général O'Hara, délégué par Cornwallis, malade, galope vers Rochambeau pour lui remettre l'épée du chef anglais. Mais le Général Mathieu Dumas, en lui désignant Washington, le vrai chef suprême, va faire prendre conscience à tous de ce qui vient de se passer depuis cinq ans en terre américaine : ce n'est pas une nouvelle péripétie de la vieille querelle franco-anglaise, mais bien le premier acte libre du Nouveau Monde. La jeune nation américaine est désormais majeure devant l'Histoire.

Nous autres Français savons qu'avant nous, Montesquieu et nos philosophes du XVIIIe siècle ont eu sur le Nouveau Continent leurs premiers disciples ; qu'avant nous, vous avez donné corps à des idées qui allaient se développer tout au long du siècle suivant et jusqu'à nos jours dans un grand mouvement universel :

— l'Indépendance pour la Nation,
— la Constitution pour l'État,
— la Liberté pour les peuples.

Et lorsqu'en 1789, la France s'enflamme à la braise de votre Révolution, Lafayette coule notre Déclaration des Droits de l'Homme dans le moule de Jefferson et de Franklin.

Mon cher Président, vous avez évoqué, à Philadelphie, cette idée de liberté[3]. Elle est notre référence commune. Pour elle, nous nous sommes retrouvés chaque fois que l'essentiel était mis en question. Par deux fois, vous nous avez rendu, avec usure, la politesse de Lafayette. Pershing et Eisenhower nous ont précédés aux rendez-vous de 1917 et 1944.

Nos deux peuples peuvent être fiers de ne s'être jamais affrontés par les armes. Elles ne sont pas nombreuses, dans le concert des grandes Nations, celles qu'aucune guerre n'a opposées. Le pacte de l'amitié, scellé à Yorktown, a toujours été respecté. Nous devons y veiller comme sur un bien précieux ; sans oublier qu'il s'est élargi à l'adversaire de jadis,

3. Discours prononcé le 18 octobre 1981.

aujourd'hui devenu compagnon fidèle des bons et des mauvais jours, l'Angleterre qui, en 1940, tint le sort du Monde libre dans les mains courageuses de son peuple indomptable.

Sans doute nous est-il arrivé et nous arrivera-t-il encore, à tel détour de l'Histoire, de ne pas faire les mêmes choix.

Nous avons chacun des intérêts nationaux à défendre, il peut y avoir des contradictions, il y en a eu, il y en aura. Nous avons chacun nos propres convictions sur l'organisation des rapports sociaux et économiques, et nul ne peut demander à l'autre de renoncer à ce qu'il croit juste et bon pour son pays. Mais ces différences ne peuvent ni ne doivent porter atteinte aux raisons profondes d'une nécessaire alliance qui puise ici sa source et dont nous ressentons, en ce jour plus qu'en aucun autre, le sens et la pérennité. Ces différences ne peuvent ni ne doivent empêcher nos démarches communes pour la paix, la sécurité et la réduction des tensions dans le Monde.

Oui, la bataille de Yorktown — et ce qui s'en est suivi — a pesé lourd sur le destin du Monde ; sa leçon demeure ; le combat pour la liberté et la justice des « Insurgents » de la guerre de l'Indépendance se poursuit sous d'autres formes, en d'autres lieux du monde actuel.

En effet, là où l'injustice prime, la liberté est un leurre ; là où la liberté est bafouée, la pensée s'asphyxie. Mais là où la justice règne, la liberté vit et la pensée respire.

Les enseignements de Washington et des pères fondateurs de la démocratie américaine sont inscrits dans la mémoire collective où les ont rejoints les idéaux de nos Révolutions de 1789 et de 1848.

Écoutons ensemble les voix qui s'élèvent, de tous les continents. Partout s'expriment le même refus de toutes les formes de domination, quelle qu'en soit la nature, politique, économique ou culturelle, la même volonté d'indépendance, le même besoin de dignité. Les aspirations des peuples d'aujourd'hui sont aussi légitimes que celles de nos ancêtres. Ils sont fidèles à leur exemple. Comprenons-les, nous qui avons la charge de conduire la politique de nos pays en cette époque difficile, et agissons pour que leur message soit entendu quand il est encore temps.

Monsieur le Président, je vous remercie d'avoir permis au Président de la République Française de se recueillir avec vous dans la première capitale des Droits de l'Homme, et je forme le vœu que, dans les luttes de notre temps, et pour garantir la paix, la justice et la liberté, nous nous retrouvions, comme à Yorktown, côte à côte.

« L'HISTOIRE VA LE PLUS SOUVENT LENTEMENT »
(3 janvier 1984)

Le 3 janvier 1984, recevant selon la tradition le Corps diplomatique, le Président de la République montre la permanence de la politique extérieure de la France en dépit des obstacles : « Et, moins que jamais, il ne faut céder à la tentation du découragement, ni à celle du "chacun pour soi", du repli sur soi. Voilà pourquoi je vous parlerai encore, en pensant que nous avancerons pas à pas, et de la paix et du développement. »

Monsieur le Nonce[1],

Je tiens d'abord à vous remercier pour les vœux que vous venez d'exprimer à mon intention et plus encore à l'intention de la France, en votre nom comme au nom du Corps diplomatique tout entier. Je souhaite saisir cette occasion, Monsieur le Nonce, pour vous demander de transmettre à Sa Sainteté le Pape Jean-Paul II mes sentiments personnels. Nous sommes sensibles à ses messages, à ses appels, comme il vient de le faire de nouveau à l'occasion des fêtes de Noël. Son dernier voyage en France a été pour nous l'occasion d'apprécier hautement, une fois

1. Monseigneur Angelo Felici, Nonce apostolique à Paris.

de plus, la qualité de ses pensées et de ses actions. Veuillez lui transmettre nos sentiments.

C'est la troisième fois, Mesdames et Messieurs, que nous avons l'occasion de nous rencontrer pour des vœux de Nouvel An. Les rites sont respectables, mais cette cérémonie et les échanges dont elle est l'occasion ont une portée qui, dans mon esprit, n'est pas simplement formelle.

Si j'observe, en effet, le laps de temps écoulé depuis notre première rencontre, j'aperçois des problèmes qui demeurent, lancinants, sans solution, mais aussi l'espoir indestructible des peuples et la volonté tenace des gouvernements.

Il faut bien le dire, ce sont encore la course aux armements, les menaces sur la paix, les guerres qui durent, celles qui éclatent, le sous-développement, la faim, tous ces maux trop connus que nous sommes contraints de rappeler d'une année à l'autre et de déplorer.

Oh, certes, nous savons que l'Histoire va le plus souvent lentement et que les intérêts contraires, fussent-ils de part et d'autres légitimes, les passions, l'état variable du développement, ne permettent pas d'espérer qu'en l'espace de quelques mois, ni de quelques années, l'humanité ait trouvé son point d'équilibre. Au moins pourrait-on désirer qu'ici et là des progrès soient sensibles. Et, moins que jamais, il ne faut céder à la tentation du découragement, ni à celle du « chacun pour soi », du repli sur soi. Voilà pourquoi je vous parlerai encore, en pensant que nous avancerons pas à pas, et de la paix et du développement.

D'abord, parlons de ce dernier point, puisque le sous-développement des deux tiers de l'humanité, avec son cortège de souffrances et d'injustices, reste à nos yeux, à nous, Français, le problème central de notre monde. Il continue de former la sombre toile de fond de nos affrontements, de nos compétitions et de nos différends.

Ce fossé entre les peuples riches et les peuples pauvres — matériellement, cela va sans dire, car les peuples pauvres sont souvent très riches d'une très grande culture — mais matériellement, la différence de condition reste le vice fondamental de la société internationale telle qu'elle est aujourd'hui. Et si nous ne parvenons pas à remédier à cette situation, il est à craindre que pour tout le reste, nous bâtissions — selon l'expression consacrée — sur le sable. C'est pourquoi nous devons absolument, par conviction comme par intérêt, accroître l'aide au développement, que ce soit par le biais d'un effort national — et la France mène le sien, l'augmente régulièrement, dans des conditions souvent difficiles — ou que ce soit par l'intermédiaire des organisations et institutions internationales spécialisées dont je tiens à souligner le rôle irremplaçable — en dépit des critiques parfois fondées de tel ou tel aspect de leur fonctionnement —, nécessaire, et qui, au total, ont été un facteur de grands progrès au cours de ces dernières décennies.

Par exemple, vont dans le bon sens, même si c'est encore insuffisant, l'augmentation des ressources du Fonds Monétaire international, la reconstitution des ressources de l'Agence internationale pour le Développement, la négociation d'une nouvelle convention entre un certain nombre de pays du Tiers Monde et la Communauté Européenne, qui, il faut le dire, a souvent donné l'exemple dans ce domaine.

Faut-il redire, une fois encore, qu'à l'heure où toutes les économies sont interdépendantes, il n'y aura pas de reprise durable de la croissance des pays développés sans qu'y soient associées les économies du Sud. *A fortiori*, il n'y aura pas de relance solide du Nord au détriment du Sud.

Il ne s'agit pas d'un problème dont nous aurions le choix de parler ou non. Je ne vous fais pas là un discours, comme l'on dit, académique, où l'on choisit le thème de circonstance. Il n'y a pas de circonstance particulière. Cela fait longtemps que cette situation est connue de tous les responsables du monde. Ce problème s'impose à nous : aucun pays développé ne peut l'éluder. Chaque année à venir le rappellera d'une façon de plus en plus dure, parfois cruelle. Mieux vaut savoir dès maintenant ce que nous voulons et organiser de la façon la moins irrationnelle possible la cohabitation de tous les peuples sur la Terre.

Et c'est encore de cohabitation que je vais parler en évoquant maintenant les menaces qui pèsent sur la paix. J'emploie ce mot, croyez-moi, avec précaution. Je sais que trop de conflits, baptisés pudiquement « locaux » ou « régionaux », ensanglantent en vérité des peuples vaillants, tour à tour au Proche-Orient, en Asie, en Afrique, en Amérique latine, que sais-je... Cette liste n'est pas exhaustive. Pour nombre des peuples victimes de ces guerres, dont beaucoup d'entre vous sont ici représentés, la paix n'est pas à préserver. Elle est d'abord à conquérir.

La France se déclare prête à apporter sa contribution au rétablissement de la paix, là où elle est rompue, ou à prévenir les conflits qui s'amorcent, surtout quand des pays, vis-à-vis desquels elle a des relations et des obligations particulières, le lui demandent. Je pense aux deux pays où des armées françaises se trouvent aujourd'hui présentes : le Tchad et le Liban. Là comme ailleurs, ce sont les nationaux eux-mêmes qui règleront — ou bien jamais — leurs propres problèmes. Mais il appartient aussi à la société internationale, aux institutions internationales d'assurer le relais, et du facteur d'équilibre qu'elle peut représenter dans d'assumer leurs responsabilités.

Il est très simple de vous dire, Mesdames et Messieurs, quelle que soient vos positions sur ces sujets — et j'imagine aisément que ces positions sont différentes —, il m'est très aisé de vous dire que la France n'en attend aucun avantage pour elle-même, hors des obligations historiques qui sont les siennes, des contrats, des traités qui la lient à tels et tels d'entre vous, et du facteur d'équilibre qu'elle peut représenter dans plusieurs régions du monde. Mais, pour ce qui la concerne, elle souhaite la réconciliation, elle souhaite la paix dans l'indépendance, l'intégrité et la souveraineté respectées. Elle n'est en aucune mesure partie prenante et ne demande qu'à rester chez elle, à contribuer autant qu'elle le pourra au développement et à la prospérité des pays en cause.

Nous n'avons pas un seul soldat hors de nos frontières qui n'est d'autre mission que de préserver des vies humaines, que de contribuer à rétablir des équilibres, et si ces pays, par la suite, désirent notre contribution pacifique à leur développement, il leur suffira de nous le demander.

Bref, la France déclare à tous ceux qui sont ici, aux peuples que vous représentez, au travers de vos gouvernements, à tous sans exception, qu'elle ne se reconnaît comme l'ennemie d'aucun. On peut avoir, en effet, des amitiés privilégiées, et elle en a ! Des traditions historiques particulières, et elle en a ! Est-il un seul de vos pays qui échappe à la fois à la force des siècles, à la puissance du langage, à la communauté de civilisations et de cultures, et aux échanges privilégiés que l'histoire et la géographie ont pu vous apporter ? Nous sommes dans ce cas. Mais nous ne sommes les ennemis d'aucun peuple sur la Terre et nous respectons les États que nous reconnaissons, quelque idée que nous ayons de ceux qui les dirigent. Il serait déjà bien beau, en effet, qu'à travers toute la planète, nous soyons, vous et nous, en telle situation qu'au-delà des usages diplomatiques, nous considérions comme nécessaire de pratiquer les mêmes idéologies, de rechercher les mêmes objectifs ! Ne rêvons pas, et pensons qu'en 1984, nous avons à bâtir le monde pour ceux qui y vivent, pour les générations qui suivent, et d'autres répondront plus tard, à notre place, soit aux questions que nous n'aurons pas su résoudre, soit aux questions nouvelles qui se poseront dans la société de demain.

Ne vous méprenez pas lorsque j'emploie ce mot de « paix ». Je n'entends donner de conseil à personne, surtout lorsqu'au nom de la France je constate que les problèmes entre l'Est et l'Ouest continuent de peser lourd sur l'ensemble des problèmes mondiaux. Nous sommes nous-mêmes, la France, un pays qui se trouve mêlé de près à ce type de rapports, par l'histoire et par la géographie. Nous avons la chance de disposer de liens d'une qualité rare avec les principaux protagonistes. Nous avons une amitié et une alliance historiques avec les États-Unis d'Amérique. Nous sommes sur le même continent et des relations de peuple à peuple continuent, vivantes, actives, amicales, entre le peuple russe et le peuple français. Et, quant aux autres, nos voisins, voilà déjà quelque temps que nous sommes associés dans une communauté économique avec des implications politiques multiples. Passant par-dessus des conflits terrifiants dont nous ne nous sommes pas encore remis, ni les uns ni les autres, des guerres civiles entre Européens devenues des guerres mondiales, eh bien, nous avons bâti notre communauté. Et s'il est un point qui permet de dire que cette communauté a triomphé des embûches de l'Histoire, c'est qu'il n'est plus de conflit sanglant possible, imaginable, entre eux. Ce ne sont pas les seuls : je n'oublie pas les autres pays de l'Europe, puisque je parle ici en tant qu'Européen. Non seulement cette communauté peut s'ouvrir et même, le cas échéant, doit s'ouvrir au terme de négociations bien menées, si l'on se comprend bien, mais encore, ceux qui n'ont pas vocation à y participer sont nos frères. Nous partageons les mêmes soucis, nous avons vécu souvent des mêmes cultures. Bref, il faut savoir que la France sera toujours un élément de rapprochement, sans prétendre s'immiscer dans les négociations qui ne sont pas les siennes, sans prétendre arbitrer des oppositions qui ne sont pas les siennes, en respectant d'abord les peuples et les États, en sachant exactement la place qui est la nôtre, sans excès d'orgueil ni de modestie, en sachant seulement — comme l'a fort bien dit Monsieur le Nonce — que notre pays représente l'une des constantes de l'Histoire dans l'avance intellectuelle et spirituelle du monde.

Et si j'ai souvent répété — pour en finir avec ce point dominant : « développement et paix » — le nécessaire équilibre des forces, tout simplement pour éviter que la crainte, qui serait alors légitime, que la peur des autres ne l'emporte sur les lois de la raison ;

si partout je vais répétant au nom de la France que l'équilibre des forces est nécessaire au niveau le plus bas possible s'il s'agit d'armement, au niveau le plus haut possible s'il s'agit d'un équilibre dans les domaines de la création, du développement et du progrès, c'est parce que cela correspond à notre conviction profonde, puisqu'il suppose, cet équilibre, le respect de l'autre et le refus de faire peser sur l'autre une menace. Même si cette menace ne devait jamais entrer dans les faits, elle est suffisante pour peser sur l'esprit et nous devons bien prendre garde à cette réalité qui veut que c'est l'esprit qui commande.

Mesdames et Messieurs, je vous remercie encore de vos vœux. Je vous présente les miens. Je vous l'ai dit tout à l'heure : à vous-mêmes, à vos familles, à vos peuples, et vous voudrez bien les transmettre aux Chefs d'État et de gouvernement que vous représentez ici.

Je forme des vœux pour la réussite de votre mission en France pour le temps que vous l'exercerez. Vous êtes, à vous tous, l'une des composantes importantes des communautés étrangères, mes amis qui vivent et travaillent en France. Au-delà de vos personnes, je salue les Communautés nombreuses ou peu nombreuses qui vivent sur notre sol. Le devoir que je considère au premier rang des miens est de préserver mon pays de toute atteinte de caractère raciste, qui puisse signifier un sentiment de domination qui serait infondé. Vous toutes et vous tous participez au développement de mon pays et je vous en remercie.

Voilà l'hommage que je voulais vous rendre, Mesdames et Messieurs, et à vous particulièrement, Monsieur le Nonce, toujours présent dans toutes nos fêtes

— nos fêtes de famille — et nos réunions internationales d'ampleur comparable à celle-ci.

Mesdames et Messieurs, à l'année prochaine ! Du moins, si telles et tels d'entre vous, comme il est normal, doivent quitter notre pays dans l'intervalle d'une année pour remplir d'autres fonctions ailleurs, qu'ils gardent au moins, je le souhaite, le meilleur souvenir de ce temps de vie passé parmi les Français et sur le sol de France. Et pour ceux d'entre vous qui célèbreront avec moi, l'an prochain, la suite des temps, sachez que j'éprouve un grand plaisir à vous rencontrer. Il n'est aucun d'entre vous qu'il faille, en quoi que ce soit, exclure, quelque opinion qu'on ait de la conduite politique de chacun de vos pays. Vous êtes ici la Société des peuples et c'est bien votre place, en début de cette année 1984, que de vous associer à nos célébrations.

Mesdames et Messieurs, Monsieur le Nonce, je vous remercie.

« POUR QUE COMMENCENT LES TEMPS NOUVEAUX »

(6 juin 1984)

Quarante ans après le débarquement sur les plages de Normandie, il appartient au Président de la République de dégager la véritable signification du combat pour la libération de l'Europe : « l'ennemi de l'époque, ce n'était pas l'Allemagne mais le pouvoir, le système et l'idéologie qui s'étaient emparés d'elle. »
Le Président Mitterrand prononce ces paroles devant les sept Chefs d'État dont les armées participèrent à cette expédition militaire sans précédent, mais il tient aussi à rendre hommage à l'héroïsme du peuple russe.

Majestés[1],
Monsieur le Président[2],
Monsieur le Premier Ministre[3],
Mesdames et Messieurs,

Ici, sur ces plages de Normandie, des dunes de Vareville au port de Ouistreham, il y a très exacte-

1. Elizabeth II, Reine du Royaume-Uni ; Olaf V, Roi de Norvège ; Baudoin Ier, Roi des Belges ; le Grand Duc Jean du Luxembourg.
2. M. Ronald Reagan, Président des États-Unis d'Amérique.
3. M. Pierre-Elliot Trudeau, Premier Ministre canadien.

ment 40 ans, à l'aube d'un jour incertain de printemps, venus du ciel et de la mer, ciel et mer tourmentés, 136 000 hommes, avec pour seule mission de vaincre ou de mourir, ont décidé du sort de la guerre, de l'Europe et du monde. Ils étaient Américains, Britanniques, Canadiens ; ils étaient Belges, Hollandais, Norvégiens, Français ; ils étaient Grecs, Danois ; d'autres encore, de dix pays, engagés volontaires dans les armées alliées. 3 500 ont été tués ce jour-là.

A partir de la tête de pont, conquise mètre par mètre, dans la tempête et le fracas des armes, sur un ennemi redoutable, la victoire exigea les semaines suivantes le renfort d'un million de soldats, la mort de 30 000 d'entre eux, la mise hors de combat de 200 000 blessés.

Ce débarquement, le plus important qu'on eût jamais vu, formidable instrument de guerre, rassembla dès les premières heures plus de 2 000 avions de transport, 900 planeurs, des milliers d'avions de combat et 5 000 bateaux qui, défi supplémentaire, n'accostèrent pas à marée haute. On sait comment, au prix de quelle préparation minutieuse, de quelle exécution rigoureuse, par la combinaison de la surprise et de l'audace, au prix de quelles pertes, sous le commandement d'officiers — Eisenhower, Montgomery, tant d'autres — dont le nom désormais appartient à l'Histoire, fut gagnée la bataille que nous célébrons aujourd'hui.

Saluons ceux qui l'ont vécue, ces vétérans et particulièrement ceux qui sont parmi nous restés fidèles à la mémoire et à l'espoir de leur jeunesse. Nous leur devons ce que nous sommes et je m'interroge parfois : leur avons-nous rendu tout ce que nous pouvions ? Qu'ils se souviennent cependant. En 1944, à leur rencontre, se sont levés partout les combattants de l'ombre. Saluons la Résistance, celle de mon pays et des pays amis, comme je salue les hommes libres d'Allemagne, d'Italie qui n'ont jamais baissé le front.

La liberté se paie de la peine et du sang. Le 6 juin, le jour « J », demeure incomparable. Sans lui, rien et nulle part n'eût été achevé.

Mais il y eut dans notre Europe mille jours et mille nuits d'attente, de lutte, d'échecs, de recommencements qui l'ont aussi rendu possible. « Avec nos valeureux alliés et nos frères d'armes des autres fronts, vous détruirez la machine de guerre allemande, vous anéantirez le joug de la tyrannie que les nazis exercent sur les peuples d'Europe... », avait proclamé Dwight Eisenhower dans son ordre du jour aux forces expéditionnaires au soir du 5 juin.

Oui, saluons à nouveau l'héroïsme du peuple russe dont les armées, reprenant le 10 juin l'offensive, dégageaient Léningrad et rompaient jusqu'à la Mer Noire les dispositifs allemands, fixant ainsi à l'Est des millions d'hommes braves. Saluons les combattants d'Italie, d'Afrique et du Pacifique. Saluons les unités tchécoslovaques, polonaises, luxembourgeoises, qui rejoignirent les forces de Normandie tandis qu'en Provence s'ouvrait un nouveau front. De proche en proche, le débarquement du 6 juin a, de la sorte, partout, sonné l'heure où l'Histoire devait basculer du côté de la liberté.

Tairai-je, en cet instant, la pensée qui m'occupe ? L'ennemi de l'époque, ce n'était pas l'Allemagne mais le pouvoir, le système et l'idéologie qui s'étaient emparés d'elle. Saluons les morts allemands tombés dans ce combat. Leurs fils témoignent comme les nôtres pour que commencent les temps nouveaux.

Les adversaires d'hier se sont réconciliés et bâtissent ensemble l'Europe de la liberté. Qu'ils osent maintenant se dépasser eux-mêmes et que la sagesse des responsables d'Ouest et d'Est fasse que les alliés d'hier sachent à leur tour dominer les contradictions d'une victoire commune dont le monde attendait qu'elle apportât enfin la paix.

Majestés, Monsieur le Président, Monsieur le Premier Ministre, et vous combattants de la Deuxième Guerre mondiale, je veux, en terminant, vous exprimer la gratitude de la France, du fier refus de Londres, capitale du monde libre, en 1940, à la victoire de mai 1945. Vos peuples, vos soldats ont d'un geste fraternel accompagné les nôtres — Forces Françaises Libres, Forces Françaises de l'Intérieur — dans le combat libérateur. Votre présence sur notre sol pour cet anniversaire est ressenti par nous comme un honneur, gage d'attachement au passé, gage de confiance en l'avenir.

« LA PAIX, C'EST AUSSI LE DÉVELOPPEMENT ET LES ÉCHANGES ENTRE LES HOMMES »

(21 juin 1984)

Du 20 au 23 juin 1984, le Chef de l'État effectue pour la première fois depuis 1981 une visite officielle en Union Soviétique. Le 21 juin, au cours d'un dîner officiel au Kremlin, là comme partout, il réaffirme l'indépendance de la France. Le dialogue indispensable pour la recherche de la paix exclut toute concession sur les principes fondamentaux : le droit des peuples à disposer d'eux-mêmes et le respect des libertés individuelles.

Monsieur le Président du Presidium du Soviet Suprême de l'URSS[1],
Monsieur le Président du Conseil des Ministres[2],
Messieurs les Ministres[3],
Mesdames, Messieurs,

Au soir du premier jour de la visite que j'accomplis en Union Soviétique à l'invitation du Presidium du

1. Constantin Tchernienko.
2. Nikolaï Tikhonov.
3. Aux côtés des personnalités soviétiques, assistaient au dîner : MM. Claude Cheysson, ministre des Relations Extérieures ; Charles Fiterman, ministre des Transports ; Mme Edith Cresson, ministre du Commerce extérieur et du Tourisme, et M. Jean Laurain, secrétaire d'État auprès du ministre de la Défense, chargé des Anciens Combattants.

Soviet Suprême, je veux vous dire le grand intérêt que j'éprouve et l'honneur que je ressens à me trouver parmi vous en cette circonstance.

Dans la communauté des nations, la France et l'URSS figurent parmi celles dont les racines sont les plus anciennes, les plus profondes. Elles ont connu, comme le veut toute vie, des heures de gloire, des heures de deuil. Mais qui pourrait leur reprocher d'être fières de leur passé, de leur culture, de leurs apports à la science et à la technique, du rang qu'elles occupent dans le monde ?

M'adressant à vous au nom de la France, j'évoquerai pour commencer l'amitié entre nos deux peuples. Rares ont été les moments au cours des siècles où nous nous sommes affrontés, et lorsque ces affrontements se sont produits, le mouvement naturel de l'Histoire les a aussitôt surmontés, effacés, avant de nous réunir jusques et y compris dans la fraternité d'armes.

Je suis d'une génération qui a vécu, qui a fait la dernière guerre mondiale. Je me souviens de ces moments d'attente et de fièvre où, à partir de juin 41, dans un camp de prisonniers en Allemagne, puis dans la Résistance française, mes camarades et moi suivions sur la carte, avec un espoir passionné, les mouvements de vos armées, sachant que de leur victoire dépendaient notre libération et finalement le sort du monde. Je sais le prix du sang que vous avez payé et les 20 millions de morts qui ont jalonné votre combat pour le salut de la Patrie. Je salue leur mémoire, leur sacrifice, comme celui de nos soldats, sur d'autres fronts mais aussi sur le vôtre, avec notamment ceux de Normandie-Niemen[4], qui n'a pas cessé, ne cesse

4. Le groupe d'aviation « Normandie-Niemen » fut constitué en

pas de dicter nos devoirs, dont le premier est et reste de préserver partout, oui, partout et toujours, la paix. Gardons-en conscience et inspirons-nous de cet exemple.

Survenant à son heure, cette visite me donne l'occasion de vous exprimer personnellement et directement notre façon de voir à ce sujet. Mais, auparavant, et prolongeant par là, Monsieur le Président, les impressions que vous avez pu retirer, il y a deux ans, de votre séjour chez nous, permettez-moi de rappeler ce qu'est la France aujourd'hui, ce qu'elle pense, ce qu'elle espère.

Vieille nation, ai-je dit, la France est un pays moderne. Son niveau de vie compte parmi les plus élevés du monde, sa protection sociale parmi les plus étendues. Elle est le quatrième exportateur mondial. Ses technologies sont souvent au premier plan. Et, malgré ou à cause de la crise économique mondiale, nous avons entrepris un vigoureux effort de rénovation économique, de modernisation industrielle et de formation des hommes. Cet effort est rendu plus efficace, selon nous, par notre appartenance à la Communauté européenne. Nous n'ignorons pas nos manques et nos faiblesses, et les progrès à accomplir. Et, en bien des domaines, nous avons à tirer d'utiles enseignements de l'expérience et des résultats des autres. Mais nous avons la volonté de rester parmi les meilleurs, d'accroître en toutes choses notre capacité.

1942 par les Français à Rayak (URSS). Pendant toute la Seconde Guerre mondiale, il lutta sur le front Est, totalisant deux cent dix victoires. Plusieurs fois cité à l'ordre de l'Armée soviétique, il a reçu en France la Légion d'Honneur, la médaille militaire et la Croix de la Libération.

La France est une démocratie, une démocratie garante des droits de chacun, une démocratie vivante où chacun débat librement de ses choix. Elle croit à ses principes et pense qu'ils constituent la plus forte garantie de la paix, de la justice et de la liberté. Elle tient farouchement à son indépendance. Elle sait que rien n'est possible sans la paix. Membre permanent du Conseil de Sécurité[5], elle est le pays qui entretient des relations diplomatiques avec le plus grand nombre de nations du monde. Elle place le maintien de la paix au premier rang des objectifs de sa politique extérieure.

Je souhaite que vous compreniez que notre politique de défense a également la paix pour finalité. Politique comprise et approuvée par une grande majorité de mes compatriotes. La force nucléaire dont nous disposons a pour unique objet de décourager toute agression. Elle n'est tournée contre personne. Que notre force suffise pour que nul n'envisage de s'en prendre à la France : c'est, je le répète, toute notre ambition. C'est pourquoi nous maintenons en état cette capacité en l'adaptant aux réalités militaires. Et si, avec quinze autres pays, nous appartenons à une alliance défensive dont l'aire géographique est clairement déterminée, l'Alliance Atlantique, nous n'en disposons pas moins, extérieurs que nous sommes au commandement intégré de cette Alliance, de notre autonomie de décision. Seul peut en user le Président de la République Française.

Ce ne sont pas là des mots privés de réalité. Nous savons en toute certitude que notre sort, notre indépendance, notre survie même dépendent de notre

5. De l'Organisation des Nations Unies.

autonomie. Ce sont choses trop graves pour que d'autres en décident à notre place. Cette évidence, qui n'enlève rien à notre loyauté, qui ne retire rien à nos engagements, commande notre attitude chaque fois qu'il est question de notre force nucléaire stratégique.

Autonomes à l'égard de nos alliés, nous entendons l'être à l'égard de quiconque. Ce qui explique pourquoi nous n'avons pas accepté — et nous n'acceptons pas — que les conditions de notre sécurité soient débattues dans le cadre d'une négociation où nous ne sommes pas, entre deux pays étrangers, fussent-ils amis du nôtre. Tel était le cas lors de la discussion de Genève sur les armements à moyenne portée, déployés ou à déployer sur le théâtre européen. On en aurait discuté à Genève hors de notre présence, tandis qu'on n'y discutait pas des armes de même type appartenant aux deux négociateurs. Je n'insisterai pas sur ce paradoxe.

Ce que je déclare ici à Moscou, je l'ai déclaré à Paris et déclaré à Washington. C'est le même langage que j'emploie partout. Autonome, la force nucléaire de dissuasion française ne saurait être décomptée dans un camp, et donc dépendre d'un calcul qui nous contraindrait à soumettre nos choix d'armement à l'accord d'autres puissances, seraient-elles nos plus proches alliées. Je ne soupçonne personne de désirer la guerre. Personne ne la veut. Dans l'Histoire, votre pays n'a jamais observé d'attitude agressive à l'égard du nôtre. Je suis convaincu qu'il n'a pas d'intentions belliqueuses. Mais la France doit se prémunir contre tous les risques objectifs que représente l'accumulation d'armements sur notre continent.

On ne peut faire remonter cette accumulation à la

seule installation des Pershing II et missiles de croisière. Toutes les armes qui sont sur le continent sont concernées par cette réflexion, et en particulier les SS 20 en Europe.

La sécurité de mon pays est le seul point non négociable dès lors qu'une menace existe. Et si cette menace n'est pas, et je le crois, dans l'esprit de ceux qui peuvent en user, il suffira de parler franchement et de s'asseoir autour de tables comme nous l'avons fait aujourd'hui, comme nous le ferons demain, pour que la paix l'emporte sur la crainte de guerre. Dans un esprit de disponibilité, j'ai précisé en septembre 83, devant l'Assemblée générale des Nations Unies, les conditions qui devraient être remplies pour que la France accepte de participer à une éventuelle négociation qui engloberait l'ensemble des forces des pays dotés des armes nucléaires :

— que l'écart entre l'arsenal nucléaire des deux grandes puissances, d'une part, et celui de la France, d'autre part, ait été substantiellement réduit ;

— qu'aucun système nouveau aboutissant à déstabiliser les fondements actuels de la dissuasion, et donc de la paix, n'ait été installé. C'est le sens de la proposition pour la « paix dans l'espace » que la France vient de déposer devant la Commission de Genève pour le Désarmement.

Voilà très brièvement résumée la politique de défense de la France. Nous poursuivrons notre effort, qui n'a d'autre but que de nous protéger, et serons toujours ouverts à toute proposition sérieuse de désarmement. Les domaines ne manquent pas où des progrès sont immédiatement accessibles : premier emploi de la force, armes chimiques, dissémination nucléaire, armement dans l'espace, contrôle, que sais-je ? Je souhaite qu'il vous soit possible d'aller plus loin et d'aborder le problème central du désarmement nucléaire.

Cela n'aboutira que par le principe reconnu, respecté, contrôlé, de l'équilibre des forces dans le monde et en Europe. La négociation, à notre sens, doit embrasser les problèmes de l'armement dans leurs dimensions stratégique, intermédiaire, tactique. Il appartient à chacun des négociateurs, le jour où cela sera rendu possible, sans condition préalable, mais à la condition que chacun veuille bien faire un pas en avant, d'apporter sa contribution.

Je ne me substituerai ni à l'un ni à l'autre pour déterminer les conditions nécessaires à la réussite de l'accord et il vous appartient d'en décider. Nous resterons toujours disponibles pour contribuer à l'apaisement.

La paix, c'est aussi le développement et les échanges entre les hommes. Cette notion est au cœur même de mon pays qui ne serait pas ce qu'il est si sa langue, sa réflexion, sa culture n'avaient été enrichies par des apports venus d'ailleurs.

Vous avez parlé, Monsieur le Président, d'Helsinki et de la Conférence de Stockholm[6]. Il est bon, en effet, que nos peuples aient conscience de la permanence des conclusions d'Helsinki qui ont toujours

6. Ouverte en juillet 1973, la Conférence d'Helsinki s'achève le 1er août 1975. Les 35 pays participants en signent l'Acte final qui prévoit la libre circulation des hommes, la réunion des familles séparées, des contacts entre organisations et institutions des différents pays, et le libre accès à l'information. En janvier 1984 s'ouvre sur ce problème une conférence à Stockholm.

valeur contractuelle entre nos peuples. Vous savez qu'il y est traité aussi de libertés, notamment de la liberté de circulation des personnes, et il est vrai qu'il existe des interprétations divergentes. Il ne faut pas que nos peuples soient déçus. Toute entrave à la liberté pourrait remettre en cause les principes acceptés. C'est pourquoi nous vous parlons parfois des cas de personnes dont certaines atteignent une dimension symbolique. C'est comme cela qu'il faut comprendre l'émotion qui existe en Europe et dans beaucoup d'autres endroits pour ce qui touche à des citoyens de votre pays, comme il peut en exister ailleurs et comme il en existe. C'est le cas du Professeur Sakharov[7] et de bien des inconnus qui, dans tous les pays du monde, peuvent se réclamer des accords d'Helsinki.

Nous respectons votre souveraineté, nous ne voulons pas nous ingérer dans vos affaires intérieures et je dis tout cela parce que nous vous respectons. Ce qui importe, c'est que nous puissions, comme nous le faisons, parler directement et utilement.

Notre préoccupation, c'est aussi le droit des peuples à disposer d'eux-mêmes, à demeurer indépendants. Telle est la leçon de nos révolutions, et nous n'en manquons pas : la Révolution de 1789, la Commune de Paris chez nous, la Révolution de 1917 chez vous.

7. Andréi Sakharov, physicien soviétique, membre de l'Académie des Sciences et titulaire des plus hautes distinctions de l'URSS, est devenu à la fin des années soixante la cible des autorités soviétiques pour ses prises de position en faveur des droits de l'homme. Prix Nobel de la Paix en 1975, symbole de la « dissidence » en URSS, il est assigné à résidence en janvier 1980 à Gorki, ville interdite aux étrangers, où il entreprend en 1981 puis en 1984 une grève de la faim, afin d'obtenir des visas pour sa belle-fille et sa femme qui désirent se rendre à l'étranger.

Nous nous en sommes entretenus aujourd'hui, qu'il s'agisse de l'Amérique centrale, de l'Afrique australe, du Golfe persique, du Proche-Orient, de la guerre entre l'Iran et l'Irak. Vous connaissez notre désaccord sur l'Afghanistan, ainsi que les questions que nous posons sur le Cambodge. Nous souhaitons avec vous trouver les solutions qui permettront, dans la neutralité de ces pays, s'ils la désirent, de parvenir à une paix désirable dans le respect mutuel.

Je souhaite aussi que tous les peuples d'Europe puissent se retrouver en multipliant leurs échanges, qu'ils soient plus riches économiquement, culturellement, humainement, que les libertés grandissent, et non qu'elles soient soudain révoquées comme cela s'est produit en décembre 1981[8]. Nous devons pouvoir nous retrouver pour en débattre et marcher dans la même direction.

Aux libertés individuelles, au droit des peuples à disposer d'eux-mêmes, j'ajouterai pour terminer l'accès au développement des peuples qui souffrent de la misère, de la famine, qui sont exploités et que la crise des pays les plus riches écrase davantage. Nous approuvons à cet égard le choix librement fait du non-alignement par de très nombreux pays sur la surface de la planète.

Paix, liberté, croissance : tels sont les objectifs qui doivent être communs à l'ensemble des pays désireux de promouvoir le progrès entre les hommes. A cet égard, Monsieur le Président, vous pouvez compter sur la bonne volonté de la France. J'ai dit pour commencer que nous n'oublions pas l'Histoire et vous

8. L'allusion vise la situation polonaise, avec la proclamation de l'état de guerre en décembre 1981.

avez vous-même observé au cours de votre allocution que vous souhaitiez une France fidèle aux attachements qui ont été les siens il y a soixante ans, mais aussi il y a quarante ans, à la fin de la guerre mondiale. Je puis vous assurer que la France, de ce point de vue, qui est l'un des plus importants, n'a pas changé.

Mes compagnons de voyage et moi-même sommes très sensibles à la qualité de votre accueil, hier soir et au cours de cette journée, dans cette belle ville, et ce soir dans cette salle magnifique.

Je vous ai dit, Monsieur le Président, que je souhaitais que le plus grand nombre de personnalités responsables dans tous les domaines de votre pays viennent nous visiter. J'ai rappelé que nous serions, de notre côté, disposés à multiplier les voyages de travail et, le cas échéant, d'agrément en Union Soviétique. Il n'y a pas, pour nous réunir, que des conversations politiques et les palais officiels ! Il y a vos musées, vos richesses artistiques, vos villes et vos campagnes, il y a tout ce qui fait la grandeur de votre pays.

Grandeur et beauté, la France elle aussi en a sa large part, Monsieur le Président. J'ai pris l'initiative de vous demander de bien vouloir, quand cela vous sera possible, venir chez nous nous rendre cette visite d'aujourd'hui.

A mon tour, je porte un toast à votre santé, selon la tradition, Monsieur le Président, Mesdames, Messieurs, à la santé de vos familles, des êtres qui vous sont chers, et plus encore à la santé de votre peuple dont nous savons la qualité. Je lève mon verre, enfin, au développement confiant de nos relations dans la clarté de nos débats et dans l'espoir d'une amitié toujours raffermie.

« LA PAIX AUSSI DEMANDE DU COURAGE »
(23 juin 1984)

Poursuivant son voyage en Union Soviétique, le Président de la République parle devant la tombe des défenseurs de Stalingrad, à Volgograd.

Monsieur le Maire,

La bataille qui s'est livrée ici il y a plus de 40 ans a décidé du sort du monde.

Elle a duré cinq mois, cinq mois durant lesquels les forces soviétiques, privées de ravitaillement, torturées par le froid, inférieures en nombre aux armées ennemies, résisteront rue par rue, maison par maison, étage par étage, adossées à la Volga sur peu de kilomètres, toutes communications coupées avec l'extérieur, sauf par le fleuve qui charriait des glaçons et sur lequel les défenseurs, la nuit, et sous le feu direct de l'ennemi, lançaient des embarcations condamnées, une sur deux, deux sur trois, à couler.

L'ordre donné par le commandement soviétique était de « conserver Stalingrad ou mourir ». Stalingrad sera sauvée, mais 47 000 soldats soviétiques sur la colline Mamaev, des centaines de mille dans la ville, y mourront. Les troupes allemandes, de leur côté, perdront 150 000 combattants. Le mythe de l'invincibilité de l'Allemagne sur le front européen sera définitivement détruit.

Écoutez un témoin de ces événements : « Stalingrad n'est plus une ville. De jour, c'est un énorme nuage de fumées brûlantes et aveuglantes ; de nuit, c'est un vaste incendie dominé par le reflet des flammes. Et quand le soir arrive, un de ces soirs hurlants, sanglants, les chiens se précipitent dans la Volga, nagent désespérément pour atteindre l'autre rive. Les nuits de Stalingrad sont leur terreur. Les animaux fuient cet enfer, les pierres les plus dures ne résistent pas longtemps, seuls les hommes tiennent. »

Après les premières défaites des armées nazies en Afrique du Nord, tout dépendait de Stalingrad. Cet objectif était l'essentiel pour l'agresseur. En arrêtant leur plan dès septembre 42, les autorités soviétiques, qui, sous la violence du choc, avaient dû d'abord resserrer leur dispositif, avaient justement pressenti que là s'engagerait le combat sans retour. Vue stratégique audacieuse que les faits devaient vérifier. A l'objectif de la Wehrmacht — percer au sud les lignes adverses dans la double direction de la Volga à Stalingrad et du Caucase pour ses champs pétrolifères et ses communications avec la Caspienne et le Golfe Persique —, les armées soviétiques répondirent par le refus de reculer d'un pouce au-delà de la rive droite du fleuve.

On sait de quelle façon, à partir de Stalingrad, s'organisera le puissant mouvement offensif de juin 44 qui, à quelques jours du débarquement que les Alliés de l'Ouest exécuteront de leur côté en Normandie, fixera à l'Est, de Léningrad à la Mer Noire, près de 4 millions de soldats allemands, dont la bravoure et la valeur militaire reconnue devront pourtant céder devant la détermination et l'abnégation des peuples soviétiques. Ce serait une querelle vaine que de vouloir trancher qui, des Alliés de l'Ouest ou des Alliés de l'Est, a déterminé la victoire finale. Le simple récit que je viens d'en faire montre que seule la communauté de destin et la volonté partagée de vaincre permirent d'en finir avec la formidable machine de guerre mise au service de l'idéologie et du pouvoir hitlériens.

Mais ce morceau de votre terre, défendu farouchement pied à pied, est devenu un symbole, et parmi les plus forts, comme naguère Verdun. Je m'incline devant la mémoire de ceux qui ont péri en ce lieu pour défendre leur sol et leur indépendance, la leur, la nôtre. Je leur dis que pour avoir, comme tant d'autres en Europe, en Afrique, en Asie, sur les mers, dans les airs, lutté pour leur patrie et leur honneur, ils ont mérité notre reconnaissance. Il n'en est pas de plus profonde.

Mais je n'oublierai pas les soldats qui se trouvaient en face à l'époque, allemands, roumains, italiens, hongrois, qui ont souffert et sont tombés sur cette terre loin de leur foyer, de leur patrie, victimes absurdes d'un système et d'une folie suicidaires. Fils de nobles peuples, ils ont toute leur place ou doivent l'avoir dans la construction du monde où nous sommes nous-mêmes engagés. Les réconciliations d'aujourd'hui domineront les vieilles ruptures. C'est à cela que s'applique mon pays au-dedans et au-dehors de la communauté à laquelle l'attachent des liens heureusement choisis mais qui n'excluent aucune amitié. Et surtout pas celle que les siècles ont forgée entre vous et nous, entre les peuples soviétiques et le peuple français.

L'évocation de ces souvenirs a pour moi, comme pour tous mes compatriotes, des résonances poignantes. Français libres, Résistants, FFI ou FTP, toutes opinions rassemblées sous l'autorité du Général de Gaulle, nous avons appris sur ces champs de bataille le prix de la paix et de la liberté, et qu'elles doivent être sans cesse défendues, rétablies, préservées. Mais se prononcer pour elles ne suffit pas. Si l'on veut que les mots aient raison des armes, il faut assurer partout la sécurité de chacun. Cela, vous le savez, est la politique de la France.

La paix aussi demande du courage. Nos peuples ont prouvé qu'ils n'en manquaient pas. C'est ce courage qui nous a liés dans la fraternité d'armes. Sa grandeur fut le refus de se soumettre. Elle reste de travailler à la concorde entre les peuples par-dessus les intérêts et les accidents de l'Histoire.

Nous lie en même temps que la mémoire que nous conservons des actes héroïques, la gratitude que nous devons aux morts.

Voilà pourquoi, dans quelques instants, je conférerai au nom de la France, à la ville de Volgograd, en la personne de son Maire, la Légion d'Honneur que nous conférons aux anciens combattants de Stalingrad. Qu'il soit ainsi rendu aux sacrifices du peuple russe l'hommage que notre cœur comme notre raison leur doivent.

« AFIN QUE L'ESPRIT D'OUVERTURE L'EMPORTE SUR L'INCOMPRÉHENSION... »
(2 octobre 1985)

Lors du dîner offert en l'honneur de M. Gorbatchev, en visite officielle en France, le Président de la République rappelle les grands principes de la politique française.

Monsieur le Secrétaire Général,

Vous avez choisi la France pour votre premier voyage en Occident après votre prise de fonctions. Soyez assuré que nous y sommes sensibles et que nous vous accueillons avec le sentiment qu'il s'agit d'un événement d'importance pour nos relations bilatérales et pour la recherche des équilibres nécessaires en Europe et dans le monde.

Vous êtes, Monsieur le Secrétaire Général, et vous Madame, les bienvenus dans notre pays, non seulement pour la qualité de vos personnes mais aussi parce que cette rencontre s'inscrit dans une ligne historique plusieurs fois séculaire à laquelle nous sommes, à laquelle je suis personnellement attaché. Reprenant à mon compte les propos que l'un de mes prédécesseurs tenait à l'un des vôtres, ici même à Paris, dans une même circonstance, je dirai que « la coopération franco-soviétique constitue un élément fondamental de notre politique étrangère ».

La constance de cette coopération s'est affirmée depuis la dernière guerre mondiale, et plus précisément depuis le voyage du Général de Gaulle à Moscou, où, le 10 décembre 1944, il signa avec Joseph Staline un « pacte d'alliance franco-soviétique ».

Bien des Parisiens se souviennent de la visite de M. Khrouchtchev dans notre capitale en mars 1960. Vous n'avez pas oublié celle que vous fit de nouveau le Général de Gaulle en 1966. C'est à partir de là qu'il fut décidé de donner à ces rendez-vous un tour périodique. Ainsi MM. Pompidou et Giscard d'Estaing allèrent-ils chacun, à trois reprises, au devant de M. Brejnev, tandis que ce dernier fut quatre fois notre hôte. Vous voyez qu'en dépit des difficultés et des vicissitudes d'une période incommode à vivre pour le monde entier, le dialogue s'est poursuivi, enrichi à travers le temps.

Certes, le rythme s'est ralenti après 1981. Je retiendrai pour explication première l'accroissement des tensions en Europe autour de l'installation des forces nucléaires intermédiaires, reflet de la détérioration du climat entre les deux plus grandes puissances, dont vous êtes.

Mais notre commune volonté d'instaurer entre nous, en dehors de toute distinction idéologique, un dialogue ouvert et constructif, a prévalu sur des circonstances que j'espère transitoires. C'est ce que j'ai pu exposer à M. Tchernienko lorsqu'à mon tour, l'an dernier, je me suis rendu à Moscou. Puis à vous-même, Monsieur le Secrétaire Général, aussi bien le 13 mars de cette année, jour de deuil pour votre pays[1], que cet après-midi où nous avons commencé d'examiner, pour contribuer à les résoudre, les graves problèmes en suspens dont dépendent la paix ou la guerre, le développement ou la pauvreté, une société de droit ou le règne de la force. La position de la France en ces domaines vous est connue. Permettez-moi d'en retracer ici l'essentiel.

Je ne vous étonnerai pas si j'exprime d'abord mes réserves sur la politique des blocs, désormais élargie à l'échelle planétaire, et notre vœu d'en voir la fin. Vous savez que nous considérons comme la base du droit des nations la non-ingérence dans les affaires d'autrui. Nous sommes fidèles à notre, à nos alliances — que nous voulons fermement défensives et dans le champ d'action qui leur est dévolu. Nous privilégions les liens qui nous unissent à d'autres pays d'Europe, au sein de la Communauté des Dix, bientôt des Douze, et nous souhaitons les renforcer. Par dessus tout, nous veillons au respect de notre indépendance nationale et nous nous en donnons les moyens culturels, politiques, économiques et militaires.

Affirmer pour soi ces principes revient, assurément, à les accepter pour les autres. Nous connaissons, Monsieur le Secrétaire Général, le patriotisme profond des peuples de l'Union Soviétique, nous admirons la détermination, le courage qu'ils montrent chaque fois qu'ils ont à défendre leur terre. Nous respectons vos alliances et vos choix. Nous ne nous mêlons pas des affaires qui relèvent de votre souveraineté. Et il ne s'agit pas là, pour moi, de simples clauses de style ou de langage diplomatique.

Notre appartenance à des alliances militaires et à

1. Constantin Tchernienko est mort le 10 mars 1985.

des systèmes économiques et politiques différents commande de part et d'autre une considération mutuelle, un parler net, une volonté de dialogue, afin que l'esprit d'ouverture l'emporte sur l'incompréhension. Nous vous remercions à cet égard, Monsieur le Secrétaire Général, d'avoir montré l'exemple en traitant, comme vous l'avez fait au cours de notre premier entretien de cet après-midi, les questions majeures du temps présent.

Nous avons parlé, on s'en doute, du désarmement. Je résumerai ici en peu de mots l'objectif de la France : que l'équilibre des forces, nucléaires et conventionnelles, équilibre indispensable au maintien de la paix, se situe au plus bas niveau possible ; et que les mesures prises à cet effet soient soumises à un contrôle sérieux. C'est autour de ces thèmes que s'organisera ou non la détente que j'appelle de mes vœux.

C'est dire l'intérêt que nous portons à l'actuelle conférence de Stockholm dont j'attends, malgré ses lenteurs, qu'elle restaure peu à peu la confiance et qu'elle prépare pour l'an prochain l'accord des 35 pays participants.

C'est dire l'actualité que gardent à nos yeux les dispositions d'Helsinki sur les questions relatives à la sécurité en Europe et en Méditerranée, comme sur « le respect des Droits de l'Homme et des libertés fondamentales, y compris la liberté de pensée, de conscience, de religion ou de conviction ».

C'est dire l'importance que revêt la négociation de Genève, dont l'objet, selon le communiqué soviéto-américain de janvier dernier, est de mettre un terme à la course aux armements sur terre et de la prévenir dans l'espace.

C'est dire avec quelle attention nous observons ce qui se passe dans l'espace. Il est normal que l'homme moderne veuille s'en assurer la maîtrise. Et qu'il cherche à connaître les secrets de la nature qui lui échappent encore. Je n'ignore pas non plus qu'existe déjà une certaine « militarisation de l'espace ». Mais la sagesse est que les traités sur les missiles antibalistiques, ou A.B.M., soient respectés et qu'à Genève les deux principales puissances trouvent les voies d'un compromis raisonnable pour tous. Quoi qu'il en soit, si la France peut, dans telle ou telle enceinte ou dans le dialogue qu'elle poursuit avec vous et les États-Unis, apporter sa contribution, ce sera dans l'esprit qui a toujours été le sien, qui est de développer les résultats de la science sur un plan pacifique, conforme aux espoirs qu'avaient fait naître le vol de Gagarine en 1961 et l'arrivée sur la Lune, en juillet 1969, des astronautes américains.

La France, qui se réjouit de concourir avec dix-sept autres pays européens à un grand programme de recherche dans les technologies de pointe — le projet Eureka — et qui, avec certains d'entre eux, se place au premier rang de l'industrie spatiale — Ariane, notamment — n'entend pas disperser ses efforts au-delà.

Monsieur le Secrétaire Général, la préservation de la paix et de la stabilité dans le monde ne se limite pas au seul désarmement, bien que l'on puisse — ou plutôt que l'on doive — en parler encore en liant les deux notions désarmement-développement. Prenons garde aux menaces potentielles que recèle l'aggravation des disparités entre le Nord et le Sud. Les pays industrialisés n'ont pas assez réalisé que la lutte contre la faim et le sous-développement était pour eux une tâche prioritaire. Puissent nos entretiens, qui ne font que commencer, nous permettre également de réfléchir aux moyens d'alléger la souffrance et d'atténuer les crises que connaît le monde actuel au Proche-Orient, en Asie, en Amérique latine, en Afrique. Tout peuple est en droit de disposer de lui-même.

Monsieur le Secrétaire Général, j'ai été frappé par le message que le Presidium du Soviet Suprême m'a adressé à l'occasion de notre fête nationale du 14 juillet, et qui se terminait par la constatation que, depuis 40 ans, l'Europe était en paix. Cette formule, dans laquelle nous nous reconnaissons, correspond à un sentiment profond chez les Européens membres de la Communauté. Car un problème n'existe plus entre eux : celui de la menace militaire. C'est grâce à leur réconciliation que la France et l'Allemagne, qui par trois fois en un siècle se sont si violemment déchirées, ont su qu'un conflit qui les opposerait était inconcevable. Vous êtes le premier dirigeant de l'Union soviétique a avoir reconnu, en cette Europe de la Communauté, une entité politique. Pourquoi ne pas imaginer que nous pourrons progressivement, par des voies qu'il est trop tôt pour décrire, aller vers une pratique européenne plus large ? Vous connaissez l'attachement que la France éprouve non seulement pour ses relations avec l'URSS, mais aussi pour cette Europe centrale dont tant de liens historiques et culturels la rapprochent. L'histoire et la géographie se conjuguent pour nous y inviter.

Mais revenons, si vous le voulez bien, à nos rapports bilatéraux. A l'exception de la période troublée des débuts de la Révolution russe, voici près d'un siècle et demi que nos deux pays n'ont été en guerre l'un contre l'autre. Ils ont été alliés. Si l'Union soviétique garde en mémoire, comme un symbole, l'escadrille Normandie-Niemen parmi tant d'autres actions accomplies par la Résistance française, les Français, eux, n'oublient pas que le peuple russe a sacrifié, au cours de la Seconde Guerre mondiale, vingt millions des siens, et qu'ils lui doivent, pour une part héroïque, leur liberté. Il n'est pas d'autres peuples dans le monde qui aient exercé sur l'histoire contemporaine une influence comparable à celle que le peuple français et le peuple russe doivent à leurs Révolutions.

Paradoxalement peut-être, dans cette Europe si riche en civilisations, il existe comme une affinité particulière entre la culture française et la culture russe. L'influence de la langue et de la littérature françaises se lit chez vos grands écrivains classiques. Mais sans Pouchkine et Lermontov, sans Gogol, Dostoïevski, Tolstoï, l'intelligentsia française de la fin du XIXe siècle et du début du XXe n'aurait pas été ce qu'elle fut. Qui dira le pouvoir des idées et du génie lorsqu'il s'agit de transcender les idéologies ?

Si nous regardons dans l'immédiat devant nous, nos échanges artistiques s'annoncent brillants. A la fin de l'année 1985, la Comédie française sera à Léningrad et à Moscou ; au début de 1986, l'Orchestre de Paris fera le même chemin. Le Bolchoï viendra à Paris. Une grande exposition sur le Siècle des Lumières, en France et en Russie, pourra être admirée tour à tour par les Parisiens et les habitants de Léningrad. N'est-ce pas un heureux présage que de mettre ainsi nos rencontres sous le signe des Lumières ?

Nous avons d'autres ambitions encore. Les six premiers mois de l'année 1985 ont fait apparaître entre nous un rééquilibrage de la balance commerciale, des contrats pour de grands projets ont été conclus, d'autres devraient l'être prochainement. Je suis persuadé, Monsieur le Secrétaire Général, que ce que vous verrez de la France consolidera dans votre esprit nos liens économiques et scientifiques.

Arrivé à ce point de mon propos, et sensible encore aux symboles, rappellerai-je que l'astronaute français Jean-Loup Chrétien a participé en 1982 à un vol habité soviétique et que les sondes soviétiques vers la comète de Halley comportaient pour l'exploration de Vénus des équipements français qui ont parfaitement rempli leur rôle ? Eh bien, la France aussi ouvrira ses techniques à qui lui fera confiance pour la seule conquête qu'elle recherche : celle du savoir humain.

Monsieur le Secrétaire Général, au moment de lever mon verre en votre honneur, et en l'honneur de Madame Gorbatchev qui nous fait le grand plaisir d'être à vos côtés et que je salue au nom de mon pays en formant pour elle, pour vous, pour votre famille et ceux qui vous sont chers, mes vœux de réussite et de santé, mes vœux aussi de bon séjour, je tiens à célébrer les vertus d'un grand peuple, le vôtre, et à lui souhaiter paix et bonheur.

II

De l'équilibre des forces

« IL FAUT QUE LA GUERRE DEMEURE IMPOSSIBLE »
(20 janvier 1983)

A l'occasion du 20e anniversaire du traité de coopération franco-allemand à Bonn, le Président de la République s'adresse au Bundestag. Une fois encore, il insiste sur la nécessité de l'Alliance franco-allemande pour défendre la paix.

Depuis son discours prononcé devant la Chambre de commerce de Hambourg, la tension internationale n'a pas cessé de s'aggraver. L'échéance de l'implantation par les États-Unis de fusées Pershing en Europe, en réponse à l'installation déjà faite par l'U.R.S.S. de fusées SS 20, est en principe fixée au second semestre 1983.

Tout en souhaitant que les négociations de Genève entre l'Union Soviétique et les États-Unis aboutissent à un accord valable, le Président de la République insiste à nouveau sur la fermeté de la position française. Contrairement aux exigences soviétiques, il n'admettrait pas que les forces françaises soient prises en compte dans les négociations de Genève par les deux super-puissances. Pour lui, l'essentiel demeure le rétablissement de l'équilibre des forces en Europe.

Monsieur le Président du Parlement[1],
Monsieur le Président de la République Fédérale d'Allemagne[2],
Monsieur le Chancelier[3],
Mesdames et Messieurs les Parlementaires,

J'exprimerai d'abord l'honneur que je ressens d'être reçu dans cette enceinte, devant les représentants de ce peuple et à l'occasion d'un tel événement. J'en éprouve de la fierté, mais aussi de la gratitude devant l'Histoire et devant vous.

D'autres ont accompli l'événement que nous célébrons. Il nous reste à continuer, et continuer veut dire : il nous reste à créer les pratiques qui découlent naturellement de la suite des temps.

Qui aurait pu imaginer, après tant de combats, oui, qui aurait pu imaginer qu'un jour, dans ce dernier quart du XXe siècle, l'Allemagne et la France se retrouveraient non pas pour célébrer l'anniversaire d'une bataille, d'une trêve ou d'un traité de paix, mais celui de la réconciliation ?

Combien de temps, d'efforts, d'hommes ont été perdus dans ces affrontements, gagnés tantôt par l'un, tantôt par l'autre, victoires toujours éphémères et qui condamnaient le vainqueur à construire sur le sang, le vaincu à rêver du temps de la revanche, guerres de peuples en mouvement ou en quête de leur pré carré, guerres de religions, guerres de seigneurs, guerres fratricides, guerres de masses, guerres civiles...

1. M. Stucklen, Président du Bundestag.
2. M. Karl Karstens, Président de la R.F.A. depuis mai 1979.
3. M. Helmut Kohl, Chancelier de la R.F.A. depuis le 1er octobre 1982.

Il a fallu les malheurs les plus cruels, de barbares dictatures, une France occupée, une Allemagne écartelée, une Europe divisée, dévastée, épuisée, pour que le refus de tels déchirements devînt la volonté commune des Européens, oui, mais d'abord celle des Allemands et des Français.

Alors on s'interroge. Pourquoi cette sorte de régularité du malheur, qui avait fini par faire de nos deux peuples, vous l'avez dit, M. le Président[4], comme des ennemis héréditaires, séparés par une haine inscrite dans la conscience populaire profonde ?

Et pourtant, même aux pires moments, il y eut à ces longs désastres un admirable contrepoint : les meilleurs de nos créateurs et de nos artistes ne cessèrent jamais de réagir les uns aux autres, de composer les chapitres d'un dialogue presque unique, tour à tour déchirant, apaisant, toujours déterminant.

Faudrait-il écrire ici le dialogue des ombres ? Le dialogue des morts célèbres qui marquèrent votre histoire et qui marquèrent la nôtre ? Je ne citerai ici que Victor Hugo parlant en 1842 de l'Allemagne et de la France et qui employait l'expression, je cite, de « connexions intimes », même de « consanguinité ». Il ajoutait : « l'union de la France et de l'Allemagne et ce serait la paix du monde. »

L'évocation serait inépuisable, fleuve aux eaux mêlées, certes, et qui emportera aux pires moments bien des esprits féconds.

Mais il n'est pas de discipline, il n'est pas de domaine où la création française eût été aussi grande s'il n'y avait eu l'Allemagne, où la création allemande eût été aussi forte s'il n'y avait eu la France.

4. Il s'agit de M. Stucklen, Président du Bundestag.

C'est toute une histoire, celle de l'Europe, qui accompagne les tourments des relations franco-allemandes avec son prodigieux cortège d'inventions et de recherches culturelles, littéraires, spirituelles, artistiques, philosophiques, économiques, technologiques. Les siècles ont vu naître et rayonner à partir de l'Europe une immense civilisation, la nôtre, avec son propre génie.

Mesdames et Messieurs les parlementaires, il n'y a pas de fatalité. Et nos peuples le savent bien, eux qui, aujourd'hui, considèrent que la paix est le bien le plus précieux, après que leurs parents, leurs grands-parents eurent si souvent, sur le front, au fond des tranchées, dans la résistance, dans les camps, dans les armées de libération, rêvé du moment où la France et l'Allemagne, dans le respect mutuel, vivraient enfin en bonne entente. De ce rêve est issue la Société des Nations, puis l'Organisation des Nations Unies, et la postérité retiendra que nos conflits ont engendré des institutions, des mécanismes de défense et de protection de la paix, et que s'il reste beaucoup à faire, au moins nos antagonismes auront fait avancer l'idée d'un monde organisé.

Évoquons un instant la mémoire des disparus, saluons l'œuvre des présents, des vivants, tous ceux à qui nous devons l'Europe et la réconciliation de la France et de l'Allemagne. Ceux qui ont préparé ce traité, dès la fin de la guerre. Ceux qui l'ont signé. Ceux qui l'ont fait vivre par la suite : Présidents, Premiers ministres, Chanceliers, tous les Chanceliers d'Allemagne, grands parlementaires, militaires, hauts fonctionnaires, et, autour de tout cela, de puissantes volontés populaires.

Quand ce fut l'heure, Konrad Adenauer, Jean Monnet, Robert Schuman, ces hommes qui surgirent au moment où le destin hésite, peut devenir ou néfaste ou propice, quand ce fut l'heure de décider, ces hommes exceptionnels ont su agir. Saluons leur imagination, leur résolution tranquille, l'œuvre qu'ils nous ont léguée.

Et voici qu'après avoir donné le triste exemple de nations voisines qui s'entredéchiraient, nous pouvons, en cette matinée, célébrer une harmonie qui dure maintenant depuis plus de trente ans, un traité qui a vingt ans, qui peut servir d'exemple partout dans le monde troublé et menacé qui est le nôtre.

J'ai rendu hommage aux morts et aux vivants, à ces vivants que je salue, car il est de ces grands artisans qui sont dans cette salle. Il y a ceux qui n'ont pu venir jusqu'à nous, mais qui sont en cet instant sensibles au symbole et aux réalités que représente la réunion du Parlement allemand.

Oui, rendons hommage à ceux qui ont voulu, à ceux qui ont agi, et puisqu'il s'agit du traité de 1963, chez vous, saluons la mémoire du Chancelier Adenauer, chez nous celle du Général de Gaulle. Ils appartenaient aux générations qui s'étaient affrontées dès 1914 et qui avaient, aux noires années 1939-1945, défendu une certaine idée de la liberté des nations, de la démocratie, de l'indépendance nationale.

Ils ont su donner une forme à la fois solennelle et pratique à la réconciliation que je célèbre ici, commencée dès 1947, au Congrès Européen de La Haye, et qui avait pour objet, je cite le traité lui-même, de « mettre fin à une rivalité séculaire ». Cela constituait un événement historique, je cite toujours : « Il transforme profondément les relations entre les deux pays ». Les dispositions du traité du 22 janvier 1963 sur l'organisation et les principes de la coopération ont été conçues entre nos deux pays comme une étape indispensable sur la voie de l'Europe unie, appuyée sur la conscience de la jeunesse comme sur — je cite encore — « la solidarité qui unit les deux peuples tant du point de vue de la sécurité que du point de vue de leur développement économique et culturel. »

J'évoquerai ces deux points dans un instant, mais comment dresser un bilan alors que tant a été fait depuis lors et que nos économies, nos sociétés sont devenues si utilement imbriquées ? Les échanges commerciaux entre nous le montrent, qui sont, en valeur, les plus importants échanges bilatéraux en Europe, et les troisièmes dans le monde. Nous sommes l'un pour l'autre le premier partenaire commercial.

En matière industrielle, nous avons participé à la réalisation — ou réalisé nous-mêmes — d'Ariane, de l'Airbus, des satellites « Symphonie » de télévision directe, nous avons coopéré dans le nucléaire civil et dans le domaine de l'armement. Coopération économique, mais aussi coopération des élus et coopération culturelle. Plus de 1 300 jumelages ont été établis entre nos villes et nos communes. Plus de cinq millions de jeunes ont participé à des échanges sous l'égide de l'Office franco-allemand pour la Jeunesse. 24 % des élèves allemands étudient le français. 2 400 étudiants français sont inscrits dans les universités de votre pays et 2 900 étudiants allemands dans les nôtres. Un Centre d'information et de recherche sur l'Allemagne contemporaine vient d'être créé à Paris.

Ce ne sont là que quelques exemples. Nos hauts fonctionnaires, nos hommes d'affaires, nos industriels, nos chercheurs, nos enseignants, nos journalistes, se rencontrent souvent. La comparaison, la concertation sont devenues pour nous une seconde nature, un élément fondamental de la marche de nos sociétés.

Pourtant, beaucoup reste à faire. En matière culturelle d'abord, où nous pourrions redevenir beaucoup plus ambitieux, et en matière, surtout, de coopération scientifique, technologique, industrielle. Tels sont les objectifs assignés pour les années à venir à notre coopération.

Forts de l'œuvre accomplie et de notre volonté de la poursuivre, nous devons envisager ensemble :

— comment se pose aujourd'hui le problème de notre sécurité et comment peut s'exprimer notre solidarité ?

— comment, enfin, tracer à la Communauté des perspectives d'avenir ?

Mesdames et Messieurs les parlementaires, l'état du monde place au premier plan, pour tout responsable, la question de la sécurité et donc celle de la défense. Notre appartenance à une même alliance — je le répète : à une même alliance —, notre proximité géographique, les obligations que nous avons contractées notamment par le traité de 1963, me conduisent à examiner devant vous les formes que peut prendre notre solidarité dans les conditions présentes des rapports de forces mondiaux. Bien entendu, je m'exprime au nom de la France. Je vous dis, je suis venu vous dire ce que je veux, ce que pense la France, et je n'entends pas me substituer à vous. Encore faut-il que vous sachiez ce que nous sommes, lorsque vous souhaitez vous-mêmes définir ce que vous entendez être.

Après les controverses passionnées de l'après-guerre sur l'organisation de la sécurité et de la défense en Europe, le traité de l'Élysée a défini des dispositions très précises dont je rappelle les principales :

— rapprochement des doctrines militaires en vue d'aboutir à des conceptions communes. C'est dans le texte, ce n'est pas d'aujourd'hui ;

— réunions régulières des Ministres de la Défense tous les trois mois, des Chefs d'État-major tous les deux mois ;

— échanges de personnels entre les armées des deux pays ;

— coopération en matière d'armement dès le stade d'élaboration des projets ;

— coopération dans le domaine de la défense civile.

La simple énumération de ces engagements, comparée à la réalité de ce qui a été mis en œuvre, montre qu'il reste encore du chemin pour les honorer pleinement.

De fait, après la signature du traité s'est ouverte une période dans les relations internationales, et notamment dans les relations Est-Ouest, qui a conduit nos deux pays à décider des choix nouveaux : l'indépendance stratégique pour la France, les traités avec les pays de l'Est pour la République Fédérale d'Allemagne. Ces choix n'étaient pas antinomiques, loin de là. Mais ils auraient pu comporter, si les responsables de l'époque n'y avaient veillé intelligemment, heureusement, ils auraient pu comporter des risques pour la coopération franco-allemande. Ils ont au contraire suscité des consultations intensives. Et, dans le respect de chacun, la concertation diplomatique comme la coopération en matière d'armement ont atteint entre nos deux pays une ampleur sans précédent. Vingt années durant, nous avons appris à travailler ensemble en vue d'une commune sécurité.

Pendant ce temps, en dépit de tensions multiples, la paix a régné entre les deux plus grandes puissances et leur dialogue a été presque constant, mais l'équilibre entre elles ne s'est jamais vraiment fixé, chacune dépassant l'autre à son tour, et, ces derniers temps, cette situation s'est dégradée. Deux affaires suffisent à le rappeler : l'occupation de l'Afghanistan[5], les événements de Pologne[6].

5. Le 27 décembre 1979, les chars soviétiques sont entrés dans Kaboul, capitale de l'Afghanistan, ce qui permit à Babrak Karmal, dirigeant de l'une des branches du Parti Populaire Démocratique, communiste, de s'emparer du pouvoir détenu par Hafizullah Amin, chef d'une faction rivale. Depuis cette date, l'occupation soviétique n'a pas cessé, en dépit des protestations occidentales (abstention des États-Unis lors des Jeux Olympiques de Moscou, mesures de rétorsion économiques), du malaise persistant au sein du « Mouvement des non-alignés », et, surtout, de la guerre imposée par les organisations de résistance afghanes.

6. En juillet et août 1980, après une hausse des prix sans préavis, des grèves se déclenchèrent dans la plupart des grands centres industriels de Pologne. A Gdansk, les 17 000 ouvriers regroupés dans le M.K.S. (Comité de grève inter-entreprises) donnent très vite à leur mouvement une dimension nouvelle en présentant 21 revendications, au premier rang desquelles figure la création de syndicats libres. Contraint de négocier, le gouvernement polonais devait, le 31 août, par les « Accords de Gdansk », reconnaître le droit de grève, le droit à l'information et l'existence de syndicats indépendants. « Solidarité », présidé par Lech Walesa, était né. Pendant quinze mois, la Pologne va vivre une expérience unique de pluralisme syndical, soutenue par l'Église catholique, tandis que se multiplient les affrontements politiques (démission d'Edouard Gierek, secrétaire général du Parti Ouvrier Unifié Polonais, remplacé par S. Kania), les avertissements soviétiques et les conflits sociaux, les dirigeants polonais essaient d'entraver l'appli-

De son côté, l'Europe a vu la quantité et le niveau des armements implantés sur son sol ou pointés vers elle s'élever. La supériorité conventionnelle soviétique et l'implantation, déjà ancienne, de missiles nucléaires à moyenne portée avaient entraîné le perfectionnement d'avions américains stationnés en Europe, appelés pour cette raison « systèmes avancés ». L'Union Soviétique en a pris argument pour installer de nouveaux missiles mobiles à trois têtes avec 5 000 km de portée et une précision accrue. 5 000 km de portée : assez pour atteindre l'Europe, pas assez pour atteindre le continent américain.

Les pays membres du commandement militaire intégré de l'O.T.A.N. ont alors répondu par ce que l'on appelle communément la « double décision », qui prévoyait d'entamer une négociation sur les armes nucléaires à moyenne portée sur le continent européen, négociation dont dépendait le niveau de déploiement des nouveaux missiles américains à partir de décembre 1983. Je rappelle ces faits, vous les connaissez, mais nous nous adressons à nos peuples et il convient de connaître le cheminement de ces actes pour tenter d'approcher les solutions d'aujourd'hui.

Mesdames et Messieurs, nos peuples haïssent la guerre, ils en ont trop souffert et les autres peuples d'Europe avec eux. Une idée simple gouverne la pensée de la France : il faut que la guerre demeure

cation des accords de Gdansk. Les « durs » l'emportent finalement sur les partisans de la conciliation : le 13 décembre 1981, le général Jaruzelski proclame l'« état de guerre », abolit les acquis de l'été 1980 et procède à l'arrestation de milliers de dirigeants et militants syndicaux. Point d'orgue de la répression : « Solidarité » est dissout le 8 octobre 1982.

impossible et que ceux qui y songeraient en soient dissuadés.

Notre analyse et notre conviction, celle de la France, sont que l'arme nucléaire, instrument de cette dissuasion, qu'on le souhaite ou qu'on le déplore, demeure la garantie de la paix, dès lors qu'il existe un équilibre des forces. Seul cet équilibre, au demeurant, peut conduire à de bonnes relations avec les pays de l'Est, nos voisins et partenaires historiques. Il a été la base saine de ce que l'on a appelé la détente. Il vous a permis de mettre en œuvre votre « Ost-Politik ». Il a rendu possible les accords d'Helsinki.

Mais le maintien de cet équilibre implique à mes yeux que des régions entières d'Europe ne soient pas dépourvues de parade face à des armes nucléaires dirigées contre elles. Quiconque ferait le pari sur le « découplage » entre le continent européen et le continent américain mettrait, selon nous, en cause l'équilibre des forces et donc le maintien de la paix. Je pense, et je le dis, que le « découplage » est en soi dangereux, et je souhaite ardemment que les négociations de Genève permettent d'écarter un danger qui pèse singulièrement sur les partenaires européens non détenteurs de l'arme nucléaire.

C'est pourquoi la détermination commune des membres de l'Alliance Atlantique et leur solidarité doivent être clairement confirmées pour que la négociation aboutisse. Condition nécessaire à la non-installation des armes prévues par la « double décision » de décembre 1979.

Ce que nous voulons d'abord, mais vous aussi, c'est la paix. La paix n'est possible que par la négociation. Il dépend de ceux qui négocient de préparer les chemins de l'harmonie indispensable. Il suffit que l'un des partenaires — quand ce ne sont les deux — s'y refuse pour que l'accord ne puisse se faire. Il faut donc que demeurent les conditions de l'équilibre nécessaire dans l'assurance, pour les peuples intéressés, qu'ils ne seront pas sous le poids d'une éventuelle domination extérieure.

De cette solidarité, la France est, croyez-moi, consciente lorsqu'elle maintient en République Fédérale d'Allemagne une part importante de la première armée française dont elle étudie précisément l'accroissement de la mobilité et de la puissance de feu. Et, à Berlin en particulier, la France confirme qu'elle assume et assumera toutes ses responsabilités[7].

Ainsi concevons-nous la défense de notre territoire et de nos intérêts vitaux tout en nous affirmant le partenaire loyal de l'Alliance Atlantique et l'ami fidèle, connaissant ses obligations, de la République Fédérale d'Allemagne.

Mais que l'on me comprenne bien, et c'est là

7. La France, comme plusieurs autres pays alliés, entretient sur le territoire de la R.F.A., depuis la fin de la dernière guerre, une force militaire qui comprend environ 50 000 hommes. Le régime d'« occupation » de 1945 a fait place, à la suite des accords de Paris de 1954, à un statut de « stationnement » négocié avec la R.F.A. dans le respect de sa souveraineté et dans le cadre de l'Alliance atlantique. Puis le départ de la France de l'organisation militaire intégrée de l'O.T.A.N. en 1966 a modifié ces bases juridiques ; désormais, les troupes françaises stationnent sur le territoire de la R.F.A. en vertu d'accords spécifiques passés directement entre les deux pays. Le cas de Berlin, où se trouvent 2 000 hommes, est tout à fait particulier : la présence française se fonde ici sur les « droits originaires » conférés par les accords de Londres, le Grand Berlin étant considéré comme une région à part où les Alliés sont investis de l'autorité suprême.

l'expression de nos situations différentes qui découlent de l'Histoire dont nous ne sommes pas les auteurs. La France, qui ne participe pas et ne participera pas aux discussions de Genève, entend laisser les négociateurs libres de leur conduite. A chacun de discerner ce qu'il y a de bon ou d'insuffisant dans les dernières propositions émises. Intéressée comme vous-mêmes par l'aboutissement des négociations, la France se réfère pour en juger à quelques données simples que je me permettrai de rappeler ici brièvement. *Primo,* on ne peut comparer que ce qui est comparable : types d'armement, puissance de feu, précision, portée. *Secundo,* entre deux pays qui ont la possibilité de se détruire, si j'ose dire, plusieurs fois, ce qui est le cas des États-Unis d'Amérique et de l'Union Soviétique, des pays comme le mien, dont la possibilité majeure est d'interdire à un agresseur éventuel d'espérer tirer avantage d'une guerre, la marge est immense : il y a une différence de nature... J'exprimerai cela plus concrètement en disant que si l'une des deux plus grandes puissances détruisait tous ses missiles à moyenne portée, il lui resterait encore des milliers de fusées, alors que la France y perdrait un élément déterminant de sa capacité dissuasive, et donc la garantie de sa sécurité qui n'existerait plus au-dessous d'un certain seuil. *Tertio,* la force nucléaire française est et demeurera indépendante.

Cette indépendance, avec tout ce qui en découle, n'est pas seulement un principe essentiel de notre souveraineté — c'est sur le Président de la République française, et sur lui seul, que repose la responsabilité de la décision —, elle accroît également l'incertitude pour un agresseur éventuel, et seulement pour lui. Elle rend du coup plus effective la dissuasion et, par là même, je le répète, l'impossibilité de la guerre.

C'est pour ces raisons précises et sérieuses que j'affirme que les forces françaises ne peuvent être prises en compte dans les négociations de Genève par les deux puissances surarmées. Je veux dire que l'on se retourne vers la France — comme on l'a fait à l'égard de la Grande-Bretagne, et c'est à elle de se décider — pour confondre ce qui ne peut être confondu. Nous n'avons pas à être pris en compte par les deux puissances surarmées et, selon nous, tout arrangement qui se fonderait sur un calcul de ce type serait résolument écarté par mon pays... J'ajoute qu'il serait finalement préjudiciable à la paix en Europe. Les trente-huit ans de paix que nous avons connus en Europe sont dus — faut-il dire heureusement, malheureusement ? — à la dissuasion. Certes, il est très regrettable qu'ils ne soient dus qu'à cela — l'équilibre de la terreur. Imaginez le point où en est parvenue l'humanité ! Il est regrettable, je le répète, qu'ils ne soient dus qu'à cela, et non pas à une forme plus rationnelle et plus satisfaisante d'organisation collective de la sécurité, qui demeure naturellement désirable ! Mais tant qu'il en sera ainsi, tant que ne prévaudra pas l'organisation de la sécurité collective, comment pourrions-nous nous priver de ce moyen de prévenir un conflit ?

Cela passe par un effort militaire dans notre pays, que les Françaises et les Français comprennent, je le crois, et soutiennent, et qui sera poursuivi. Personne ne peut douter sur ce point de la détermination du Président de la République Française. La loi-programme militaire pour les années 1984-1988, qui sera examinée par notre Parlement au cours de ce semestre, traduira cette volonté dans des termes opérationnels.

Qui ne voit les conséquences positives de cet effort sur la paix en Europe ? C'est dans cet esprit que nous avons récemment donné vie à cette partie du traité de l'Élysée qui était restée jusqu'ici lettre morte. En tenant compte bien sûr de la différence de nos situations. Nous avons la volonté et l'ambition, en ce domaine comme dans les autres, de nous écouter, Allemands, Français, de nous consulter — rien de ce qui touche à la vie et à la sécurité de l'Allemagne ne peut être traité sans elle —, de nous écouter, de nous consulter et de nous comprendre.

D'autre part, le rétablissement d'une plus grande confiance, au-delà du couple franco-allemand, doit être recherché en Europe. La conférence actuelle de Madrid[8] ,par exemple, en dépit des déceptions qu'elle a jusqu'ici causées, aboutira, je l'espère, à cette conférence pour le désarmement en Europe qui couvrira l'ensemble de ce continent de l'Atlantique à l'Oural, comme le principe en a déjà été accepté par l'Union Soviétique, permettez-moi de le rappeler.

Dépassant ce problème qui reste cependant au centre de nos préoccupations, je consacrerai la troisième et dernière partie de cet exposé à l'examen de la situation de la Communauté Européenne dont on sait bien que l'Allemagne et la France sont des artisans déterminants.

La Communauté a réussi, depuis 1958, à progresser

8. La conférence de Madrid sur la sécurité et la coopération en Europe, ouverte en novembre 1980, suspend ses travaux le 12 mars 1982 à la suite des événements de Pologne. Elle les reprend peu après.

dans la voie choisie par les traités. Sans l'amitié et la coopération entre nos deux pays, rien n'eût été possible. Et si l'on se retourne sur les vingt années écoulées et même davantage, le chemin parcouru impressionne, en dépit des difficultés rencontrées. Et cependant, voici que nous nous enfonçons dans le sombre inconnu de la crise.

Les instituts spécialisés annoncent 35 millions de chômeurs en 1984 dans les pays industrialisés. Plus de 11 millions hantent déjà les dix pays de notre Communauté. Un très grand nombre sont des jeunes à qui, après des années d'études et de formation, nous n'offrons comme ouverture sur la vie active que le recours à l'assistance de la collectivité nationale.

Chacun, dans ces conditions, risque de se recroqueviller, de se cramponner à ses fragiles avantages. Nos sociétés sont menacées d'éparpillement et de fractures, et nous devons nous souvenir des processus de désagrégation que nos pays ont connus durant les années 30.

Et tandis que nos entreprises sont exposées à une concurrence impitoyable, tandis que nos travailleurs actifs vivent dans l'angoisse du chômage, tandis que nos concitoyens s'interrogent sur leur avenir et sur celui de leurs enfants, l'Europe, Mesdames et Messieurs, l'Europe s'occupe de sa querelle budgétaire.

En réalité, au cœur de la crise qui n'affecte pas seulement l'Europe — il est presque banal de le redire —, se situe la mutation technologique.

Je constate que dans de nombreux secteurs d'avenir, les Européens ont pris un grand retard parce qu'ils ont dispersé leurs efforts de recherche, parce qu'ils ont multiplié leurs investissements qui font double emploi. L'exemple même du Japon montre qu'il n'y a pas de retard irréversible, à condition d'accomplir tout l'effort nécessaire, effort d'autant plus important que le retard est plus grand. Il n'y a pas là non plus, Mesdames et Messieurs, de fatalité, et surtout pas de fatalité dans la décadence de l'Europe. L'Europe qui devrait alors se résigner à voir émerger de nouveaux soleils économiques à l'Ouest et à l'Est du Pacifique ? L'Europe, abandonnant son histoire et sa terre, baissant les bras, absente, oubliée et perdant au fil des temps la démographie et la population nécessaires pour figurer sur la scène des nations ? Oui, je le répète, l'Europe peut s'engager dans une renaissance industrielle, à condition qu'elle le veuille. Et nos peuples, je le crois, attendent que nous réagissions contre l'évolution présente. Et s'ils ne l'attendaient pas, notre devoir serait alors de les entraîner vers l'avenir que nous souhaitons.

Mais comment se ressaisir sans posséder une dimension suffisante ? une voix assez forte ? Pour moi, pour nous, cette dimension, c'est la dimension européenne. Tournons le dos à des comportements qui enfoncent l'Europe dans de stériles querelles de famille. Il ne s'agit pas d'oublier les légitimes intérêts de chacun, les concurrences, mais de les transcender dans le dynamisme retrouvé de la construction européenne.

En définitive, comme toutes les idées fortes, la Communauté repose sur deux principes très évidents : la cohésion interne, et l'identité commune vis-à-vis de l'extérieur. Sans cohésion européenne, il n'y a plus que des États isolés. Sans identité externe, nous disparaissons dans une vague zone de libre-échange.

Pour que la Communauté existe, je pense que quatre principes devraient nous guider. Appliqués, ils seront la base de notre réussite : l'unité du marché, la préférence communauttaire, le développement des politiques communes, la solidarité — et précisons que ces principes ne vont pas l'un sans l'autre.

Ainsi l'unité du marché stimulera la concurrence et les initiatives. Les entreprises européennes auront comme base un grand marché intérieur à partir duquel elles pourront consolider ou améliorer leurs positions dans le monde. Et comment imaginer qu'elles puissent le faire sans que la Communauté en tant que telle ne se fixe quelques objectifs essentiels pour son sursaut industriel et décide d'y affecter les moyens nécessaires : faciliter le rapprochement entre firmes, mener des actions communes dans les domaines fondamentaux de la recherche et de la formation ? Ainsi jouera la préférence communautaire, qui n'est pas pour nous synonyme de protectionnisme, mais tout simplement la condition d'existence d'une vraie Communauté.

Ne nous laissons pas impressionner par des critiques injustifiées ou des pressions inadmissibles. La Communauté Économique Européenne est actuellement l'ensemble le plus ouvert du commerce mondial et la principale puissance commerciale. A ce titre, permettez-moi de vous expliquer ma pensée : elle doit reprendre l'offensive, non seulement pour défendre ses justes intérêts, mais aussi pour proposer des bases durables d'une relance du commerce mondial. Autrement dit, il ne peut y avoir de communauté ni d'action européennes sans l'affirmation d'une politique commerciale commune projetée également vers le Tiers-Monde.

Ainsi du développement des politiques communes. On réussira, je le pense, en consolidant et en rationalisant la seule politique commune qui existe véritablement, je veux dire la politique agricole. Je veux dire par là que si l'on veut faire l'Europe, il ne faut pas commencer par supprimer ce qui existe. Il vaudrait mieux peut-être ajouter ce que nous saurons créer, quand il le faudra.

C'est vrai que l'Europe a pris, dans le domaine rural, avec une appréciation différente selon que l'on est un grand ou un modeste, une dimension — en tout cas c'est une donnée objective — une dimension comparable à celle du marché américain. Comme les États-Unis — mais à moindre coût et dans un moindre interventionnisme —, elle veille sur ses producteurs agricoles, elle leur donne l'assurance que l'agriculture fait partie de l'avenir de nos peuples et de nos civilisations. Je crois que cela est juste pour les agriculteurs. C'est en tout cas souhaitable pour nos pays. On ne me démentira pas, je l'espère, dans une assemblée où figurent beaucoup d'élus des zones rurales.

Ces règles, Mesdames et Messieurs, doivent s'appliquer à tous nos producteurs. D'où la nécessité du rééquilibrage entre agriculteurs du Nord et du Sud et la nécessité de garantir des productions encore délaissées et qui ne peuvent être abandonnées à tous les hasards de la nature.

Elles doivent prendre leur place dans le cadre mondial : sur la politique agricole extérieure européenne, une capacité de contractualisation et de prévision à long terme s'impose. Je crois savoir que nos partenaires mondiaux ne s'y trompent pas.

Il en va ainsi de la dimension industrielle. Et, à cette fin, il faudrait encourager les coopérations entre les grandes firmes de nos pays et les autres, particulièrement dans les secteurs d'avenir. Le marché européen deviendra-t-il le champ clos de la concurrence entre les marques américaines et japonaises luttant par filiales européennes interposées ? La préférence communautaire, qui a été un des fondements de l'Europe commerciale et de l'Europe agricole, contribuera, j'en suis sûr, à préparer la nouvelle Europe industrielle que j'appelle de mes vœux.

Quant à la cohésion monétaire et financière, oui, il convient de la renforcer. Elle apportera plus de stabilité et de sécurité à ceux qui entreprendront de grands projets d'investissements, à un moment où les perspectives mondiales sont si peu encourageantes. Le système monétaire européen[9] doit et peut être préservé et amplifié. Il serait bon aussi de le relier à un système plus général comme ce fut le cas dans les années d'après-guerre, jusqu'en 1971. Enfin, l'Europe a désormais la faculté d'emprunter sur les marchés financiers internationaux, de consacrer les sommes obtenues au soutien des investissements productifs des entreprises grandes et petites, à l'édification des infrastructures modernes de transport et de communication. Renforçons, Mesdames et Messieurs, le nouvel instrument communautaire et consacrons-le plus particulièrement aux projets propres aux pays de la Communauté.

Enfin, la solidarité, et d'abord la solidarité financière.

En période de crise, dans une phase de non-crois-

9. Le 5 décembre 1978, la C.E.E. a adopté un « système monétaire européen » qui vise, par des parités fixes et une coopération entre banques centrales, à créer une zone de stabilité économique à l'abri des brutales variations du dollar.

sance ou de croissance faible, la solution des problèmes financiers et budgétaires devient naturellement plus difficile pour chacun. Ce n'est pas une raison suffisante pour que la notion de « juste retour » envahisse progressivement tous les débats européens. Les avantages et les coûts, pour chacun, de son appartenance à la Communauté se ramènent-ils à un seul calcul budgétaire ? De nouvelles règles du jeu doivent-elles être élaborées ? Je le crois, oui, à la condition qu'elles tiennent compte aussi bien de tout ce qu'apporte la Communauté et de tout ce que pourrait apporter une relance de l'action communautaire. C'est à la lumière de ce nouvel état d'esprit qu'il conviendra d'examiner aussi bien les dépenses régionales et sociales que les dépenses agricoles. Et j'estime qu'il faut tenir le plus grand compte des possibilités de chacun. Des débats importants et utiles et féconds m'ont permis, dans l'année passée, d'entretenir avec les dirigeants allemands une discussion, toujours restée amicale, et dont nous tirerons, je l'espère, le meilleur. C'est à la lumière de ce nouvel état d'esprit que nous mènerons les actions budgétaires par le recours notablement accru aux actions financières : prêts, bonifications d'intérêts, agences de développement, actions communes en matière énergétique et industrielle.

J'en aurai bientôt fini, mais je ne peux me trouver devant le Parlement allemand sans traiter au fond les institutions, les pratiques et les politiques qui nous voient unir nos efforts et bâtir les fondements de l'avenir. Car, au-delà de la solidarité financière, il y a la solidarité des hommes et des peuples. La participation de la Communauté est indispensable dans la lutte contre la misère, contre les souffrances des individus, des familles, des régions. Reconnaissons que ni le Fonds social européen, ni le Fonds régional[10] ne constituent actuellement des moyens appropriés ; qu'ils sont devenus de simples canaux de redistribution budgétaire à quelques gouvernements, et qu'il faut les réviser et mettre leurs disponibilités au service de grands et clairs desseins intéressant les jeunes, mobilisant les ressources.

Qu'on me permette d'ajouter que l'Europe m'apparaît trop souvent comme exclusivement marchande et qu'elle devrait s'appliquer davantage à la dimension sociale que supposerait un large espace européen. Il est intéressant que les discussions engagées sur un mode tripartite, donc avec le concours des syndicats ouvriers, se poursuivent et même qu'elles aient été relancées au cours de ces derniers mois sur la durée du travail, sur les droits des travailleurs dans l'entreprise, que sais-je encore, en bref, sur les thèmes où nous devons harmoniser les pratiques pour les rendre significatives, sans entraver la libre circulation des produits.

La première priorité est donc un programme de lutte contre le chômage qui gangrène nos sociétés. L'Europe n'a pas d'avenir, Mesdames et Messieurs, si la jeunesse n'a pas d'espoir.

10. Le Fonds social européen, institué par le traité de Rome, a pour mission de promouvoir l'emploi et la mobilité géographique et professionnelle des travailleurs. Il aide en priorité les catégories les plus vulnérables (jeunes, femmes, handicapés, migrants) et certaines zones géographiques comme les départements d'outre-mer français, par une participation de 50 % aux subventions ou indemnités versées par les États. Le Fonds régional, géré par la Banque européenne d'investissements, est, lui, destiné à fournir une aide aux régions de la CEE les plus défavorisées.

Une Europe forte et qui reprendra confiance en elle-même conservera le rayonnement qu'elle a dans le monde et particulièrement — sans jeu de mots — dans le tiers monde. Je reviens — c'était hier[11] — d'un voyage en Afrique où j'ai ressenti l'impact dramatique de la crise internationale sur les plus démunis. Mais j'ai pu constater aussi à quel point la coopération franco-allemande s'accomplissait dans l'harmonie et la compréhension, à quel point nous étions devenus deux des pays, les deux pays vers lesquels se tournaient les regards et l'espérance. J'ai ressenti aussi l'impact dramatique de la crise et j'ai constaté l'espoir — oui, je le répète, l'espoir — placé dans des relations équilibrées dont les accords de Lomé, que nous allons bientôt renouveler, sont l'éclatant témoignage.

Et si l'Europe est forte, comment ne songerait-elle pas, cette Europe, sur tous les plans, à être un jour indépendante des menaces extérieures et à s'assumer elle-même ? Si l'Europe est forte, elle saura accueillir comme il convient les jeunes démocraties de la Méditerranée qui aspirent à unir leur avenir économique et politique à la Communauté des Dix.

Espagnols et Portugais ne frappent pas à notre porte pour être admis à assister à d'interminables disputes de comptables ou pour constater que l'agriculture du Sud est en difficultés, ils le savent déjà. Ils attendent que nous nous écartions de ces obstacles et de quelques autres. Voyant l'Europe de l'extérieur, ils en attendent tout ce qu'elle peut offrir comme possibilités industrielles, monétaires, sociales, politiques

11. Du 13 au 18 janvier 1983, au Togo, au Bénin et au Gabon.

même. C'est une raison de plus pour que la France, je vous le dis comme je le pense, souhaite leur entrée dans la Communauté dans la conscience claire des obligations réciproques.

Et si l'Europe est forte, elle convaincra les États-Unis d'Amérique et le Japon, comme elle l'a tenté au Sommet de Versailles[12], de la nécessité de reconstruire un ordre monétaire international et de ne pas laisser à la main invisible d'un marché qui a souvent cessé d'être libre sans le dire l'entière responsabilité de déterminer notre avenir commun.

Oui, si l'Europe est forte, elle multipliera les relations économiques mutuellement profitables avec les pays de l'Europe de l'Est.

Amis allemands, en cette année fatidique, recherchons ensemble, et pour longtemps, comme naguère, les chemins de l'équilibre, du développement et de la paix.

La paix. J'y reviens pour conclure. Il ne sert à rien, hélas, de l'invoquer comme une puissance invisible, il faut la construire, la reconstruire chaque jour, la consolider, la garantir. Il y faut du sang-froid et de la volonté. Écartons donc les faux-semblants — et là, je m'adresse bien au-delà de cette assemblée qui, au contraire, es l'une de celles, l'un des endroits du monde et de l'Europe où l'on sait qu'une volonté existe, une volonté commune — écartons donc les faux-semblants. Sachons ce que nous voulons : une Allemagne et une France fortes, prospères, libres, assurées, solidaires, maîtresses autant qu'il est et qu'il sera possible de leurs destins, dans une Europe qui n'est pas celle des règlements et des frontières, dont

12. En juin 1982.

le passé est incomparable et dont l'avenir dépend beaucoup de nous.

Comment vous dire, après avoir vécu ce moment pour moi-même, premier responsable de la politique française, tenant d'une longue histoire et m'adressant aux représentants du grand peuple allemand, comment vous dire ce qui est hors des paroles, tout au-dedans de moi et qu'il faut pourtant essayer d'exprimer ? Je m'adresse par vos personnes, au-delà d'elles, à tout votre peuple, ce grand peuple noble et courageux que nous, Français, nous avons appris à connaître — et, je le dis, même si ces termes paraissent désuets : et, le connaissant, à aimer.

Né pendant une guerre, combattant dans une autre — je ne suis pas le seul ici —, j'ai vu la somme de souffrances entraînées par nos luttes. A peine sorti de ces affrontements, j'ai choisi de travailler comme tant d'autres, après d'autres, à l'amitié de nos peuples. J'étais, Mesdames et Messieurs, présent dans ma jeunesse — au sortir de la guerre dont j'avais, comme tant d'autres, encore une fois, supporté dans ma vie personnelle, familiale, nationale, les épreuves les plus ardues —, j'étais présent au premier Congrès Européen : le congrès de l'espoir que j'évoquais il y a un instant, le Congrès de La Haye — dès 1948, deux ans après la fin du drame. Oui, j'ai choisi de travailler à l'amitié de nos deux peuples.

C'est dire à quel point je vis ce que je dis, à quel point je ressens ce que j'exprime devant le Parlement allemand. Tout ce qui s'est déroulé depuis lors — 35, 36 ans —, tout me confirme dans ce choix. Je ne l'ai jamais regretté. J'ai exercé mon esprit critique, en chemin, sur telle ou telle disposition. J'ai toujours respecté les dirigeants choisis par le peuple allemand, qui ont été à l'égard de la France, l'un après l'autre et tous ensemble, en dépit de leurs divergences intérieures, des amis fidèles, de grands organisateurs, des constructeurs de notre entente et de la paix.

Non, jamais je n'ai regretté ce choix. Mais j'agissais en tant que citoyen, en tant qu'individu. J'agis aujourd'hui en qualité de Président de la République Française. Cela prend tout son sens si je dis que non seulement je n'ai pas regretté ce choix de mes jeunes années, mais que j'entends le faire aboutir là où il resterait encore — et j'en ai dessiné le champ — à construire.

Pour avoir vécu dans une France occupée, je ressens au fond de moi-même ce que peuvent éprouver les Allemands séparés. Pour avoir connu une Europe dévastée, je ressens ce que peuvent éprouver les peuples dispersés. Je pense qu'aucune réponse ne sera donnée à toutes ces questions, hors une seule : ce n'est pas en allant dans le sens de la division, du chacun pour soi, du nationalisme qui s'exacerbe facilement, de l'isolement ou de la méconnaissance, que nous trouverons les voies qui seront profitables aux peuples que nous représentons. C'est dans l'unité, la communauté, l'amitié et la compréhension.

Était-il meilleure occasion que le 20e anniversaire du Traité franco-allemand de l'Élysée pour le dire à cette assemblée, et, par vos soins, Mesdames et Messieurs, au peuple allemand !

« JE NE PUIS DONC, UNE FOIS DE PLUS, QU'AFFIRMER... » (9 juin 1983)

Le Président de la République s'adresse aux Ministres des Affaires étrangères de l'OTAN réunis à Paris pour la première fois depuis 1966.

Avec plus de netteté encore que devant la Chambre de Commerce de Hambourg le 14 mai 1982, ou devant le Bundestag le 12 janvier 1983, il réaffirme, « pour sauvegarder la paix et la sécurité, la nécessité d'assurer, en tout état de cause, l'équilibre des forces militaires nucléaires intermédiaires américaines et soviétiques en Europe ».

Monsieur le Président[1],
Monsieur le Secrétaire Général[2],
Madame, Messieurs les Ministres des Affaires étrangères,
Messieurs les Ambassadeurs[3],
Mesdames, Messieurs,

Soyez les bienvenus ce soir dans ce Palais de l'Élysée. Chaque année, vous vous réunissez dans l'une de

1. M. U. Ellemann-Jensen, Président d'honneur du Conseil de l'Atlantique-Nord.
2. M. J. Luns, Secrétaire général et Président du Conseil de l'Atlantique-Nord.
3. Assistaient à la réunion les ministres des Affaires étrangères ainsi que les ambassadeurs des pays membres de l'OTAN.

nos seize capitales et vous voici donc à Paris, pour la première fois, je crois, depuis 17 ans. Je n'y trouve, pour ma part, rien que de très naturel.

Vous savez que la France compte parmi les douze pays fondateurs de l'Alliance Atlantique qui signèrent le Traité du 4 avril 1949. Ces pays affirmaient alors leur détermination de sauvegarder la liberté de leurs peuples et leur désir de vivre en paix avec tous les peuples et tous les gouvernements de la terre. Ils établissaient ainsi entre eux une alliance, une alliance défensive, résolus à unir leurs efforts pour une défense collective autour de trois données essentielles : la solidarité, l'aire géographique, les compétences définies.

Solidarité : l'article 5 du Traité, en effet, stipulait qu'« une attaque armée contre l'une ou l'autre des parties » — je cite le texte — « serait considérée comme une attaque dirigée contre toutes les parties ».

Aire géographique : l'Alliance s'appliquait et s'applique toujours à — je cite encore — « l'espace atlantique au nord du Tropique du Cancer ».

Compétence : l'Alliance avait, et elle a toujours, un objet précis : la sécurité des pays membres.

Aucun des pays signataires du Traité ne l'a dénoncé, comme la possibilité en était prévue après vingt ans, et l'Alliance compte même, au contraire, quatre membres de plus qu'en 1949[4]. Bref, elle tient bon.

Permettez-moi, à cet égard, d'émettre ici quelques réflexions.

Il convient, je le crois, de rester fidèles au contrat

4. La Grèce et la Turquie ont rejoint l'OTAN en 1952, la RFA en 1955 et l'Espagne en 1982.

qui nous lie, à ses obligations et à ses objectifs. Il serait imprudent, chacun le sent bien, de déroger aux règles qui lui ont donné force et durée. Conservons à l'Alliance son caractère défensif. Personne, au demeurant, ne songe à le changer.

Préservons son aire géographique, n'étendons pas excessivement ses compétences à des domaines qui ne sont pas les siens. Son objet, ai-je dit, est notre sécurité et seulement notre sécurité. Et s'il va de soi que chacun d'entre nous doit faire preuve de prudence dans ses échanges économiques avec les pays de l'Est, notre organisation n'est fondée à se préoccuper que des échanges qui pourraient avoir une utilisation directement militaire.

Retirée depuis 1966 des commandements militaires intégrés de l'Organisation de l'Atlantique Nord, la France n'en assume pas moins les exigences et les solidarités de l'Alliance et tient, je veux ici le proclamer, à respecter toutes les obligations que la loyauté et l'intérêt bien compris de chacun exigent.

Vous connaissez les raisons qui ont conduit mon pays à se doter d'une force nucléaire autonome, elle-même expression d'une stratégie de dissuasion à l'égard de quiconque menacerait son territoire national et ses intérêts vitaux. Ces raisons n'ont pas changé.

Autonome, notre force de dissuasion l'est pleinement, et son engagement éventuel ne pourrait découler que d'une décision du seul chef de l'État.

Défensive, cela va tellement de soi qu'il me paraît inutile d'insister. Il suffit, pour s'en convaincre, de comparer l'état des forces dans le monde, et de savoir le prix que la France et les Français attachent à la paix et à ses inséparables compagnons que sont la négociation, le désarmement et la sécurité collective.

Précisément, une grande négociation se déroule de nos jours, à Genève, parmi d'autres, entre les deux plus puissants pays du monde pour rechercher le point d'équilibre des forces en Europe et, plus particulièrement, des forces nucléaires intermédiaires. Cette négociation, vous le savez bien, qui fait suite à la « double décision » prise par les pays membres du commandement intégré de l'OTAN le 12 décembre 1979, est conduite en leur nom par les États-Unis d'Amérique.

Pourquoi la France, que n'obligent ni la double décision ni la négociation, a-t-elle formulé, formule-t-elle un avis sur ce sujet si difficile, parfois si dangereux ? Parce que la sécurité sur notre continent est d'abord l'affaire de ceux qui y vivent, et que la géographie de la France et le caractère de son peuple l'ont placée à tous les carrefours de l'Histoire dont nous sommes porteurs aujourd'hui.

J'ai souvent, comme vous-mêmes, exprimé le désir que la négociation de Genève réussît. Or, sur la base des propositions émises jusqu'ici, elle ne peut aboutir avant l'échéance de décembre et le déploiement des fusées américaines. Quelque regret qu'on en ait et quelque souhait qu'on forme — et j'en forme — d'un accord qui interviendrait avant cette date, comme cela aurait pu se faire, après tout, en 1982, il est clair qu'un monopole — qui serait alors un monopole soviétique en Europe dans la détention de ce type d'armements dont on connaît la grande précision et la capacité de destruction — serait insupportable.

Je ne puis donc, une fois de plus, qu'affirmer, pour la sauvegarde de la paix et de la sécurité, la nécessité d'assurer, en tout état de cause, l'équilibre des forces militaires nucléaires intermédiaires américaines et soviétiques en Europe, et j'espère encore que les négociations sauront malgré tout fixer cet équilibre à son niveau le plus bas possible, dans l'intérêt de tous.

Et quand je dis « de tous », je pense aux pays d'Asie et notamment au Japon, qui n'appartiennent pas, bien entendu et par définition, à notre Alliance, mais soumis à la même menace par l'accumulation ou le déploiement des fusées SS 20.

Cette constatation, qui figure dans la déclaration récente de Williamsburg[5], s'applique à son objet même, je veux dire les Forces Nucléaires Intermédiaires, et à elles seules. Telle est du moins la signification que donne mon pays à sa propre signature.

Notre Alliance sert son objectif essentiel : le maintien de la paix. Elle a traversé bien des épreuves. Au cours des années à venir, nous en connaîtrons sans doute d'autres auxquelles nous devons déjà nous préparer.

Faisons en sorte qu'il n'y ait jamais le moindre doute sur notre volonté de nous défendre, mais restons également toujours ouverts au dialogue. Notre effort pour garantir, ou, s'il le faut, rétablir notre sécu-

5. Le 29 mai 1983, lors du Sommet de Williamsburg (États-Unis), la Grande-Bretagne, la R.F.A., le Japon, l'Italie, la France et les États-Unis ont réaffirmé leur volonté de maintenir une force militaire en Europe pour dissuader toute attaque, et de procéder au déploiement prévu des euromissiles Pershing II. Cette déclaration marquait une orientation nouvelle de la politique occidentale puisqu'un pays de l'Organisation du Traité de l'Asie du Sud-Est, le Japon, s'associait à ceux de l'OTAN dans une solidarité dépassant les clivages géographiques traditionnels.

rité n'exclut aucunement notre volonté de coopérer avec tous, et je pense au grand peuple russe qui a assez souffert de la guerre pour vouloir, j'imagine, ardemment la paix.

A Genève, à Vienne, à New-York et ailleurs, les pays concernés doivent saisir chaque occasion sérieuse de négocier pour stabiliser, puis réduire le niveau des armements. A Madrid, il est urgent de conclure afin que la première Conférence sur le Désarmement en Europe puisse réunir, avant la fin de l'année, si possible, tous les pays de l'Atlantique à l'Oural, ceux qui y sont conviés, et recréer entre eux la confiance nécessaire.

Nous constituons une Alliance de seize nations libres, riches de leur diversité. Mais cette Alliance a trop souvent été contrariée par ce que l'on appelle pudiquement des « malentendus ». Et il est vrai que, pour certains d'entre eux, le fait d'être placés d'un côté et de l'autre de l'Atlantique peut donner naissance à des perceptions ou à des attitudes différentes. Mais c'est bien parce que ces pays sont complémentaires que, de part et d'autre de l'Atlantique, ils ont fait une Alliance. Il est résulté de ces situations des procès d'intention, parfois le risque d'une double perte de confiance. Vous serez sans doute d'accord avec moi pour estimer que mieux vaut un partenaire sûr de lui-même qu'un partenaire en proie au doute. Les nations d'Europe, c'est ainsi que je le ressens au nom de la France, ont aujourd'hui besoin de redécouvrir que leur défense est aussi leur affaire et que leur avenir dépend d'abord de leur propre détermination. C'est ce que déclaraient il y a quelques jours à Paris les parlementaires de l'Union de l'Europe Occidentale. L'Europe, Madame et Messieurs, a besoin des

États-Unis d'Amérique ; les États-Unis d'Amérique ont besoin de l'Europe. N'est-ce pas, avec tant de souvenirs historiques et certaines formes identiques de civilisation, le meilleur ciment ?

Madame, Messieurs les Ministres, la seule discipline ne suffit pas à faire la force d'une Alliance. Il y faut quelque chose de plus, et d'abord la résolution de chacun de ses membres. Préparons donc dans ce sens les échéances immédiates et lointaines. C'est à quoi, Madame et Messieurs, je me permets de vous convier en me réjouissant encore, en terminant, de vous compter ici, hôtes de Paris, hôtes de la France, parmi ceux de nos amis qu'il nous est très agréable de recevoir.

« MON PAYS EST INDÉPENDANT »
(28 septembre 1983)

A New York, devant la 38e session de l'Assemblée générale des Nations-Unies, le Président de la République proclame à nouveau que la recherche de la paix suppose l'équilibre des forces et le respect de l'indépendance nationale.

Monsieur le Président[1],
Mesdames, Messieurs,

C'est un grand honneur pour moi que de prendre la parole devant votre Assemblée.

Depuis son origine en 1946 — et je n'oublie pas que la France fut, à San Francisco, l'un de ses membres fondateurs —, l'Organisation des Nations Unies a rempli un rôle essentiel. Quels qu'aient été les résultats de son action, elle est restée ce lieu unique où, malgré les déconvenues et l'éternelle tentation de la force, les solutions pacifiques ont été inlassablement recherchées. Par le seul témoignage de cette aspiration et de cette persévérance, elle symbolise ce qu'il y a de meilleur dans la communauté internationale.

Je rends hommage, Monsieur le Président, à la

1. M. Illueca, Président de l'Assemblée générale des Nations-Unies.

sagesse de la 38e Assemblée générale qui, en vous choisissant, a mis en lumière la place éminente qui est aujourd'hui celle de Panama et, au-delà, de l'Amérique Latine.

J'ai le plaisir de réaffirmer ici la confiance de la France en la personne de votre Secrétaire général[2], que j'ai rencontré à plusieurs reprises à Paris et dont mon pays a pu apprécier l'impartialité, le talent, et la conception très élevée qu'il se fait de ses devoirs.

Le rapport qu'il a présenté à cette Assemblée l'an dernier reste présent à nos mémoires. Il contenait, comme celui de cette année, sur le rôle du Conseil de Sécurité, sur la réduction des tensions, sur les conflits régionaux, le désarmement, les droits de l'homme et le développement économique et social, des suggestions auxquelles je tiens à donner solennellement mon accord.

C'est précisément sur les thèmes du désarmement et du développement que je vais maintenant m'adresser à vous.

Depuis plus de trente ans, une paix de fait, fondée sur la dissuasion, a prévalu entre les grandes puissances de l'hémisphère Nord tandis qu'un peu partout, les conflits se multipliaient. N'en a-t-on pas compté plus de cent au cours de cette même période ?

Pourtant, jusqu'aux années 70, le monde avait eu le sentiment de progresser. Progrès difficile, progrès fragile, mais progrès tout de même, vers un univers moins chaotique où l'on pensait que le sous-développement reculerait, que la paix gagnerait du terrain au Sud comme au Nord. Or, nous constatons que le fossé

2. P. Javier Perez de Cuellar, secrétaire général de l'ONU depuis le 1er janvier 1982.

s'élargit entre des riches toujours plus riches malgré la crise, et des pauvres toujours plus pauvres à cause de la crise. De déséquilibre en déséquilibre, la course aux armements s'accélère. Les droits de l'homme sont encore et toujours bafoués. Trop de conflits restent non résolus. Les crises s'enchaînent et s'engendrent : économique, monétaire, stratégique, culturelle. Sous nos yeux, le monde se remodèle par le fer et par le sang. La puissance appelle la puissance. La faiblesse entraîne la faiblesse.

Faut-il désespérer des efforts tentés pour trouver aux problèmes de notre monde d'autres solutions que la domination, la violene ou la guerre ? Si les paroles prononcées du haut de cette tribune gardent un sens, il est impossible de se résigner : la misère et la guerre ne sont pas des fatalités, mais l'implacable résultat de logiques perverses qu'il s'agit de briser ensemble. Plus que jamais nous avons besoin de nous convaincre de cette nécessité en un moment où, entre paix et guerre, le sort hésite tragiquement.

Quoi de plus simple, cependant, que les aspirations des peuples : se nourrir, se vêtir, disposer d'un toit, vivre libre, ne pas craindre pour sa sécurité, accéder à la connaissance, protéger l'acquis, le transmettre à ses enfants. Cette ambition, si légitime soit-elle, je vous pose la question, serait-elle encore excessive ?

Chacun de nous, je pense, est persuadé que les conséquences d'une nouvelle guerre mondiale seraient incalculables, sans doute irrémédiables. Or, la paix entre les nations ne peut durer que sur la base d'un réel équilibre. Tel est l'enseignement de l'Histoire. C'est par le respect de cette règle d'or que se concilient les droits des uns et des autres à l'indépendance et à la sécurité. Établir ces équilibres ou les rétablir lorsqu'ils ont été rompus, garantir la stabilité, ramener progressivement les forces à des niveaux de plus en plus bas et vérifier à tout moment les informations fournies, là est l'approche, la seule approche possible des problèmes qui se posent à nous.

Dans un passé récent, les négociations entre Soviétiques et Américains sur la limitation des armements stratégiques, dites SALT[3], ont permis de limiter certains développements technologiques, et de ralentir la course qualitative aux armements stratégiques. Mais, en même temps, on a assisté à un développement accéléré de la capacité destructrice de ces armes, à la multiplication du nombre de leurs ogives et à l'amélioration de leur précision.

C'est ainsi que les deux plus grandes puissances disposent chacune d'un système nucléaire central de 2 à 3 000 lanceurs portant 8 à 9 000 ogives. Elles peuvent de la sorte s'atteindre l'une l'autre et se détruire, si j'ose dire, 7 à 8 fois.

L'une des négociations en cours à Genève[4] s'attache, vous le savez, à la réduction des armes stratégi-

3. Les conversations SALT *(Strategic Arms Limitation Talks)* entre l'URSS et les USA sur la limitation des armements stratégiques ont commencé à Helsinki en novembre 1969 et ont abouti au traité de Moscou en 1972 (SALT I). En 1975, reprise des négociations, nommées SALT II, qui prennent fin en 1977. Un accord est signé à Vienne en juin 1979 après de difficiles négociations entre Léonid Brejnev et le Président Jimmy Carter. Il donne un coup d'arrêt au développement quantitatif des armements stratégiques. De nouvelles négociations — SALT III — portant sur de nouvelles limitations et réductions, doivent être engagées dès 1980. A la suite des événements d'Afghanistan, elles sont renvoyées *sine die*. Le Président Carter gèle la ratification de l'accord conclu à Vienne.

4. Négociation « START », ouverte en juin 1982.

ques intercontinentales, en vue de réaliser l'équilibre entre les armements américains et soviétiques.

La France souhaite que cette négociation aboutisse, mais, pour l'heure, c'est l'autre négociation, celle qui vise ce que l'on appelle les forces nucléaires intermédiaires, qui retient l'attention de l'opinion mondiale. Je voudrais m'exprimer à ce sujet avec la plus grande clarté.

Au terme de cette escalade continue de part et d'autre sur le sol de l'Europe, une situation nouvelle s'est créée qui veut qu'aujourd'hui, l'Union Soviétique et elle seule dispose sur notre continent d'une force nucléaire intermédiaire : force considérable, missiles à trois têtes, mobiles et précis, d'une portée d'environ 5 000 kilomètres et qui, ne pouvant franchir l'Atlantique, n'ont par conséquent pour cibles possibles que les nations d'Europe occidentale, le même raisonnement valant pour les missiles installés dans la partie asiatique de l'URSS en direction des États voisins de cette région. La France a salué comme un acte très positif l'ouverture à Genève de la négociation sur ce type d'armements entre l'Union Soviétique et les États-Unis d'Amérique après que ceux-ci — en application de la « double décision » prise par les États membres du commandement intégré de l'OTAN, organisme auquel la France n'appartient pas — ont prévu l'installation, dès la fin de cette année, dans divers pays européens, de fusées Pershing II et de missiles de croisière. Je n'évoquerai pas ici tous les aspects d'un débat que j'ai traité ailleurs et qui n'engage pas directement la France, même s'il la concerne, mais je souhaite préciser la position de mon pays devant la demande faite de décompter son armement nucléaire en vue de je ne sais quel équilibre des euromissiles.

Je rappellerai, à cet égard, que la France s'est dotée depuis un quart de siècle d'une force de dissuasion nucléaire, défensive par nature face à tout agresseur éventuel. Cette force forme un tout et constitue pour mon pays un système de défense central, indispensable à sa sécurité. Quelques chiffres en démontrent le caractère défensif : chacune des deux plus grandes puissances, vous disais-je à l'instant, dispose aujourd'hui de près de 8 à 9 000 ogives. La France, elle, en a 98. Ce qui suffit certes à notre dissuasion, mais exclut tout autre usage.

Encore ces 98 fusées relèvent-elles d'une conception stratégique et non pas d'une conception tactique, et pas davantage d'une conception intermédiaire si l'on emploie le vocabulaire extrêmement précis employé par les Soviétiques et les Américains quand ils traitent de leurs affaires. Il serait au demeurant paradoxal de voir un pays, le mien, dépendre d'une conférence à laquelle il ne participe pas et qui débattrait sans son consentement d'un armement stratégique, notamment sous-marin, dont ni les Américains, ni les Russes, qui en possèdent beaucoup plus, ne discutent entre eux, du moins au sein de cette conférence.

On ne peut comparer que ce qui est comparable ; mettre en balance le système central d'armement sur lequel repose l'indépendance et la survie de mon pays, et les forces nucléaires intermédiaires des deux plus grandes puissances, qui ne constituent pour elles qu'un complément à leur formidable arsenal stratégique, ne peut être accepté. Puisqu'il s'agit, en termes concrets, d'une demande de l'Union Soviétique, au nom de quoi ce pays attendrait-il de la France qu'elle renonce à l'essentiel, je veux dire à sa défense nationale ? Certes, on nous dit, et je veux bien le croire, que tel n'est pas l'objet de cette démarche. Certes, on nous promet que le décompte de la force française à Genève ne conduirait aucunement à la réduire. Mais dès lors que la France entrerait dans un calcul où elle n'a rien à faire, ne s'exposerait-elle pas à voir la modernisation de ses moyens de défense passer sous le contrôle des deux plus grandes puissances et n'assumerait-elle pas une responsabilité qu'elle récuse, celle de rompre l'équilibre mondial ?

Mon pays est indépendant. Sa force de dissuasion n'obéit qu'au commandement du Président de la République. Sa fidélité à l'Alliance atlantique n'entame pas son autonomie. Elle respecte le grand peuple russe et souhaite préserver les bonnes relations séculaires qui l'unissent à lui. Elle n'a ni l'intention ni le moyen — qu'elle ne désire pas — d'imposer sa loi par les armes. Elle possède l'arme de sa propre défense. Rien de plus, rien de moins. Elle ne comprendrait pas qu'un monopole des forces nucléaires intermédiaires fût consenti en Europe à l'Union Soviétique, ce qui est le cas aujourd'hui. Elle espère que des concessions mutuelles entre les deux partenaires de Genève permettront de faire cesser ce monopole tout en créant les conditions du nouvel équilibre que j'appelle de tous mes vœux.

Cela suppose que continue d'être recherché sans relâche à Genève le point moyen à partir duquel on saura si la réduction des tensions a été préférée à leur aggravation.

On n'oubliera pas cependant que plusieurs conflits, conséquences directes ou indirectes de la politique des blocs, ou encouragés et aggravés par celle-ci, suscitent l'inquiétude. L'insoutenable destruction d'un avion civil sud-coréen par un appareil militaire soviétique[5] fait déplorer le mépris de la norme morale et la tragique absence d'une règle juridique assez forte pour rendre impossible la perpétration d'un tel acte. Je souhaite que les propositions de la France à l'OACI[6] soient enfin entendues.

Mais, au-delà de cet événement, que de situations inacceptables, que de pays occupés, menacés par des armées étrangères, et que de peuples sur tous les continents empêchés de choisir leur destin, de l'Amérique Centrale à l'Asie du Sud-Est en passant par l'Afrique, le Moyen-Orient, l'Asie Centrale, sans omettre l'Europe. Limitons-nous : la liste serait longue. Je songe aussi à ces hommes, à ces femmes partout dans le monde, exilés, réfugiés, prisonniers politiques, torturés, et dont les plus simples droits sont bafoués. Sur ce dernier point, la communauté internationale n'a-t-elle pas à l'excès économisé la protestation, la sanction et, finalement, subi le crime ? Et, sur le premier, a-t-elle assez montré d'intransigeance chaque fois qu'un peuple s'est trouvé menacé de perdre — ou a perdu — le droit de disposer librement de lui-même ? C'est un principe qui ne souffre pas d'exception. Et là où cela est possible, pourquoi ne pas envisager un processus de désengagement qui consacrerait un statut de neutralité, une fois réunies ces trois conditions que sont la volonté de l'État intéressé, l'évacuation des forces étrangères et l'engagement solennel de non ingérence des autres pays, et ce, sous le contrôle du Conseil de Sécurité des Nations Unies ?

Mais je veux m'arrêter sur deux conflits auxquels la

5. Le 31 octobre 1983.
6. Organisation de l'Aviation Civile Internationale.

France se trouve mêlée : le conflit du Liban et le conflit du Tchad.

Au Liban, les Français sont présents comme soldats de la paix d'abord au sein d'une force de l'ONU, la FINUL — ils y sont encore — ; ensuite, avec trois autres pays, et à la demande du Gouvernement libanais, pour constituer à Beyrouth une force multinationale d'interposition entre les forces qui s'affrontaient alors. Aurait-on oublié que la France a contribué à la sauvegarde et au départ, dans la dignité, des soldats palestiniens, puis à la sauvegarde des survivants des camps tragiques de Sabra et Chatila ? Nous avons considéré cette mission comme un honneur et nous l'avons remplie. Quant à la situation créée récemment par le retrait partiel de l'armée israélienne et par la recrudescence des combats meurtriers où se sont confondues forces civiles et étrangères, nous l'avons abordée en nous plaçant encore au service de la paix. Je l'affirme hautement ici : la France n'a pas d'ennemis au Liban. Elle protège les siens, ses nationaux, comme elle doit le faire. C'est tout. Son vœu est que les Libanais parviennent à surmonter leurs divisions dans le cadre de leurs institutions, le respect de leurs autorités légitimes, que le Liban recouvre indépendance, souveraineté et unité et que l'organisation des Nations Unies élargisse au plus tôt, si besoin est, c'est-à-dire selon les propositions des responsables, sa mission. Le départ des armées étrangères rendra inutile le maintien d'un dispositif international de sécurité.

Quant au Tchad, nous sommes venus dans ce pays, alors qu'il était victime d'une agression extérieure, à l'appel du gouvernement reconnu par la société internationale et conformément à l'article 51 de la Charte des Nations Unies et à la résolution 387 de 1976 du

Conseil de Sécurité[7]. Nos efforts tendent aujourd'hui à ce qu'une médiation, et par priorité celle de l'OUA, permette et le cessez-le-feu entre les parties belligérantes, et l'ouverture d'une négociation dont l'objet premier sera de garantir l'intégrité du Tchad et le départ des armées étrangères. Alors la France ne retardera pas d'une heure le rapatriement de ses troupes. J'ai rappelé l'OUA, marquant par là l'intérêt que porte la France aux efforts régionaux pour traiter les conflits. J'aurais pu faire l'éloge à ce propos de l'action entreprise dans une autre partie du monde par les quatre pays du groupe de Contadora[8]. Bien d'autres exemples me viennent à l'esprit.

Mais il est temps d'en revenir à l'armement nucléaire stratégique dans le monde. On ne peut rejeter l'idée que les cinq puissances nucléaires[9] débattent ensemble, le jour venu, d'une limitation durable de leurs systèmes stratégiques. Il convient donc d'énoncer clairement les conditions d'une avancée dans ce domaine.

La première suppose que soient corrigées la différence fondamentale de nature et de quantité qui sépare l'armement des deux plus grandes puissances et des autres, ainsi que la différence qui sépare un pays

7. La résolution 387 adoptée en 1976 au Conseil de Sécurité concerne une intervention de l'Afrique du Sud en Angola. Elle se réfère, dans ses considérants, au droit naturel légitime de tout État de demander assistance à un autre État en cas d'agression extérieure.

8. Le 9 mai 1983, à la demande du Nicaragua, le Conseil de Sécurité de l'ONU a chargé le groupe de Contadora (Mexique, Vénézuela, Panama, Colombie) de trouver une solution aux crises d'Amérique Centrale.

9. Les États-Unis, l'URSS, la France, la Grande-Bretagne et la Chine.

qui risquerait de se servir de cet armement pour asseoir sa puissance du pays qui serait contraint de s'en servir pour sa propre survie.

La deuxième condition découle du considérable écart existant entre les forces classiques ou conventionnelles, particulièrement en Europe, écart accru, je le crains, par l'existence d'armes chimiques et biologiques dont une convention devrait absolument interdire la fabrication et le stockage.

La troisième condition exige que cesse la surenchère en matière d'armes anti-missiles, anti-sous-marines et anti-satellites.

Prémunir les peuples contre les menaces provenant de l'espace est un autre impératif. L'espace deviendra-t-il un champ supplémentaire où se développeront sans limite les vieux antagonismes terrestres ? L'espace est par essence le patrimoine commun de l'humanité. Ce serait trahir l'intérêt de nos peuples que de ne pas définir à temps un droit qui le préserve.

Or, il n'existe pas de frein au développement des armes anti-missiles situées dans l'espace, pas de limite au nombre des satellites puisque seules les armes de destruction massive, c'est-à-dire les armes nucléaires, sont interdites par le Traité de 1967[10]. Un amendement à ce traité qui interdirait la satellisation de tout type d'armement, qui organiserait le retrait progressif des armes déjà sur orbite et qui prévoirait une vérification effective, un tel amendement lui donnerait sa vraie portée.

Dans un autre domaine, parce qu'il nous concerne, et quelles que soient les controverses sur ses expé-

10. Traité du 27 janvier 1967 sur l'utilisation pacifique de l'espace et des corps célestes.

riences, la France a décidé d'ouvrir le mois prochain son site d'expérimentations nucléaires souterraines à une visite d'information de personnalités scientifiques étrangères en provenance du Pacifique Sud. J'espère que cet exemple sera suivi.

Je terminerai cette partie de mon exposé comme je l'ai commencé, c'est-à-dire par l'Europe. Si la paix a régné dans ce continent depuis la Seconde Guerre mondiale, c'est sur une Europe divisée, déchirée et qui a peine à inventer les voies de son avenir et de sa propre sécurité.

Aucun Européen véritable ne renoncera à effacer les conséquences de cette division, à renouer les liens brisés, à dépasser la situation issue de Yalta. C'est en y songeant que la France a agi pour le succès de la Conférence de Madrid sur la sécurité et la coopération en Europe et continuera son action à la conférence de Stockholm[11].

Seule une bonne connaissance mutuelle des activités militaires dans l'ensemble de la région allant de l'Atlantique à l'Oural rétablira les conditions d'une meilleure confiance.

La relation de la France et de l'Allemagne a été à l'origine de la Communauté européenne. Elle a ainsi rendu la guerre inimaginable entre les 300 millions d'Européens de l'Ouest. Cet engagement et cette expérience expliquent notre appui à tout processus devant assurer à l'ensemble des Européens une sécurité

11. Le 15 juillet 1983, les 35 pays réunis à la conférence de Madrid (toute l'Europe sauf l'Albanie, plus les USA et le Canada) parviennent enfin à un accord entériné le 9 septembre, et, lors de la séance de clôture, décident de se rendre à la Conférence sur le désarmement en Europe dont l'ouverture à Stockholm est prévue pour le 17 janvier 1984.

accrue. La contagion de la paix peut vaincre les entraînements de la guerre.

Monsieur le Président, Mesdames et Messieurs, les États ici représentés traversent la plus grave récession qu'aient connue nos économies depuis cinquante ans. La crise nous atteint tous. L'essor, parfois remarquable et toujours difficile, qu'avait connu le monde en développement est brisé. Alors qu'apparaissent dans certains pays industriels les signes d'une reprise, les difficultés s'aggravent pour le plus grand nombre. Le poids du passé, c'est-à-dire la charge de la dette, s'ajoute aux incertitudes du présent pour imposer à des sociétés fragiles des efforts d'austérité et de discipline d'une sévérité exceptionnelle.

Certes, il faut assainir les finances publiques. Certes, il faut réduire les déficits trop élevés. Mais lorsque la solution de la crise financière exaspère la crise économique, où sont les signes de guérison ? Lorsque l'accroissement de la misère et de la faim sème le germe de crises sociales et politiques, n'est-ce pas plutôt le mal qui progresse ? Lorsque le Nord se contente de sa propre reprise, croit-il un instant pouvoir retrouver seul un bien-être durable ? Et, surtout, que propose-t-il aux vivants d'aujourd'hui et que propose-t-il aux deux milliards d'hommes et de femmes qui vont naître d'ici quinze ans ?

Le silence est devenu l'allié du pire.

Reprenons donc le dialogue entre les deux hémisphères. Répondons à l'urgence et construisons les assises du futur.

Un transfert de ressources des pays du Nord vers ceux du Sud est un phénomène naturel et souhaitable pour le salut de tous.

A cet égard, il faudrait considérer comme irréversibles les niveaux d'aide actuels, les principaux donateurs prenant l'engagement de ne pas réduire leur aide tant que les pays récipiendaires n'auront pas de croissance.

Le secteur bancaire doit être encouragé à ne pas relâcher son effort.

Mais ces actions immédiates n'éviteront pas les dommages, les déchirures que connaissent nos sociétés si les monnaies dans lequelles est libellée la dette du tiers monde et les taux d'intérêt payés sur cette dette atteignent des niveaux excessifs. Il appartient à chaque pays industrialisé de prendre ses responsabilités.

La France, quant à elle, progresse de façon régulière vers l'objectif qu'elle s'est fixé : 0,77 % de son PNB pour le tiers monde ; 0,15 % pour les pays les moins avancés. Elle entend faire tout ce qu'elle peut pour que la 7ᵉ reconstitution de l'AID représente une amélioration significative. Elle continuera d'apporter son soutien au Club de Paris pour rechercher des aménagements aux situations d'endettement les plus critiques. Elles soutient la thèse d'une augmentation des ressources du FMI attribuée par priorité aux pays en voie de développement.

Encore convient-il de s'attaquer aux causes profondes de l'instabilité et du désordre qui caractérisent les relations économiques internationales. Je retiens pour ma part trois grandes priorités : la monnaie, les produits de base et la technologie.

Si je commence par la monnaie, c'est qu'elle est après tout la première des matières premières. J'ai lancé il y a quelques mois l'idée d'un nouveau Bretton Woods — il s'agissait pour moi d'une référence symbolique — afin de souligner la nécessité de recréer les conditions d'un système monétaire ordonné, avec des monnaies suffisamment stables et reflétant l'évolution réelle des économies. Il y a là un besoin ressenti par tous. Le Premier ministre de l'Inde, le Premier Ministre de Nouvelle-Zélande ont eu raison de lancer un appel en faveur de la coopération monétaire internationale. Les sept pays industrialisés ont décidé à Williamsburg de prendre en considération le rôle que pourrait jouer, le moment venu, une conférence monétaire en vue d'améliorer le système international. Il s'agit là d'une entreprise sérieuse. Tous les pays intéressés devraient y être associés.

S'entendre sur des règles du jeu plus fermes pour l'établissement des parités de change, diversifier les instruments de réserve, s'accorder sur un rythme d'évolution des liquidités internationales, définir les disciplines nécessaires compte tenu des situations économiques et sociales spécifiques à chaque pays, tels sont les thèmes principaux de cette réflexion.

Pour les matières premières, la voie a été fixée par la VIe Conférence des Nations Unies sur le commerce et le développement, à Belgrade, en juillet dernier[12].

Mais on ne peut en rester là. La France propose d'améliorer le fonctionnement des marchés des

12. En juillet 1983, la 6e session de la CNUCED voit s'affronter le Fonds monétaire international, partisan d'une plus grande rigueur financière, et les pays en voie de développement qui réclament des facilités de paiement et une aide accrue. La conférence sera un demi-échec, mais des mesures essentielles seront néanmoins décidées : élargissement du fonds commun de la CNUCED destiné à stabiliser les cours des produits de base, limitation des restrictions au commerce international afin d'accroître les exportations des pays en voie de développement, réaffirmation de l'objectif de 0,7 % du PNB pour l'aide des pays développés.

matières premières en régularisant les marchés à terme qui, trop souvent, par leurs mouvements erratiques et spéculatifs, trompent les agents économiques au lieu de les informer. Une discipline plus stricte dans le jeu de la concurrence rendrait à ces marchés le rôle qui leur revient.

Et j'insiste sur cette matière première vitale qu'est l'énergie. La stabilisation présente des marchés pétroliers ne diminue en rien l'intérêt d'encourager le financement des investissements dans les énergies non-renouvelables, que ce soit par le canal de la Banque mondiale ou d'une institution spécifique.

Par delà les situations pénibles qu'elle a créées, la crise nous a permis de constater le rôle croissant du progrès technique. Il impose assurément des efforts constants d'adaptation, mais il offre aussi des opportunités exceptionnelles pour le développement du Sud et les progrès du Nord. Cette constatation paraît évidente et pourtant, trop souvent, quelques pays ont tendance à considérer que c'est là leur affaire : le progrès technique serait-il un privilège réservé aux plus riches, aux plus savants ou aux plus avancés ?

Or, nous le savons bien, rien n'est plus ambivalent que le progrès technique, source de croissance, mais aussi facteur déterminant de la course aux armements. Faut-il en rester à ce constat ? Faut-il admettre que le principal effort des plus grands soit consacré à la technologie militaire ? Faut-il admettre que le surarmement de la planète l'emporte sur son développement ?

C'est la question la plus redoutable. Elle se pose avec une acuité croissante de génération en génération. Elle a été inlassablement posée en France et par la France, depuis le début du siècle. Jean Jaurès, Albert Thomas, Édouard Herriot, Aristide Briand, Léon Blum ont tour à tour tenté de conjurer la menace de la guerre moderne et d'œuvrer pour le désarmement. Ils ont porté plus loin un espoir inlassable, l'espoir dans la vie qui résiste à tous les échecs.

Le monde ne retrouvera son équilibre et une plus grande sécurité que si les solidarités, aujourd'hui hélas exprimées en termes militaires, prennent une autre dimension. La solidarité est la forme supérieure de la sécurité.

Mais comment l'exprimer ?

Votre assemblée a déjà affirmé, à diverses reprises, le lien entre les tâches du développement et l'entreprise du désarmement, entre le refus de la misère et le refus de l'escalade des armes. Comment nos gouvernements, malgré leurs divergences sur les approches du désarmement et de la sécurité, ne souscriraient-ils pas à la liaison désarmement/développement et à la fondation du Fonds international qui la mettrait en œuvre ?

La France elle-même a présenté des suggestions dans cet esprit. En 1955 déjà, par le gouvernement de M. Edgar Faure[13] ici présent ; en 1978, à l'initiative de mon prédécesseur lors de la première session spéciale sur le désarmement[14].

13. Au mois de juillet 1955, lors de la Conférence à Quatre à Genève, Edgar Faure proposa le premier que soient réduites les dépenses mondiales d'armement, afin d'affecter les recettes dégagées au développement économique.

14. Lors de la 1re session de l'ONU sur le désarmement (23 mai au 28 juin 1978), Valéry Giscard d'Estaing a lui-même présenté les positions françaises : son objectif, à terme, est « un désarmement

Pour atteindre le surarmement à sa racine et placer le désarmement au service du développement, il ne suffit pas, bien que l'idée puisse être retenue, de chercher à répartir au profit des pays du Sud une sorte de taxe prélevée sur les budgets militaires ou les équipements. L'expérience de la crise prolongée que nous traversons nous conduit à adopter une démarche globale, très exactement politique. Nous devons remonter à l'origine même de ces dépenses, c'est-à-dire à l'imbrication étroite et croissante entre l'insécurité militaire et l'insécurité économique qui marque le monde actuel. Par une série de paradoxes en chaîne, le dérèglement du système économique international renforce le besoin de sécurité et alimente du même coup la course aux armements, laquelle relance à son tour le déséquilibre. Dans cette vue, des tâches essentielles s'imposent :

— d'abord déterminer le poids réel des armements. Et les questions se posent : comment surmonter les divergences tant sur les données que sur les estimations ? Comment arrêter une base d'évaluation acceptée par tous ?

— apprécier ensuite les effets économiques internes et externes de la croissance des dépenses militaires ;

— en troisième lieu, comment mesurer la relation entre l'évolution des dépenses militaires et

réel, général et contrôlé », préparé par une commission spéciale de l'ONU et un Institut mondial pour la recherche sur le désarmement, garanti par une Agence internationale de satellites de contrôle, les fonds ainsi dégagés étant alors transférés à l'aide au développement. Cette initiative est en général bien accueillie, à l'exception de l'URSS qui refuse le contrôle et préfère des négociations bilatérales avec les États-Unis.

les principaux facteurs de désordre économique international ?

— aborder enfin et sans délai, ces mises au point faites, le sujet essentiel qui est celui des possibilités et des modes d'affectation à des tâches d'intérêt collectif humain (santé, formation professionnelle, développement agricole dans les pays du tiers monde) des moyens importants qui seraient dégagés par une réduction progressive mais méthodique des dépenses militaires dans les principaux pays. Et ces questions encore : comment assurer un effet économique favorable de ces réductions et de ces conversions dans les pays contributeurs eux-mêmes ? Comment concevoir des mécanismes d'aide à la conversion ?

Chaque pays ne dispose que de réponses partielles à ces grandes questions, mais aucun ne peut les éluder. En effet, quel État nierait aujourd'hui que ses dépenses militaires lui crée des difficultés croissantes ? A quoi bon dépenser plus pour moins de sécurité, tant militaire qu'économique, voilà l'interrogation fondamentale à laquelle personne n'échappe.

Tous les pays sont intéressés à ce débat majeur qui dépasse nos divergences. Mais, comme l'essentiel dépend dans ce domaine d'un nombre restreint d'États, je crois souhaitable une démarche en deux temps.

Premier temps : que se réunisse au plus tôt une conférence relative au problème défini par la liaison désarmement/développement et à la création du Fonds international prévue par l'Assemblée Générale des Nations Unies, dès lors que les principales puissances militaires auraient fait connaître leur accord. La France est prête à accueillir cette conférence à Paris.

Deuxième temps : les représentants des gouvernements participant à cette réunion se donneraient pour tâche de préparer une conférence des Nations Unies qui s'étendrait alors à tous les États membres de l'Organisation. La réunion préparatoire définirait sans attendre une première série d'objectifs à atteindre pour les transferts au profit du développement.

Monsieur le Président, Mesdames et Messieurs, avec les mots et la logique de l'époque, le Président du Conseil français, M. Pierre Mendès France, avait en 1954 lancé devant votre assemblée cet appel[15] : « La coopération entre l'Est et l'Ouest, en associant ces pays dans les œuvres de vie, ne peut que les détourner des œuvres de mort. En facilitant et en provoquant entre elles les échanges, elle peut abattre des cloisons étanches, éclaircir des mystères, dissiper des méfiances. »

A mon tour, trente ans après, et la contrainte des faits s'étant apesantie jusqu'à l'intolérable, j'affirme qu'aucun pays n'échappe à ce débat.

Commençons maintenant à nous libérer des réflexes acquis, de la peur, de la méfiance, des habitudes dont nous sommes les premières victimes, et entamons cette marche commune !

15. Le 22 novembre 1954.

III
De l'Europe

« LA FRANCE EST AU RENDEZ-VOUS DES LIBERTÉS »
(30 septembre 1982)

Le Président de la République s'adresse au Conseil de l'Europe à Strasbourg. Il rappelle à cette occasion que la liberté est une conquête qui nécessite un combat de tous les instants.

Monsieur le Président[1],
Mesdames et Messieurs les Parlementaires,
Mesdames et Messieurs,

C'est, pour le Président de la République française, un honneur de venir s'exprimer aujourd'hui devant l'Assemblée parlementaire du Conseil de l'Europe[2], ici à Strasbourg.

1. M. José-Maria de Areilza, Président de l'Assemblée parlementaire du Conseil de l'Europe.
2. Fondé en 1949, le Conseil de l'Europe regroupe 21 États (Allemagne fédérale, Autriche, Belgique, Chypre, Danemark, Espagne, France, Grande-Bretagne, Grèce, Irlande, Islande, Italie, Luxembourg, Malte, Norvège, Pays-Bas, Portugal, Suède, Suisse, Liechtenstein, Turquie). Son premier objectif est de réaliser une unité entre ses membres sur certaines questions d'intérêt commun, et de mettre en œuvre une action concertée dans les domai-

Strasbourg, ville symbole à bien des égards, symbole de la réconciliation, non seulement entre les peuples allemand et français, mais aussi de tous les peuples de l'Europe réunis par la volonté de sauvegarder les libertés fondamentales et les droits de la personne humaine.

Après tant de guerres qu'on appelle « civiles », l'Europe a retrouvé sa raison d'être en devenant l'Europe de la liberté. C'est ce projet qu'incarne le Conseil de l'Europe, dont on sait qu'il est — vous venez de le rappeler, Monsieur le Président — l'une des plus anciennes organisations européennes et qu'il reste aujourd'hui celle de ces organisations qui regroupe le plus grand nombre d'États. Ce projet s'exprime dans le statut même de l'organisation, puisque les États membres y proclament leur attachement inébranlable « aux valeurs spirituelles et morales qui sont le patrimoine commun de leurs peuples et qui sont à l'origine des principes de liberté individuelle, de liberté politique et de prééminence du droit sur lequel se fonde toute démocratie véritable ».

Ces valeurs spirituelles et morales s'incarnent tout particulièrement, je puis le dire, dans votre Assemblée, Monsieur le Président, et c'est pour moi un vrai plaisir d'y être accueilli par vous. J'ai pu vous connaître à Paris lorsque vous y représentiez votre pays[3], et je sais le rôle que vous avez joué dans la réinsertion

nes économique, social, culturel, scientifique, juridique et administratif. Depuis 1949, 96 conventions et accords ont ainsi été conclus, dont la Convention européenne des Droits de l'Homme.

3. M. de Areilza fut ambassadeur d'Espagne à Paris de 1960 à 1964.

de l'Espagne dans la communauté des nations libres et démocratiques d'Europe occidentale.

Enfin, permettez-moi non seulement de saluer celui qui représente brillamment son pays, mais aussi de rendre hommage à l'homme d'État européen.

A l'assemblée parlementaire que vous présidez, je viens apporter, Mesdames et Messieurs les Parlementaires, le témoignage de l'estime et de la considération — j'allais dire de la confiance — de la France. Il s'agit d'un lieu privilégié d'échanges de vues entre des femmes, des hommes très informés et qui ont choisi de demander à leur Parlement de venir siéger ici pour y défendre quoi, sinon une cause qui leur est chère, puisqu'ils mobilisent à cet effet une large part de leur temps et de leur réflexion.

Ce faisant, vous agissez aussi conformément à une vocation définie pour votre Assemblée dès 1949 en donnant corps, je cite, « aux aspirations des peuples de l'Europe, afin de fournir aux gouvernements le moyen de rester constamment en contact avec l'opinion publique européenne ».

C'est souvent ce qui est le plus difficile car, si vous représentez ici des peuples qui partagent une même conception de la démocratie, de la liberté, des droits de l'Homme, comment faire communiquer ce choix, parfois même cette vocation, qui correspond à la vocation la plus profonde de l'homme civilisé, à l'ensemble de ceux qui relèvent aujourd'hui de vos juridictions mais qui font aussi l'histoire contemporaine et que tant de débats déchirent ?

Il est essentiel que, sur des questions internationales comme les relations Est-Ouest ou le Moyen-Orient, par exemple, ou bien d'autres encore, vous fassiez entendre votre voix.

C'est pourquoi très utiles à mes yeux sont les débats engagés sur des problèmes tels que la violence sous toutes ses formes, les conséquences sur l'homme du développement des sciences et des techniques — je pense en particulier à la conférence que vous avez tenue l'an dernier à Helsinki sur les manipulations génétiques —, la lutte contre la drogue pour laquelle votre Assemblée a su s'adjoindre le Groupe de Réflexion Georges Pompidou, désormais officiellement rattaché au Conseil de l'Europe.

Je veux rendre hommage à la contribution que vous avez apportée au rapprochement des législations nationales.

Les grandes conventions du Conseil de l'Europe, celles qui ont été considérées à juste titre par l'opinion, et en tout cas par l'opinion responsable, comme des étapes marquantes de la construction européenne, ont presque toujours été conçues par cette Assemblée.

Je pense à la Charte sociale européenne, à la Convention culturelle, à bien d'autres initiatives dans des domaines aussi divers que l'insertion des réfugiés et des migrants, la jeunesse, la coopération entre collectivités locales.

Je pense aussi et peut-être surtout à la Convention européenne de sauvegarde des Droits de l'homme et des Libertés fondamentales[4], dont Pierre-Henri Teitgen[5] soumettait à vos prédécesseurs, il y a trente-trois ans, la première ébauche.

4. Proposée en septembre 1949 à l'Assemblée générale consultative et signée le 4 novembre 1950.

5. Pierre-Henri Teitgen (né en 1908), juriste, résistant et un des fondateurs à la Libération du Mouvement Républicain Populaire. Pierre-Henri Teitgen a toujours milité pour l'Europe et a siégé à la Cour européenne des Droits de l'Homme.

Que la première convention adoptée par le Conseil de l'Europe dès 1950 ait été la Convention européenne des droits de l'homme ne relève pas du hasard.

Je ne me risquerai pas devant vous, qui en êtes à l'origine, à préciser l'importance et la richesse de ce traité. Permettez-moi d'en souligner cependant l'aspect le plus fondamental. La Convention européenne ne se contente pas d'énumérer un ensemble de droits : elle les garantit immédiatement à toute personne relevant de la juridiction des parties contractantes. Elle établit un système international de protection collective de ces droits — procédure unique en son genre — qui peut fonctionner à l'initiative des États comme des particuliers.

Ainsi le droit qui, lorsque j'étais étudiant, s'appelait encore le « droit des gens », mérite vraiment son nom et retrouve ses lettres de noblesse. L'individu, jusqu'alors isolé et ignoré dans les rapports entre États, devient une personne, un citoyen dans la communauté des nations européennes.

Je rappellerai, vous le comprendrez, que plusieurs Français ont joué un rôle décisif dans l'élaboration de cette Convention. Même si l'on ne peut oublier que mon pays est un peu trop longtemps resté en marge, ce temps est maintenant révolu. La France est au rendez-vous des libertés, selon une tradition plusieurs fois séculaire. Elle n'éprouve pas seulement le sentiment du devoir accompli, comme si désormais elle avait rempli toutes ses obligations — quel pays pourrait le dire ? —, mais elle sait qu'elle va devoir assumer des responsabilités nouvelles parce que les libertés de l'individu sont fragiles et qu'en matière de droits de l'homme, il n'y a jamais d'acquis définitif.

Que de fois ai-je répété dans mon pays : « Ne l'oubliez jamais, la liberté est une conquête ». Le combat pour les droits de l'homme a été longtemps un combat pour des textes, et aujourd'hui que les textes nationaux et internationaux existent, c'est un combat pour leur application, un combat pour que nul ne soit exclu de leur bénéfice, ni le travailleur du tiers monde immigré dans un pays plus développé, ni le membre de ce quart monde où l'on est pauvre et illettré de génération en génération, ni le nomade qui tient à conserver la tradition du voyage, ni l'ancien délinquant qui cherche à se réinsérer, ni le handicapé, ni les personnes âgées trop souvent délaissées.

Il nous faut examiner les causes économiques, culturelles, psychologiques des rejets qui marginalisent tant de personnes, et faire en sorte que l'état de droit soit une société pour tous.

Eh bien oui, la France est décidée à soutenir les efforts entrepris au service des droits de l'homme ! A cet égard, je sais que des travaux sont en cours pour améliorer, renforcer les deux instruments essentiels existant en ce domaine : la Convention européenne des droits de l'homme et la Charte sociale européenne. Pour ce qui concerne la Convention, il s'agit d'améliorer le fonctionnement du système de contrôle et, surtout, d'étendre les droits garantis. Pendant trop longtemps, les droits de l'homme ont été envisagés davantage sous l'angle de leur défense que sous celui de leur extension.

Dans sa déclaration sur les droits de l'homme du 27 avril 1978, le Comité des ministres du Conseil de l'Europe a décidé d'accorder la priorité à l'élargissement de la liste des droits individuels, particulièrement dans les domaines social, économique et culturel.

Voilà qui rejoignait des préoccupations que, là où j'étais, j'avais eu l'occasion d'exprimer souvent, car l'ultime question à laquelle nous devons répondre est bien celle-ci : quelle place pouvons-nous reconnaître à l'individu face à l'État, face à la société ? L'individu, chaque personne, devant les mouvements, les organisations, les ensembles, les abstractions ? L'individu, valeur irremplaçable et, je l'espère, inaliénable ! Car les droits de l'homme forment un ensemble, et prendre conscience de leur complémentarité apparaît indispensable.

Dans nos pays, nous avons trop tendance à considérer que les droits sociaux et économiques résultent naturellement du progrès économique. Or, il n'en est pas ainsi, et la crise actuelle est là pour nous le rappeler.

Dans les organisations dont l'Europe s'est dotée, comme dans les États qui la composent, la concertation entre partenaires sociaux s'impose à tous. En tout cas, telle est ma conviction, et j'aimerais que l'Europe, dans ses différentes enceintes, donnât l'exemple et l'élan. Que serait cette Europe privée de ses droits économiques et sociaux ? Là aussi, la liberté est une conquête. Je sais que vous en êtes, ici, dans cette assemblée, conscients, puisque vous avez souhaité dans l'une de vos résolutions qu'un statut particulier fût précisé dans ce domaine.

C'est dans cet esprit, à mon sens, que peut être conçue l'actualisation de la Charte sociale, instrument complémentaire et indispensable de la Convention sur les droits.

Le Conseil de l'Europe m'apparaît comme un élément essentiel à la réflexion que nous devons mener pour coordonner nos efforts, nous, États, gouvernements, parlementaires, partenaires sociaux, afin d'améliorer, de corriger des disparités économiques et sociales et d'enrayer autant qu'il est possible le fléau du chômage, menace pour nos démocraties.

Croyez-le, la France œuvrera en tout cas pour parvenir à de tels résultats, car ce qui est en jeu n'est rien d'autre que le plein épanouissement de l'homme dans sa dignité, et c'est au nom de cette dignité que le Parlement français a, sur proposition du gouvernement, conformément aux directives que j'avais moi-même lancées, aboli la peine de mort.

Je me réjouis à l'idée que dans peu de temps, je l'espère, une norme nouvelle établissant l'abolition de cette peine sera inscrite dans la Convention européenne des Droits de l'Homme.

Cet exemple nous rappelle que le respect de la dignité de chaque être humain suppose une évolution considérable des esprits. Les droits s'apprennent, leurs pires ennemis sont l'ignorance et l'intolérance. C'est pourquoi je pense que c'est avec raison que, dans sa déclaration du 14 mai 1981, le Comité des ministres du Conseil de l'Europe a rappelé que l'intolérance est une menace mortelle pour la démocratie.

Nous nous efforcerons, dans chacun de nos pays, de mettre en œuvre ces principes. Ce n'est pas toujours très aisé selon les circonstances. Mais enfin, comme on l'a rappelé, nous espérons pouvoir vivre là où nous voudrions, vivre dans une démocratie vivante. Je m'y suis efforcé dans mon propre pays, celui qui a l'honneur et la joie de vous recevoir, notamment en venant vous rejoindre, sans perdre d'autre temps, en accordant notre signature à la procédure du recours individuel. Il n'y a pas si longtemps, le ministre des Affaires européennes et le Garde des Sceaux[6] se trouvaient parmi vous à ce sujet.

Je me permettrai de vous rappeler qu'ont été récemment supprimées, dans mon pays, toutes les juridictions d'exception répressives et qu'a été instauré un État de droit que je crois sans précédent, aussi bien sur le plan politique, par l'abolition de la Cour de Sûreté, que sur le plan militaire — en temps de paix — par la suppression des tribunaux militaires ; que nous avons effacé de notre droit toute trace de responsabilité collective ; que nous ne voulons plus de responsabilité pénale en raison de discrimination dans les mœurs ; que nous voulons et que nous avons déjà restitué au juge son plein pouvoir d'appréciation, tandis que nous avons entamé la réforme de notre Code pénal autour de quelques idées centrales dont je citerai celles-ci : l'instauration de la responsabilité pénale des personnes morales, les ententes, tout ce qui choque les mœurs et la loi, qui peut se trouver parfois à l'abri de l'abstraction des personnes morales ; des sanctions aux infractions à l'intérêt collectif, et je pense en particulier aux crimes commis contre l'environnement, aux pollutions maintenues envers et contre tout ; le contrôle par les tribunaux de l'exécution des peines, rendant au judiciaire ce qui lui appartient ; sans parler, bien entendu, de la lutte contre les crimes, tous les crimes, et particulièrement ceux qui relèvent des organisations systématiques, sans frein, sans autre considération que la haine des autres.

6. MM. André Chandernagor et Robert Badinter.

Nous avons certes, à l'égard de propositions retenues ici même, et même, je crois, à l'initiative de la France, marqué des réserves. Certaines dispositions doivent être corrigées, mais nous n'en restons pas moins désireux de voir les pays d'Europe, dans cette assemblée ou dans les autres, se mettre d'accord sur ce qui pourra servir au développement des libertés, à la sauvegarde des vies et des biens face au terrorisme international. Mais, pour cela comme pour le reste, encore faut-il une nouvelle impulsion politique.

La récente proposition du gouvernement autrichien, relative à la tenue d'une conférence des ministres chargée des Droits de l'Homme, va dans ce sens, et les autorités françaises l'examinent avec sympathie.

Il est essentiel de préserver dans ce domaine l'unité de l'Europe démocratique. La Convention européenne doit demeurer le code commun pour tous ces États. Nous détenons ensemble un patrimoine dont la sauvegarde et le développement, pour être durables, ne peuvent qu'être homogènes, et la tâche qui reste à accomplir est si lourde, si difficile qu'elle n'ôtera rien, cependant, à son aspect le plus exaltant.

Nous sommes tous engagés dans nos pays, par le jeu de la démocratie, dans des combats très astreignants qui s'inspirent de nos convictions et qui, parfois, peuvent nous donner le sentiment de nous attarder sur des plans qui ne correspondent pas au meilleur de nous-mêmes. Vous imaginez comme il est important de donner une signification plus profonde à ces actes pour justifier sa propre vie ! L'action menée dans ces enceintes répond à ce besoin.

Le Conseil de l'Europe, cette assemblée, Monsieur le Président, Mesdames et Messieurs les Parlementaires, vous le savez, s'attache à développer la coopération entre les États membres afin de rapprocher, d'améliorer les législations nationales dans le domaine social. J'en ai dit un mot tout à l'heure, j'y reviens.

Beaucoup de travail a été accompli, certes, depuis 1949, mais on oublie parfois que la richesse de votre organisation est le fruit d'une pratique constante du dialogue sous toutes ses formes, dialogue politique à l'évidence. Mais c'est aussi là une enceinte, peut-être unique, de relations entre des États qui partagent le même idéal de liberté, de démocratie politique, de primauté du droit, qu'il faut considérer dans son évolution historique et dans sa finalité.

Que signifieraient des droits et des principes de droit public qui s'appliquent à l'individu, selon les termes traditionnels de notre droit que j'ai étudiés depuis longtemps, comme beaucoup d'entre vous ; que signifierait cette définition de la démocratie politique dont on retrouve les termes exprimés dans la magnifique Déclaration des Droits de l'Homme et du Citoyen, en particulier, parmi d'autres grands et beaux textes, si ces droits étaient vidés de leur substance par le seul fait que, dans le déroulement de la vie sociale et des structures économiques, ces principes inscrits sur le fronton des bâtiments publics n'entraient à aucun moment dans la vie quotidienne de ceux qui sont censés en être protégés ?

Oui : dans la vie de ces millions et millions de femmes et d'hommes qui peuvent se dire libres et protégés mais qui travaillent trop pour leur santé physique et morale, ou pas assez à cause de la grave rupture du chômage, et sans utilisation organisée, laissée à leur libre choix, de leur temps libre.

Oui : la conception de leur travail comme outil et instrument de leur vie, et non pas leur vie comme instrument de leur travail ; et le droit des femmes et le droit des enfants ; et celui des personnes âgées, maintenant qu'apparaît pour elles une capacité nouvelle d'éveil jusqu'à l'achèvement... Et, comme on le disait tout à l'heure, celui des marginalisés, des groupes minoritaires jusque dans leur culture...

Que signifierait vraiment ce qui ne serait devenu que de grands mots, si la démocratie politique ne se muait à travers le temps ?

Il n'y a plus de temps à perdre en matière de démocratie économique et sociale. Mais inversons aussi les termes de cette proposition : que serait la démocratie ou l'État qui se proclamerait démocratie économique et sociale et qui aurait laissé, abandonné au passage la démocratie politique ? Ni dans un cas, ni dans l'autre — avec naturellement des différences de valeur, car la démocratie politique reste la base indispensable — on ne pourrait dire qu'on a bâti une société de droit.

La primauté du droit en ce qui concerne les domaines les plus divers... Des grandes choses à celles qui peuvent paraître plus modestes et qui touchent cependant à la pratique... Je pense en particulier à cette coopération transfrontalière des collectivités et autorités territoriales. Cela peut paraître bien mince ou bien circonstanciel par rapport à tout ce qui vient d'être dit, et pourtant, c'est un grand progrès que d'avoir pu — ou que de pouvoir, à l'heure actuelle — parvenir à ratifier tous ensemble des dispositions de ce genre. Car qu'y a-t-il de plus politique, dans le bon sens du terme, que d'encourager une meilleure distribution des pouvoirs entre l'État et les autorités locales, de permettre à celles-ci de coopérer par-delà les frontières ?

L'ensemble de l'Europe démocratique, je le répète, assume une responsabilité politique à l'égard du monde extérieur. Il faut en avoir conscience, et soutenir les initiatives comme celle de votre Président et de votre assemblée qui a elle-même entrepris le dialogue avec les autres démocraties pluralistes dans le monde. Ce dialogue devra se concrétiser par une conférence des démocraties parlementaires en automne 1983 à Strasbourg, et s'inscrire dans la logique du rôle statutaire du Conseil de l'Europe.

Ces États forment, on l'a répété, mais c'est utile pour pénétrer les consciences, la majorité au sein du groupe trop peu nombreux, souvent en recul, des démocraties dans le monde. De ce fait, un rôle particulier incombe au Conseil de l'Europe. Il est naturel, il est même nécessaire qu'il trouve d'abord son expression concrète sur le plan parlementaire. Simultanément, au Comité des ministres, l'adoption de positions communes sur des événements qui se produisent sur la scène politique mondiale prend une place de plus en plus importante, évolution dans la nature des choses, que je ne saurais qu'approuver.

Dans la conjoncture internationale actuelle, servir d'abord de point de rencontre aux familles de l'Europe, pour sa construction, au sein de votre Conseil : les États membres de la CEE, les représentants de l'Association européenne de libre échange[7], de

7. Créée en 1959 par le traité de Stockholm entre sept pays (Autriche, Danemark, Grande-Bretagne, Norvège, Portugal, Suède et Suisse), l'AELE voulait contrebalancer l'influence de la Communauté Économique Européenne, mais avec de moindres ambitions, puisqu'elle se bornait à instaurer entre ses membres une

l'Alliance atlantique, ceux des États neutres, ceux des États non alignés, ont tous des points communs en dehors de toute politique des blocs qui représente une autre face de notre vie contemporaine et qui n'engage pas tous ceux qui participent à ces travaux.

C'est un incomparable capital d'expériences diverses, d'engagements respectifs, de visions du monde à partir du même point de ralliement où se retrouvent tous ceux qui croient à une certaine forme de civilisation héritée de nos traditions. Il ne s'agit pas, bien entendu, de façonner et d'imposer des politiques communes, mais il s'agit de confronter les points de vue que j'évoquais, d'arriver à un consensus, afin que cela se traduise et se diversifie à travers tous les canaux de la coopération internationale. Cela vaut pour les relations Est-Ouest comme pour les relations Nord-Sud, et pour bien d'autres qui pourraient être localisées.

Par exemple, sur le plan des relations Est-Ouest, bien entendu, il faut essayer de renouer l'indispensable dialogue. Seulement, on ne peut renoncer à la défense des principes, particulièrement celui de la liberté de l'homme. Tout en ne partageant pas, pour ce qui me concerne, les conceptions politiques des États de l'Europe de l'Est, ne m'empêchez pas de penser, même s'il m'arrive de faire des réserves sur certaines politiques de l'Europe de l'Ouest, que la sauvegarde commune, pour une part morale et surtout matérielle, passe par certains canaux, notamment par

zone de libre-échange avec exonération des droits de douane pour certains produits. Après l'entrée de la Grande-Bretagne et du Danemark dans la C.E.E. en 1972, le rôl de l'AELE s'est progressivement réduit à de simples échanges d'information.

le désarmement, par le dialogue et la négociation, sans jamais abandonner la rampe de sécurité qui s'appelle les Droits de l'Homme.

Certaines activités du Conseil de l'Europe se prêtent à une telle coopération. Elles seraient bénéfiques à l'Europe toute entière.

Parlons des relations Nord-Sud. Le Chancelier fédéral d'Autriche, mon ami Bruno Kreisky, avait, le 5 mai 1976, dans un discours devant votre Assemblée à propos des implications et des nécessités pour l'Europe qui découlent du dialogue Nord-Sud, suggéré « la création, sur le plan politique, d'une institution comparable à l'OCDE[8], au sein de laquelle auraient lieu des échanges de vues politiques analogues à ceux auxquels procèdent les pays membres de l'OCDE dans le domaine économique ». Et il avait estimé « que le Conseil de l'Europe pouvait examiner l'idée qu'un tel organe pourrait se réunir sous ses auspices ».

Votre Assemblée est en passe de réaliser ce projet. Je l'en félicite.

Le Comité des Ministres ne pourrait-il, au niveau gouvernemental, permettre aux gouvernements de l'Europe démocratique représentés au Conseil d'engager précisément les ouvertures nécessaires et des échanges réguliers sur la responsabilité politique de l'Europe dans les relations Nord-Sud, sur une action éventuelle dans le cadre des organisations directement concernées ?

Vous voyez le spectacle : les États industriels en arrêt, les pays en voie de développement, et surtout les plus pauvres, en chute libre, des surendettements,

8. Organisation de Coopération et de Développement économique.

des désordres de toutes sortes, des espèces de ruptures ou de retours, par nécessité, au rapport de forces antérieur.

Imaginez le dommage pour le monde entier, le déséquilibre d'où naîtront les futurs et prochains drames, et puis, surtout, le manquement au devoir fondamental qui nous incombe.

Presque tous les pays ici rassemblés ont longtemps exalté la puissance du sentiment national — et ils ont eu raison — qui a tant contribué à façonner l'âme de nos peuples, souvent pour le meilleur, parfois pour le pire, et ils n'avaient alors plus raison. Et pourtant, nous ne sommes pas une simple addition géographique — ce n'est pas en tout cas comme cela que je le ressens — de peuples juxtaposés. Ma génération est née pendant la Première Guerre mondiale et a combattu pendant la Deuxième[9]. Nous avions vingt ans. Quel spectacle était le nôtre ! Considérez l'image de l'Europe en 1939 et ce qui s'en est suivi.

Beaucoup, beaucoup trop d'entre nous ont connu les drames personnels, les deuils, les chagrins, les ruptures, les vies fauchées.

J'ai admiré les hommes illustres qui, alors même que cette Deuxième Guerre mondiale n'était pas finie, concevaient déjà la reconstruction de l'Europe à partir de ce que l'histoire et la géographie laissaient pour embryon de l'Europe dans sa réalité géographique.

Je me souviens — je l'ai souvent rappelé parce que j'en tire quelque orgueil — que, bien que fort jeune à l'époque, j'ai participé au premier Congrès européen

9. Né en 1916, François Mitterrand fut mobilisé en septembre 1939. Prisonnier de guerre, trois fois évadé, il rejoint la Résistance dès son retour en France.

de l'Histoire à La Haye[10], trois ans après que mon pays eut recouvré la liberté, me retrouvant coude à coude avec tant d'autres, des espérances au cœur et avec la volonté de réussir. J'avais, il est vrai, vécu un peu dans l'entourage de Jean Monnet[11] dont je suis le compatriote au niveau de nos villages, et je devais devenir peu après le collaborateur direct, au sein du gouvernement, de Robert Schuman[12]. Je n'étais pas de sa formation politique, je me suis flatté très souvent d'être de sa formation spirituelle dans ce qu'elle avait d'universelle.

Oui, ce n'est pas simplement une juxtaposition de peuples étrangers l'un à l'autre. A plusieurs époques, l'Europe a existé sur bien des plans : ceux de l'art, de la foi, de la recherche, de la raison. Les réformes et les contre-réformes ont été vécues ensemble par nos peuples. Les grands mouvements libéraux ou contre-révolutionnaires ont habité la plupart de nos pays dans les mêmes moments historiques du XIXe et du XXe siècles. Nos racines ont poussé dans le même terreau.

La création du Conseil de l'Europe, après la catastrophe répétée de ces deux guerres mondiales, a témoigné de cet élan vital. Je pense que vous éprouverez vous-mêmes, comme moi, la nécessité, en ce lieu privilégié, de retrouver la convivialité européenne autour de la table commune de l'Histoire et

10. Cf. *infra*, discours du 24 mai 1984 devant le Parlement européen.

11. Jean Monnet, né à Cognac, et François Mitterrand, né à Jarnac, sont tous deux originaires des Charentes.

12. François Mitterrand fut ministre des Anciens Combattants dans le gouvernement de Robert Schuman (novembre 1947-juillet 1948).

de la Culture, de retrouver en même temps l'inspiration politique qui balaie les obstacles mineurs, pour imaginer l'histoire du temps présent, l'histoire du temps futur.

L'ouverture sur les autres cultures est dans la nature de nos peuples. J'aimerais cependant me garder de toute forme de mondialisme un peu diffus, parfois anesthésiant : je n'ai rien contre cette vue des choses qui s'imposera un jour ou l'autre, mais je crois profondément qu'il faut préserver la spécificité des cultures, notamment les cultures minoritaires, dans chacun de nos pays, pour autant qu'elles ne heurtent pas les chances du maintien profond des communautés nationales.

Enfin, puisque nous supposons qu'une même famille est ici réunie, on pourrait parler des absents. Après tout, ils font eux aussi partie de l'Europe. Car nous ne pouvons réduire notre continent aux seuls signataires des traités et des conventions dont vous assurez la bonne application. L'histoire nous souffle une autre définition plus riche, plus diverse, mieux accordée à la mosaïque européenne. Comment effacer deux millénaires de culture ? Comment oublier que ce qu'on appelle Europe centrale a partagé, avec notre pays, des phénomènes de civilisation aussi réels que le Gothique, la Renaissance, la Réforme, le Romantisme, enfin l'explosion de la modernité ? Comment peut-on parler, ici à Strasbourg, de littérature européenne contemporaine sans évoquer Kafka, de musique en gommant Bartok, d'esthétique en oubliant Lukacs, de théâtre en ne citant pas Ionesco ? Et quel meilleur exemple donner que Marie Curie, Polonaise et Française à la fois !

Pour rester elle-même et s'épanouir, la culture

européenne se doit de n'oublier aucun aspect de son patrimoine ni de ses virtualités. Et par quel chemin pouvons-nous réaliser ces grandes espérances ? Par tous les chemins que nous avons inlassablement parcourus depuis plus d'un millénaire. Que nos étudiants, nos chercheurs, nos créateurs soient conscients d'avoir en commun leurs universités, leurs laboratoires, leurs bibliothèques, leurs salles de concert, leurs musées, et qu'ils sachent que tout ce qui leur est offert est à préserver, à vivifier, sous peine de périr.

Notre culture ne devrait pas connaître de frontières, et pourtant est-il bien sûr que nous mettions pleinement en pratique cette règle fondamentale ? Songeons qu'autour de l'an 1500, une soixantaine d'universités parsemaient l'Europe. Certaines d'entre elles étaient à ce moment-là en place depuis plusieurs siècles déjà : Paris, Montpellier, Bologne, Padoue, Oxford, Cambridge, Salamanque, Valladolid. Il faudrait en citer une quinzaine d'autres en plein développement en Allemagne, en Italie, aux quatre coins de l'Europe : Aberdeen, Coimbra, Budapest, Cracovie, Upsal. Tous ces pôles de recherche ne vécurent et ne se développèrent à l'époque que par l'intensité de leurs échanges, tous organisés à partir de la présence, auprès de chaque grande université, d'un collège des « nations » où se retrouvaient les étudiants originaires de chaque pays, dont le cycle d'études était souvent un long parcours sur notre continent. Comment ne pas évoquer ici Érasme de Rotterdam, dont la carrière résume l'Europe d'alors : Paris et l'Angleterre, Bologne, Venise, Padoue, l'Angleterre à nouveau, et Bâle ?

Que d'autres exemples qui permettraient de retrouver exactement chacun des points géographiques et culturels représentés ici par chacun d'entre vous ! Certes, la répartition du savoir n'est plus la même aujourd'hui. D'autres voyages sont nécessaires. Mais est-il toujours souhaitable que nos chercheurs traversent l'Atlantique ? Bien entendu, qu'ils le fassent peut être excellent. Il ne s'agit pas non plus de fermer cette voie ! Mais enfin, est-il toujours souhaitable que l'on traverse l'Atlantique alors que l'on pourrait trouver en Europe le moyen de bien féconder ses recherches ? La question mérite d'être posée sans préjugés. Tous ces brevets, toutes ces licences, ces recherches au loin, alors que la vraie richesse n'est ni les licences ni les brevets, mais les cerveaux ? Il serait peut-être sage de songer à garder les cerveaux de l'Europe en Europe et, pour cela, offrir un champ suffisant pour leurs capacités de recherche et d'expression. Personnellement, je serais tenté de vous proposer de mettre en place à travers l'Europe un réseau de centres de recherches à partir de pôles d'excellence destinés à intensifier les échanges entre universités, laboratoires, grandes écoles et instituts.

L'Europe de la Culture est un élément de résistance à tous les alibis commerciaux de la culture, commercialisation également souvent nécessaire à condition qu'elle ne prime pas, car les inventions de l'esprit, quand elles sont accaparées par les intérêts marchands, sont parfois condamnées aux pires simplifications. Nos lieux d'enseignement perdraient leur signification, leur raison d'être, si nous n'étions pas capables de marquer l'espace audiovisuel, pour reprendre l'expression de M. le Président. Les heures de plus en plus nombreuses passées à utiliser ces instruments pourraient devenir un temps mort, un temps meurtrier, si nous ne pouvions y introduire nos initiatives, nos identités, c'est-à-dire nos programmes, comme nous imprimions nos livres. Bref, l'Europe peut être frappée de pollution sonore et visuelle par insignifiance. Et quand je dis qu'il y a urgence, c'est que les machines, et ceux qui les vendent, n'attendent pas : on est pressé de nous séduire. Sommes-nous aussi pressés d'être achetés à bon compte ? C'est toute la question.

Que l'on me comprenne bien : mon interrogation est un appel à l'imagination, non à la contrainte. Si l'on songe à ce qu'a représenté l'imprimerie pour la Renaissance, n'oublions pas qu'une alliance doit être trouvée entre les anciens et les nouveaux moyens de communiquer, et que la responsabilité de l'Europe est spécialement engagée. La réponse est en nous-mêmes. Nous devons la rechercher avec confiance.

J'ai noté ici quelques lignes d'un grand poète dont j'étais l'ami jusqu'à son dernier jour. Je pense à Saint-John Perse lorsqu'il écrivait : « Quand la violence eut renouvelé le lit des hommes sur la terre, un très vieil arbre à sec de feuilles reprit le fil de ses maximes et un autre arbre de haut rang montait déjà des grandes Indes souterraines, avec sa feuille magnétique et son chargement de fruits nouveaux. »

La civilisation européenne forme un tout. Il est important que ce message nous vienne d'un grand poète européen né loin d'ici, du côté de l'Amérique, et qui avait compris la valeur des espaces, la puissance des senteurs dans le message de l'homme.

Enfin, il n'y a pas une Europe des Dix ni une Europe des Vingt-et-un, même s'il y a des assemblées à dix et des assemblées à vingt-et-un. Il vaudrait mieux ne pas considérer ces communautés comme rivales, bien qu'européennes l'une et l'autre. Elles sont différentes par la vocation, la composition, leurs mécanismes. Elles ont leur rôle propre, mais leurs travaux doivent s'enrichir mutuellement.

Je connais à cet égard les préoccupations de votre secrétaire général, M. Karasek, à qui je voudrais rendre un hommage chaleureux en lui rappelant le plaisir que j'ai eu de le recevoir, il n'y a pas si longtemps, au Palais de l'Élysée. Qu'on me permette de saisir cette occasion pour saluer aussi un homme pour lequel j'ai beaucoup d'estime, je pense à George Spinale, qui présida l'Assemblée des Communautés européennes et anima également l'Assemblée parlementaire du Conseil de l'Europe, à qui j'adresse de loin un salut amical.

Plaçons-nous au niveau qui est le vôtre, dans sa dimension la plus large. Il faut faire entendre votre message au monde. Chargé d'histoire, l'homme européen ne finira pas de conquérir son identité, il vient de loin. Il lui reste à parcourir une si longue route. Il subit encore en divers endroits, en divers pays, la contrainte, la séparation, les ruptures, l'injustice, et les effets de la crise partout. Rassemblons ce que nous avons de meilleur pour faire face aux épreuves, pour savoir que nos richesses sont en nous-mêmes, autour de nous, dans notre sol, mieux encore : dans notre esprit. Que la première règle qui ensemencera tous les sols soit celle dont nous parlons depuis le début, la raison même de ma visite ici, indépendamment de ce que je vous devais : que chacun agisse selon sa conscience.

Voilà, Monsieur le Président, Mesdames et Messieurs les Parlementaires, ce que je souhaitais vous dire ici à Strasbourg. J'exprimerai maintenant ma joie de votre présence dans mon pays, de vous dire à quel point je suis sensible, accueilli par vous, de pouvoir vous accueillir aussi après plus de trente années. Je suis aujourd'hui bénéficiaire de votre hospitalité. Elle m'a fourni une grande occasion dans ma responsabilité politique. Mais ce n'est pas tellement mon objet que de louer votre action, même si je l'ai fait. Je cherche à exalter la grandeur de l'Europe par le meilleur d'elle-même.

« JE CROIS A LA NÉCESSITÉ HISTORIQUE DE L'EUROPE »
(6 décembre 1983)

Au cours du second semestre de 1983, la présidence du Conseil Européen incombait à la Grèce. A partir du 1er janvier 1984 et pour une durée de six mois, elle revient à la France.

A l'issue du dernier Conseil Européen de l'année, qui se tient à Athènes sous la présidence de M. Papandréou, le Président Mitterrand rappelle l'engagement européen de la France, plus vital que jamais en période de crise, et définit les axes de l'action qu'il entend mener au cours des six mois à venir.

Mesdames et Messieurs,

Je m'adresse à vous à la fin de cette rencontre d'Athènes. L'essentiel sur ce Conseil européen de la Communauté des Dix vous a été rapporté par M. Andréas Papandréou[1] dans le cadre de sa fonction, la présidence, assumée par la Grèce. Il lui appartenait de tirer les conclusions de ces deux jours de travail, et je ne compte pas me substituer à lui. Cette tâche est accomplie.

Comme vous le savez, il appartiendra à la France

1. Premier Ministre grec, Président du Conseil européen depuis le 1er juillet 1983.

d'assurer la présidence au tour qui est le sien pour le premier semestre 1984. Je recueille donc des mains du Président grec l'état actuel des négociations sur la base du rapport et des conclusions qu'il a lui-même soumises, ce matin encore, aux Dix.

On mesure aisément l'ampleur de la tâche qui incombe à la France pour les six mois prochains. Non pas que les éléments dits « d'Athènes[2] » aient été particuliers ou aient signifié une aggravation d'une crise latente dont l'importance était visible depuis longtemps. La plupart des discussions ont commencé parfois depuis plusieurs années, et l'origine des différends remonte aux années antérieures. Arrive le moment où il faut bien conclure. On aurait pu espérer que ce moment était arrivé à Athènes. Espérons qu'il le sera dans le courant de l'année prochaine. C'est en tout cas à quoi je m'appliquerai, autour de quelques thèmes simples.

Vous connaissez l'engagement européen de la France et mon engagement personnel. Je crois à la nécessité historique de l'Europe à partir des institutions qu'elle s'est donnée et qui représentent un tout, sans doute adaptable dans son application aux conditions du moment, mais qu'il faut sans cesse rappeler si l'on ne veut pas oublier la source même du droit et du contrat qui nous lie. La France ne négligera rien,

2. Le Conseil européen d'Athènes s'acheva sur une absence de résultats. Il permit toutefois de mettre en évidence les problèmes qui allaient incomber à la présidence française et d'en préciser les données : maîtrise de la croissance budgétaire de la Communauté ; fixation d'un délai pour la négociation de l'élargissement ; maîtrise de la production laitière ; démantèlement progressif des montants compensatoires communautaires positifs ; contribution britannique, etc.

dans le cadre de sa responsabilité prochaine, comme au nom d'elle-même, pour faire aboutir les travaux entrepris.

A cette fin, comme tout autre pays des Dix, la France est prête à consentir à des sacrifices, bref, à faire des concessions. Je les ai exprimés au cours de ces derniers mois, à Stuttgart comme à Athènes. Encore faut-il qu'ils aient un sens, et d'abord à condition que l'Europe reste elle-même.

J'ai déjà dit que notre référence était le Traité de Rome, signé par six des pays membres de la Communauté actuelle, communauté rejointe par quatre autres pays[3] qui, en adhérant, ont par avance souscrit aux obligations du Traité, même si des mesures particulières ont été décidées d'un commun accord à l'époque. Que l'Europe reste elle-même, c'est vrai dans tous les domaines ; qu'elle soit aussi fidèle à son ambition qui consiste, d'étape en étape, à définir des responsabilités communautaires nouvelles. Mais le Traité lui-même, par exemple sur le plan de l'agriculture européenne, donne une définition très claire et même très simple, que l'on retrouve dans l'article 39, et qui fait état de la notion de revenu de l'agriculteur, qui ne peut être confondue avec les dérivés agricoles qui sont en réalité industriels et que l'on dit « hors sol ».

Il faut aussi réaffirmer la vocation exportatrice de l'Europe, qui n'a pas à se replier sur elle-même, qui doit rechercher dans le monde entier de nouvelles parts de marché et qui doit agir en sens contraire de ce à quoi elle a consenti depuis déjà trop longtemps

3. La Grande-Bretagne, l'Eire et le Danemark ont rejoint la CEE en 1972, la Grèce en 1981.

en laissant le champ libre aux produits américains qui envahissent de plus en plus notre propre marché. Il faut un contrat juste. Il faut que l'Europe et les États-Unis d'Amérique en débattent, qu'ils parviennent à un nouveau stade de relations. Mais il n'est pas possible que la plupart de nos débats sur ce plan-là soient déformés par la pesée extérieure à la Communauté que représente la masse de ces produits. Je pense en particulier au problème laitier.

Donc, que l'Europe reste fidèle à elle-même. Elle a besoin dans l'immédiat de nettoyer les scories du passé. Ces scories sont nombreuses. Je pense aux débats sur les montants compensatoires, je pense aux débats sur la contribution britannique, engagés en 1980 dans des conditions difficiles. Mais, en même temps qu'elle doit nettoyer les scories du passé, apurer les comptes, et donc s'imposer des règles de gestion autour d'une réelle discipline budgétaire, des économies, des seuils de garantie là où il y a des excédents, il faut régler de multiples problèmes en cours dont M. Papandréou vous a certainement rendu compte. Et puis, il y a les voies nouvelles de l'Europe. Vous les connaissez. On peut appeler cela une relance, même si cela peut paraître bien ambitieux de parler d'une relance au moment où l'on ne parvient à régler les contentieux présents — mais on va s'y atteler. Et je crois que le seul fait de décider des perspectives nouvelles, d'en tracer la voie de façon précise, ainsi que les étapes, peut en même temps contribuer à régler les contentieux présents. On ne peut pas harmoniser les intérêts de dix pays si l'on s'en tient strictement à l'examen des intérêts en cause. Il faut qu'une idée plus forte et qu'une volonté politique entraînent ces pays vers un objectif, une finalité, une construction politique sous tous ses aspects, qui donne une signification historique profonde à l'entreprise.

Ces voies nouvelles sont diverses, qu'il s'agisse — et vous imaginez le prix que j'y attache — de la relance sociale, de la voie technologique et bio-technologique, de la coopération effective entre les entreprises, de l'ajustement fiscal, juridique, particulièrement pour les marchés publics, de la pleine utilisation des moyens financiers dont dispose la Communauté, de l'utilisation de l'ECU[4], des normes pour que la concurrence soit loyale, d'une définition nécessaire des fonds structurels, des programmes méditerranéens — sans jamais oublier qu'il y a derrière tout cela l'existence d'un ensemble, lequel doit prendre place, une plus grande place, dans les affaires du monde et, je le répète, dans tous les domaines de l'activité humaine.

Pour cela, à l'évidence, il faut des ressources, c'est-à-dire qu'en même temps que l'on décide des économies pour que la gestion devienne plus rigoureuse, plus stricte, plus conforme à nos devoirs, il faut savoir que les diverses voies qui s'ouvrent nécessitent des financements. Et j'ai tout à fait approuvé la proposition de la présidence grecque autour du 1,4 % de TVA. C'est sur ces bases, en tout cas, que seront reprises les conversations.

Parmi ces voies nouvelles, chacun a à l'esprit l'élar-

4. L'ECU (European Currency Unit) a été créé en 1978 dans le cadre du système monétaire européen. Cette unité de compte, composée d'un panel pondéré des différentes monnaies, sert dans les mécanismes de change entre les différents pays, les règlements entre autorités monétaires, et elle est également un indicateur économique et financier.

gissement de la Communauté à l'Espagne et au Portugal. Les problèmes posés par ces deux pays ne sont pas du même ordre, mais on a pris l'habitude de les réunir dans cette négociation.

J'ai dit ce matin, comme je l'avais dit récemment à Bonn, que l'Espagne et le Portugal avaient bien le droit d'obtenir de la Communauté des Dix une réponse dans un délai raisonnable pour savoir si c'est le oui ou si c'est le non. Cela vaut mieux que de laisser dans l'attente ces deux pays dont la dignité doit être respectée, qui sont l'Europe tout autant que les autres, qui ont leur part de grandeur historique. Et quelle histoire ! Et quelle culture ! Et quel rôle dans la géographie de l'Europe tournée de tous les côtés vers le reste du monde ! Mais cela pose des problèmes, naturellement, et quelques problèmes difficiles.

En fixant un délai de réponse, c'est-à-dire pour l'issue de la négociation, d'abord on oblige chacun à répondre à ses propres questions, et, d'autre part, on tient compte de ces deux pays qui le méritent bien.

Les positions de la France, je l'ai dit, tendront à ce que des réponses claires soient apportées à quelques questions cent fois répétées touchant à l'organisation de certains marchés, notamment agricoles, et particulièrement dans les régions où seraient menacés les producteurs par des concurrences sauvages. Il faut s'organiser. Et pour cela, la France — en tant que France, non point seulement en tant que Présidence française pendant six mois — a des questions précises à poser. Mais, désormais, cette réponse sera contenue à l'intérieur d'un bref délai.

La France aura la volonté de répondre favorablement, mais elle aura en même temps un égal souci de défendre les justes intérêts de ses producteurs et de ses travailleurs dans le Marché Commun, s'il devait passer de Dix à Douze. Tel est le débat.

Mesdames et Messieurs, nous aurons l'occasion de nous revoir, désormais, au titre qui sera le mien, le 1er janvier 1984. Il ne l'est pas encore. C'est pourquoi je tiens à rendre hommage au travail considérable accompli par la présidence grecque, en dépit parfois des intérêt conçus de façon immédiate de ce pays dont la situation, vous le savez, n'est pas des plus aisées à l'intérieur d'une Communauté comme la nôtre.

Cette présidence a accompli un remarquable travail, avec une constance, une obstination, une clarté d'esprit qui a buté sur des réalités dont j'ai dit tout à l'heure, pour commencer, qu'elles étaient très anciennes.

L'Europe sait sans nul doute — en doutait-elle tellement ? — qu'elle est en crise. Il faut maintenant tirer le meilleur de la crise : c'est à partir de là que chacun doit s'appliquer à trouver des remèdes.

Je vous remercie, Mesdames et Messieurs.

« LE RÉVEIL DE L'ESPÉRANCE EUROPÉENNE »
(7 février 1984)

Depuis la naissance du « grand dessein », partisans de « l'Europe des peuples » et tenants de « l'Europe des patries » n'ont cessé de s'opposer. D'où les crises à répétition qui ont fait que « l'Europe s'est mise à ressembler à un grand chantier ».

Après avoir tracé les grands traits de cette histoire, le Président de la République, au cours d'une visite officielle à La Haye, définit les conditions « d'un nouveau départ » : « Nous attendons désormais de l'Europe qu'elle nous aide à donner un sens à ce monde ».

Madame[1],
Monsieur le Premier ministre[2],
Mesdames et Messieurs,

Voici près de trente-six ans, les 7 et 8 mai 1948, ici même, et très précisément dans cette salle des Chevaliers où j'ai l'honneur de m'adresser à vous aujourd'hui, j'ai vu naître un grand dessein. Sous la présidence de Winston Churchill, en présence de la Princesse Juliana, huit cents délégués venus de vingt-

1. Il s'agit de la Reine Béatrix des Pays-Bas.
2. M. Rudolphus Lubbers.

cinq pays s'étaient rassemblés en Congrès de l'Europe. A peine sortis d'une guerre qui laissait l'Europe pantelante, comme frappée à mort, trente ans après une autre guerre qui avait tué la jeunesse et l'espoir du siècle, pour la première fois des hommes et des femmes encore meurtris et déchirés, enveloppés de deuil et du sang des combats de la veille, juraient de reconstruire ensemble, mieux encore, d'inventer l'Europe réconciliée. Oui, j'étais l'un de ceux-là. Avec ce beau printemps, la vie recommençait.

Si je rappelle cette rencontre, ce n'est pas seulement pour célébrer un événement qui fut, je le crois, décisif pour la suite des temps, mais aussi afin de rendre hommage au rôle joué par les Pays-Bas en ce jour, et en d'autres jours, pour notre commune histoire.

De cette année 1948 à l'échec du projet de Communauté Européenne de Défense en 1954, les débuts de l'Europe furent presque sans obstacle. L'ambition était là et le reste suivait. On se souvient des grandes étapes : institution du Conseil de l'Europe (1949), déclaration de Robert Schuman (1950), mise en œuvre de la CECA l'année suivante. Un moment hésitante, l'Europe reprit son élan avec la signature du Traité de Rome et la création du Marché Commun en 1957. Dès lors, l'intégration de nos économies s'accéléra, la libre circulation des hommes et des marchandises devint réalité et la politique agricole commune donna à l'Europe des Six sa véritable place dans l'agriculture mondiale. A cette œuvre reste associé le nom de l'un des vôtres, Sicco Mansholt.

Certes, tout au long de ce mouvement vers l'unité, la controverse ne cessa pas entre les tenants de deux visions clairement opposées. Pour les partisans de l'intégration, « l'Europe des peuples » devait dépasser la contrainte des États nationaux, certains prônant une démarche fédérale en vue de créer les États-Unis d'Europe. Pour les autres, « l'Europe des patries » ne pouvait ignorer le poids des nations et devait s'en tenir à une démarche confédérale, respectueuse des États qui pourraient, le moment venu, s'organiser en une union encore mal définie.

La crise ouverte le 30 juin 1965 pour que l'unanimité fût admise dans des votes autres que ceux prévus par le Traité, marqua le point culminant d'un débat que trancha le compromis de Luxembourg. A partir de là, la direction originelle s'infléchit. Un autre visage de la Communauté se dessina, sans cependant qu'elle renonçât à demeurer elle-même.

C'est encore à La Haye, au sommet européen des 1er et 2 décembre 1969, que furent prises trois décisions d'importance : la mise en œuvre des ressources propres, l'union économique et monétaire, l'élargissement de la Communauté.

A ce point de son évolution, l'Europe pouvait penser qu'elle était en passe de réussir : devenue la première puissance commerciale du monde, elle avait reconquis son rang parmi les centres de décision de la planète et prouvé que malgré Yalta, elle existait à sa manière, qui n'était ni celle des États-Unis d'Amérique, ni celle de l'Union Soviétique.

Mais, n'ayant pas vraiment fixé son projet politique dans les années de prospérité, elle était mal préparée à affronter l'adversité. Celle-ci survint avec le premier choc pétrolier. En 1973-74, l'Europe des Neuf hésita, tergiversa et quand, à la croissance économique ininterrompue qui lui avait tenu lieu de support, succéda la crise, le doute s'installa.

En dépit d'initiatives comme celles qui aboutirent à la création du Conseil européen, à l'élection du Parlement européen au suffrage universel, à l'élargissement au Royaume-Uni, à l'Irlande, au Danemark, puis à la Grèce, les difficultés qui, en d'autres circonstances, auraient dû renforcer la volonté commune, l'amenuisèrent peu à peu.

Les querelles d'experts se multiplièrent. L'opinion se découragea. Chaque gouvernement usa son énergie dans la défense des intérêts acquis, des revendications particulières, des calculs purement comptables.

L'Europe se mit à ressembler à un chantier abandonné.

Cette histoire, brièvement résumée, souligne que la situation présente ne découle pas du hasard, mais d'une lente dégradation des volontés. C'est le reflux de l'Europe, au cours des dix dernières années, qui a conduit à cette accumulation de contentieux dont les dix Chefs d'État et de gouvernement ont pris la mesure à Stuttgart. Le compromis d'ensemble qu'ils ont ébauché à Athènes et qui s'appuyait sur le document très sage proposé par M. Andréas Papandréou n'a pu compenser la somme des mésententes. Le Conseil européen de Bruxelles, en mars, constitue maintenant la prochaine échéance. Il convient de s'y préparer.

A cette fin, j'ordonnerai mon exposé autour de trois questions : Comment régler les contentieux ? Pour quel nouveau départ ? Dans quelles perspectives ? Ces questions sont liées. C'est en les considérant dans leur ensemble et sous tous leurs aspects — technique, commercial, économique, social, culturel, politique — qu'une réponse s'imposera. Tout accord devant comporter des concessions mutuelles, des sacrifices pour chacun, l'essentiel sera que le partage soit en fin de compte équitable et que l'on sache bien, de part et d'autre, à quoi il sert.

Comment régler les contentieux ?

Partons d'une évidence : les ressources financières de la Communauté sont limitées et nous nous devons de les gérer le mieux possible. Or, les crédits n'ont pas toujours été utilisés de façon rationnelle et, en l'absence d'orientations précises, certaines politiques ont été victimes de leur propre succès. Je pense à la politique agricole. Grâce au Traité qui lui a réservé, à juste titre, une place éminente, elle a assuré la survie et permis le développement d'un secteur capital pour nos économies, l'équilibre de nos sociétés, la puissance et le rayonnement de l'Europe dans le monde. Mais il n'est écrit nulle part qu'on laissera les productions s'accroître sans se soucier des débouchés. C'est pourtant ce qui se passe. Résultat : trop d'excédents bloquent la machine communautaire. Impossible de faire l'impasse là-dessus, fût-ce en se demandant pourquoi tant de produits américains ont accès libre à notre marché, pourquoi tant de produits européens ne jouissent d'aucune garantie, pourquoi la vocation exportatrice des Dix n'ose pas s'affirmer. Après tout, la Communauté reste globalement déficitaire pour sa consommation agro-alimentaire.

Analysant ces contradictions et cherchant à les résoudre, je suis naturellement conduit à définir les règles hors desquelles, selon moi, l'Europe continuera de s'égarer. Première règle : la maîtrise de la croissance budgétaire. Le Traité de Rome, en son article 203, détermine selon des paramètres fixes, et d'une année sur l'autre, le taux maximum de croissance des dépenses non-obligatoires. S'imposer cette discipline dans le respect des droits du Parlement et de la Commission et l'étendre à l'ensemble du budget permettra d'aborder dans un tout autre esprit les problèmes en suspens, notamment de la contribution britannique et de la pleine participation de chaque État à la couverture des dépenses.

La deuxième est que l'augmentation — indispensable — des ressources propres doit accompagner la gestion plus rigoureuse des ressources actuelles.

On traitera de la sorte de façon constructive des problèmes comme l'apurement progressif des excédents agricoles, l'extension de garanties communautaires aux produits méditerranéens, de même que l'on évaluera plus précisément le coût des politiques nouvelles et de l'élargissement à Douze.

La troisième règle qui commande le construction européenne elle-même n'aurait pas besoin d'être rappelée si l'on n'avait pris l'habitude d'y manquer : l'unité du marché et son double, la préférence communautaire. Ce retour aux sources facilitera le démantèlement rapide des montants compensatoires monétaires. Ceux-ci faussent en effet les mouvements naturels du commerce et condamnent injustement des centaines de milliers d'agriculteurs à la détresse et à l'angoisse. Ils sont franchement insupportables lorsqu'ils pèsent sur des productions animales qui ne font pas l'objet d'interventions communautaires et qui dépendent exclusivement des « produits de substitution », façon élégante de désigner les aliments américains qui pénètrent massivement sans taxe dans la Communauté. Il faut s'y préparer : la fixation des prix agricoles pour la campagne prochaine entraînera *de facto* un démantèlement qui devra aller bientôt à son terme.

Un mot encore sur l'élargissement à Douze. Je souhaite que l'Europe accueille l'Espagne et le Portugal, et qu'elle le leur dise sans tarder. Personne n'a le droit de tourner le dos à l'Histoire.

Une discussion sérieuse, respectueuse des intérêts en présence — on me pardonnera si j'évoque à ce propos les inquiétudes de nombreux producteurs de France — évitera les faux-semblants dont la Communauté a souffert lors des élargissements précédents. On imagine aisément que, dans l'exercice de mes fonctions de Président de la Communauté et de Président de la République Française, j'y veillerai avec un soin particulier.

Ces suggestions, j'ai commencé et je continuerai de les soumettre à nos partenaires afin de parvenir d'ici au 19 mars — du moins tels sont mes vœux — aux solutions conformes à l'intérêt commun. J'irai les proposer dans toutes les capitales et je recevrai avec joie ceux qui désireront m'en parler à Paris. Dans le même temps se dérouleront aux dates prévues les travaux du Conseil des ministres et des conseils spécialisés. Mon rôle aura été de préparer les décisions qui restent du ressort des Chefs d'État et de gouvernement réunis en assemblée plénière.

Je ne saurais cependant trop insister dès maintenant sur l'urgence d'un accord. Qu'il n'y ait plus d'argent disponible dans la caisse commune est déjà chose fâcheuse. Plus grave est à mes yeux le fait que c'est l'esprit même de l'Europe qui se perd. Quand personne n'y croira plus, il sera bien temps de mesurer l'ampleur de ce qui apparaîtra alors comme une faute majeure contre les valeurs de civilisation qui sont nôtres. Je ne puis y croire. Ici, comme en d'autres lieux, je perçois le réveil de l'espérance européenne. Soyons-en convaincus, ayons confiance en nous : le règlement des contentieux est à notre portée.

Mais pour quel nouveau départ ?

Le Marché Commun est né et a prospéré dans les derniers développements de la deuxième révolution industrielle, mais il n'a pas encore tiré parti de la troisième.

Pour cela, l'Europe a besoin d'un élan intellectuel vigoureux, d'un tissu industriel rénové et de l'appui d'entreprises mobiles et créatrices. Ne lésinons pas. Encourageons les initiatives tentées par la Communauté mais, s'il le faut aussi, à trois, à quatre, à six ; bref, entre ceux que cela intéresse.

L'enjeu est immense : notre continent, berceau de la civilisation technique, pourra-t-il assumer le choc en retour de ses propres inventions et reprendre sa place, la première ? Nous disposons de tous les moyens, mais ils sont mal coordonnés. Chacun poursuit son propre objectif, donnant trop souvent la primeur à la coopération avec les principaux concurrents de l'Europe, alors que la préférence communautaire est — ou devrait être — la règle d'or de notre association. Définissons une stratégie pour chacun des grands secteurs d'avenir : informatique, télécommunications, biotechnologies, infrastructures de transports ; lançons des ententes entre les entreprises européennes sur le modèle du programme Esprit, ouvrons les marchés publics, intensifions les échanges de chercheurs, agissons contre le protectionnisme des autres grandes puissances industrielles, mettons en place un espace européen de l'industrie et de la recherche. Si nous y parvenons, nous ferons, en quelques mois, des avancées considérables comme, avant nous, Robert Schuman et Jean Monnet. Le défi est de même taille. Notre Europe, qui a commencé avec l'alliance du charbon et de l'acier, connaîtra un nouveau départ avec l'électronique et la biologie. Nos peuples, qui pressentent que notre existence en tant que civilisation en dépend, nos peuples le comprendront.

Ce n'est pas tout. Rien de durable ne se fera dans ce domaine sans la participation active du monde du travail.

Mais à condition que l'Europe accepte de s'attaquer sans relâche au chômage. Je l'ai dit à Bonn l'an dernier devant le Bundestag, et je le répète devant vous avec la même conviction : l'Europe n'a pas d'avenir si la jeunesse n'a pas d'espoir. Or, il n'y aura adhésion durable du monde du travail à l'Europe que si ses millions de chômeurs retrouvent la dignité et la réalité du travail. Un espace social européen y contribuera grandement autour de quelques idées simples : aménagement concerté de la durée du travail, accélération et généralisation de la formation-emploi, développement des protections sociales, statut des travailleurs européens.

Mais l'Europe n'est pas une manufacture. Alors que jamais les possibilités d'échanges et de création n'ont été aussi grandes, alors que la puissance des média modifie nos manières de vivre, d'imaginer et de sentir, accepterons-nous sans réagir le déferlement d'images venues d'ailleurs ? Cette question vaut d'être posée à l'heure des vidéo-cassettes, des satellites et réseaux câblés qui vont décupler les moyens de la communication entre les hommes. Dépêchons-nous de remplir l'espace culturel européen où se multiplieront les productions communes.

Nombreuses sont aujourd'hui les voix qui s'élèvent un peu partout en faveur d'une défense européenne. Le surcroît de puissance des deux plus grands, l'échec de leurs négociations sur le désarmement, les tensions qui s'ensuivent, la détention par cinq États de l'arme nucléaire, l'effacement de l'Europe en tant que force capable de desseins autonomes, ont avivé les nostalgies et créé un besoin dont on ne peut pas mésestimer l'ampleur. Ce besoin me paraît fondé, l'ambition qui s'y greffe est intuition de l'avenir, mais un examen honnête de la question conduit aux réflexions que voici : dans l'état présent des choses, l'Europe reste partagée entre la sécurité qui existe et la sécurité qu'elle espère. Nul doute qu'elle choisisse la première, l'Alliance atlantique n'est pas près de se voir supplantée par une alliance européenne. Cela tient au fait qu'aucune force militaire n'est en mesure de se substituer à l'arsenal américain. La France, en tout cas, n'usera pas de sa capacité nucléaire autrement que pour sa stratégie propre de dissuasion, et l'Europe dans son ensemble ne prendra pas le risque de se trouver à découvert. Certes, les relations militaires franco-allemandes, en application du Traité de l'Élysée, demeuré lettre morte sur ce point pendant plus de vingt ans, ont pris un nouveau tour. On s'informe, on se concerte, on harmonise les démarches. De même avec la Grande-Bretagne. Mais la France n'a pas caché à ses alliés qu'hors la protection de son sanctuaire national et des intérêts vitaux qui s'y rattachent, elle ne saurait prendre en charge la sécurité de l'Europe. Pour des raisons stratégiques et pour des raisons de politique internationale qui résultent de la dernière guerre, la décision d'emploi de l'arme nucléaire française ne peut se partager.

Le champ reste vaste, cependant, qui nous permettra d'organiser notre sécurité. Non seulement par les armements conventionnels, mais aussi par les nouveaux moyens qui vont faire irruption sur la scène du globe. Il faut déjà porter le regard au-delà du nucléaire si l'on ne veut pas être en retard sur un futur plus proche qu'on ne le croit. Je ne citerai qu'un exemple : celui de la conquête spatiale. Que l'Europe soit capable de lancer dans l'espace une station habitée qui lui permettra d'observer, de transmettre, et donc de contrarier toute menace éventuelle, et elle aura fait un grand pas vers sa propre défense. Sans omettre les progrès du calcul électronique et de la mémoire artificielle, ainsi que la capacité déjà connue de tirer des projectiles qui se déplacent à la vitesse de la lumière. Une Communauté européenne de l'espace serait, à mon sens, la réponse la mieux adaptée aux réalités militaires de demain.

Enfin, pour quelles perspectives ?

Telle est, Mesdames et Messieurs, la troisième et dernière question que je me pose à moi-même en vous la posant. J'ai la profonde conviction que les contentieux ne seront pas réglés et qu'il n'y aura pas de nouveau départ si l'Europe néglige ou craint de se doter d'un projet politique. C'est là que mon interrogation sur une défense commune prend tout son sens : peut-on imaginer un pouvoir militaire — et quel pouvoir ! — indépendant d'un pouvoir politique ? Le moment est venu d'accorder à nos institutions une cohérence qui leur manque. Ainsi le Conseil des ministres serait-il bien inspiré en épargnant aux Chefs d'État et de gouvernement le disparate des décisions qui relèvent du quotidien. On éviterait de la sorte un encombrement dommageable qui a nui aux sommets de ces dernières années. Les experts, que l'on avait cru écartés de l'ultime délibération, rentrent par les fenêtres, récupèrent victorieusement leurs dossiers et disent le dernier mot. Pour empêcher la prolifération des instances, la dispersion des efforts et la rotation abusive des responsabilités, je verrais également avec faveur les Dix instituer un secrétariat permanent selon la formule présentée par le Chancelier Kohl lors du Conseil européen de Stuttgart. Une active concertation entre l'Assemblée et le Conseil des ministres en matière de politique internationale, avec le concours de la Commission, serait aussi la bienvenue.

Mais j'arrête là. Depuis qu'elle existe, la Communauté a maintes fois adopté d'intéressantes résolutions sur des sujets tels que les droits de l'homme, la CSCE[3], le Moyen-Orient, l'Afghanistan, l'Amérique centrale, l'Afrique australe, les relations Est-Ouest, les pays en voie de développement, j'en passe. Qui niera que les accord de Lomé soient l'une de ses plus grandes réussites ? Peu à peu, sa conscience politique se précise. Elle doit aller plus loin. Nous attendons désormais de l'Europe qu'elle nous aide à donner un

3. CSCE : Conférence sur la Sécurité et la Coopération en Europe.

sens à ce monde. Faite de tant de découvertes, d'inventions, d'épanouissements, mais aussi de ruptures et de déchirements, l'Europe peut prétendre nous apporter, et aux autres avec nous, un message de raison et d'espoir dans la capacité de l'homme à organiser son destin.

« UNE VICTOIRE DE LA COMMUNAUTÉ SUR ELLE-MÊME »
(24 mai 1984)

A Strasbourg, devant le Parlement européen, le Président de la République constate : « Nous avons repris notre marche en avant. »

« Sortir l'Europe des Dix de ses querelles et la conduire résolument sur les chemins de l'avenir » constitue une des préoccupations essentielles du Chef de l'État qui n'a cessé, depuis le 1er janvier, de multiplier les entretiens avec ses partenaires européens.

Monsieur le Président[1],
Mesdames et Messieurs les Parlementaires,

C'est en ma qualité de Président du Conseil européen pour ce premier semestre de 1984 que je m'adresse à vous.

Croyez que je mesure l'honneur qui m'est donné de prendre la parole devant une assemblée qui représente 270 millions d'hommes et de femmes appelés à renouveler bientôt, chacun dans son pays, l'acte démocratique fondamental : l'élection d'un Parlement. Mais c'est aussi l'Européen de France qui s'exprime,

1. M. Piet Dankert, socialiste néerlandais, Président de l'Assemblée européenne depuis le 19 janvier 1982.

celui dont l'engagement personnel a accompagné chaque étape de la naissance de l'Europe. Lorsque, en mai 1948, trois ans exactement après la fin de la guerre, l'idée européenne a pris forme, c'était au Congrès de La Haye. J'y étais et j'y croyais. Lorsqu'en 1950, Robert Schuman a lancé le projet de la Communauté Européenne du Charbon et de l'Acier, j'y adhérais et j'y croyais. Lorsqu'en 1956, le vaste chantier du Marché Commun s'est ouvert avec la participation très active du gouvernement français de l'époque, j'y étais et j'y croyais. Et aujourd'hui, alors qu'il nous faut sortir l'Europe des Dix de ses querelles et la conduire résolument sur les chemins de l'avenir, je puis le dire encore : j'en suis et j'y crois.

Nombreux sont ici ceux de ma génération qui, ayant partagé les mêmes épreuves, vécu le même espoir, ont travaillé à la même cause. Nombreux sont ceux qui, plus jeunes, ont conçu à leur tour l'ambition de porter l'Europe aux dimensions que commande l'Histoire et de servir, par elle, le juste intérêt des peuples qui la composent.

Que tous en aient pleinement conscience : au-delà des séparations politiques et des rivalités nationales, ils sont les ouvriers d'une immense entreprise qui changera radicalement les données de la politique ou géopolitique internationale. Qu'ils continuent de s'unir autour de ce projet et, pour ce seul motif, leur vie publique en sera justifiée. Ils auront remodelé la planète.

Ce rendez-vous, ici, à Strasbourg, je l'ai souhaité. Sans doute est-il normal que le Président en exercice du Conseil européen expose au Parlement l'état de ses travaux. Le Conseil de Stuttgart en a fait un principe de notre vie commune, et c'est très bien ainsi.

Mais à l'observance d'un rite, j'entends ajouter autre chose qui est la foi dans notre action et la volonté de la mener à bien.

On peut dire aujourd'hui que la Communauté a atteint ses premiers objectifs hérités de la guerre. Au départ, il fallait réconcilier, rassembler, atteler à une œuvre commune les peuples déchirés par la force et le sang. C'est fait. Maintenant l'alternative est : ou bien de laisser à d'autres, sur notre continent, hors de notre continent, le soin de décider du sort de tous, et donc du nôtre ; ou bien de réunir la somme des talents et des capacités, les facultés de création, les ressources matérielles, spirituelles, culturelles qui, toutes ensemble, ont fait de l'Europe une civilisation pour, selon un mot que j'aime de Walt Whitman, qu'*elle devienne enfin ce qu'elle est.*

Notre choix s'ordonne autour d'une idée simple. Chacun d'entre nos peuples, aussi riche que soit son passé, aussi ferme que soit sa volonté de vivre, ne peut, seul, peser du poids qui convient sur le présent et l'avenir des hommes sur la Terre. Ensemble, nous le pouvons. Mais nous sommes dans une phase où le destin hésite encore.

Depuis trop longtemps, l'Europe s'attarde dans des querelles dérisoires qui lui font perdre de vue l'objet même de sa démarche. Il fallait réagir et comprendre qu'aucune grande perspective pour l'Europe n'avait de chance de sortir du domaine du rêve tant qu'elle resterait empêtrée dans le maquis des petits procès. Pour en finir, une méthode de travail a été fixée à Stuttgart[2]. Elle s'est à l'expérience révélée heureuse.

2. Conseils européens de Stuttgart (17 au 19 juin 1983), Athènes (4 au 6 décembre 1983) et Bruxelles (19 et 20 mars 1984).

Puis est apparue, à Athènes, la trame des conciliations qui devaient se réaliser à Bruxelles, notamment en matière agricole, budgétaire et industrielle. A l'exception d'un seul, tous les contentieux ont été réglés. En les rappelant brièvement, on verra que, la route déblayée, nous avons repris notre marche en avant. Non que le désaccord qui existe soit négligeable, loin de là. Mais, contrairement à ce que beaucoup redoutaient, il n'a pas bloqué le mécanisme européen. J'en parlerai plus loin.

La première obligation qui nous incombait était de moderniser la politique agricole commune qui a donné à nos pays une capacité agro-alimentaire d'envergure mondiale. Se posait dès lors le problème des excédents, et d'abord des excédents laitiers.

Afin de tenir compte des débouchés réels de la production laitière sur le marché, corollaire indispensable de la garantie des prix — 104 millions de tonnes produites pour 85 millions consommées —, nos agriculteurs ont été invités à Bruxelles à un effort d'adaptation et de reconversion que la Communauté devra aider comme elle l'a fait dans le passé, comme l'y oblige le Traité de Rome. Et ce qui est vrai du lait devra l'être de toute autre production agricole[3].

D'autres décisions importantes ont été prises sur les montants compensatoires monétaires (démantèlement et mode de calcul), sur les fruits et légumes, sur les prix agricoles (dans les délais réglementaires), sur la négociation des substituts des céréales avec les États-

3. Le 31 mars 1984, les ministres de l'Agriculture de la CEE, outre la fixation des prix agricoles, sont parvenus à un accord sur la réduction de la production laitière, accompagnée de diverses aides sociales et financières.

Unis d'Amérique, et ces décisions entrent maintenant dans les faits.

Sans méconnaître les inquiétudes légitimes des producteurs, je pense qu'il s'agit là d'une victoire de la Communauté sur elle-même. Vingt-sept ans après sa création, la politique agricole commune retrouve les bases dont elle n'aurait pas dû s'écarter.

Quelques semaines auparavant, le programme « Esprit » avait été lancé. Sa réalisation atteindra un montant total de 1,5 milliard d'Écus, comparable ou supérieur aux efforts accomplis hors d'Europe dans le même domaine. Une dynamique de coopération pour la recherche et le développement des technologies de l'information entre les entreprises européennes a été de la sorte encouragée avec le concours de la Communauté. Dans un contexte différent, je pense aussi au CERN[4], à Airbus, à Ariane, au J.E.T.[4]. Récemment encore, les douze plus grandes sociétés européennes ont fixé des normes communes pour l'informatique. Prolongeant ce pas en avant des industriels, les ministres de l'Industrie ont posé les jalons d'une action commune des Dix dans le domaine des télécommunications. Ils agiront de même le mois prochain pour les bio-technologies. Tandis que de leur côté, les ministres de l'Économie et des Finances s'attachent à faciliter cette coopération par un ensemble de dispositions financières, juridiques et fiscales.

Poursuivons ce bilan. Vous savez qu'on réclamait de tous côté une plus stricte maîtrise du budget de la Communauté. Sur ce point également, le Conseil de Bruxelles est parvenu à un accord.

Mais la maîtrise des dépenses ne pouvait se traduire

4. Centre européen de Recherches Nucléaires et « Joint European Taurus ».

par une diminution des ressources indispensables au développement de la Communauté. C'est pourquoi le Conseil de Bruxelles s'est prononcé pour un relèvement du plafond de la TVA de 1 à 1,4 % au 1er janvier 1986, à la date prévue de l'élargissement à l'Espagne et au Portugal — je ne vous cache pas que j'aurais souhaité davantage —, et pour un relèvement à 1,6 % au 1er janvier 1988.

Nul n'ignore à cet égard les difficultés du budget en cours, et je pense que la Communauté ne sera pas contrainte de recourir à des moyens extraordinaires ou de céder à des pressions inacceptables. Le Traité exige que les dépenses agricoles soient financées. Il convient de le respecter.

Reste, en effet, le contentieux que l'on appelle pudiquement la « correction des déséquilibres budgétaires », qui recouvre en fait la discussion en cours sur la contribution britannique.

Après quatre ans de négociations difficiles et toujours relancées, et faute d'un accord acquis à l'heure où je m'exprime, mon commentaire restera prudent. La Présidence n'a pas ménagé ses efforts pour résoudre cette difficulté, mais elle a veillé avant tout, là est son intransigeance, à ce que les principes de la Communauté, et notamment celui de la préférence communautaire, fussent préservés. A ce titre, elle a jugé que les prélèvements agricoles et que les droits de douane qui appartiennent par nature à la Communauté — et non à l'État qui les perçoit et les reverse — ne pouvaient être pris en compte dans le calcul de la compensation.

J'ajoute que le Traité de Rome a, comme tout traité, valeur de contrat et que ce contrat implique le refus du « juste retour ». Concilier les situations naturellement variables des dix partenaires, dès lors que s'affirme un déséquilibre excessif, peut être admis en raison de la solidarité qui nous lie, mais à condition de rester dans les limites raisonnables d'un règlement circonstanciel, et non de prétendre réformer le Traité sans le dire. Tel a été l'objet du débat qui n'a pas trouvé de conclusion jusqu'à ce jour et qui n'en trouvera pas tant que l'on pourra craindre la remise en question de notre loi commune.

Quoi qu'il en soit, la Communauté vit et travaille. Le simple énoncé des arrangements intervenus au cours de ces deux derniers mois le montre.

Il est des attitudes commodes. Dire oui *a priori* à l'élargissement, par souci de plaire aux pays candidats, sans en tirer les conséquences pratiques, ou dire non quoi qu'il arrive, en refusant tout examen. Refusons ces facilités. Certes, l'Europe se perdrait si elle devait, à mesure qu'elle grandit, se confondre avec la zone de libre échange à laquelle on continue, tout autour d'elle, d'aspirer. Souvenons-nous des derniers élargissements et gardons-nous de repousser à plus tard les discussions les plus ardues. Quoi qu'il en soit, j'ai l'espoir que réponse sera donnée avant la fin du mois de septembre prochain à l'élargissement, qu'elle sera positive et qu'elle s'appliquera dès le 1er janvier 1986. Cela supposera un examen sans complaisance des économies comparées, une harmonisation des régimes sociaux et fiscaux, une soumission mutuelle aux règles de loyale concurrence, et un calendrier d'exécution. Cela exigera aussi un effort de l'actuelle Communauté pour qu'elle assainisse préalablement son fonctionnement et qu'elle se prépare, au moyen notamment des programmes intégrés méditerranéens, à traiter les productions du Sud comme elle l'a fait des productions du Nord. Les producteurs, de leur côté, voudront comprendre qu'on ne peut à la fois se réclamer des lois du marché afin de produire sans frein des quantités indéfinies, tout en se protégeant des mêmes lois par le bouclier des garanties de prix. Je note, en tout cas, qu'un progrès décisif a été accompli sur deux chapitres qui n'avaient pas encore été abordés : l'agriculture et la pêche.

Mais, au-delà de ces débats, le Conseil de Bruxelles s'est engagé dans de nouvelles démarches, vers d'autres directions. C'est ainsi que des directives visant à supprimer les entraves techniques aux échanges ont été approuvées, qu'un instrument de politique commerciale commune a été mis en place, que les quotas de pêche pour l'année 1984 ont été fixés à temps, tandis que pour la sidérurgie ils ont été prolongés de deux ans, que la huitième directive sur les droits des sociétés a été approuvée, qu'on s'est accordé sur le volet social de la reconversion charbonnière et sur les projets de recherche dits « de démonstration », que la réforme du fonds régional a été approuvée après trois ans de laborieuses négociations.

Enfin libéré d'un obsédant contentieux, le champ des initiatives s'étend désormais largement devant nous. Par exemple, en dépit du désarmement douanier, trop d'obstacles limitent la liberté de circulation à l'intérieur de la Communauté. Que de contrôles, que de formalités qui exaspèrent ceux qui les subissent et sont incompréhensibles à l'opinion ! Sachant l'intérêt que votre Assemblée porte à cette question, il sera proposé au Conseil Européen de juin une politique des transports qui se traduira par plus de fluidité aux frontières et un meilleur soutien aux grandes infrastructures. Qu'y a-t-il de plus conforme à nos principes que la liberté d'aller et de venir, de commercer et d'échanger ?

J'avais évoqué l'espace social européen, en 1981, au Conseil de Luxembourg[5], alors que je venais d'occuper mes fonctions. Comment construire en effet un Marché Commun où les produits circulent librement si, dans le même temps, les producteurs travaillent dans des conditions exagérément différentes ? Puisque le Marché Commun existe, il est plus que souhaitable que les représentants des travailleurs s'organisent à ce niveau, comme les entreprises et les gouvernements.

Ce sera chose faite, je l'espère, lorsque, le mois prochain, le Conseil des Ministres des Affaires sociales aura établi le programme d'action communautaire à moyen terme pour le soumettre au Conseil européen, ainsi qu'il en a été convenu à Bruxelles. Plus concrètement, ce même Conseil des Ministres devra poursuivre le travail à peine commencé pour enrayer le mal dont souffrent nos sociétés, le chômage, et plus encore le chômage des jeunes, en apportant une formation professionnelle plus conforme aux besoins. Il sera saisi de recommandations sur l'aménagement du temps de travail, et choisira des orientations sur les implications sociales des nouvelles technologies, compte tenu des observations des partenaires sociaux au sein du Comité Permanent de l'Emploi. La Confédération européenne des Syndicats sera, cela va de soi, entendue.

L'espace naturel mérite autant de soins. S'il s'agit de protéger l'environnement, les frontières nationales

5. Les 29 et 30 juin 1981.

ont encore moins de raisons d'être. Pourtant, les habitudes de pensée, les susceptibilités nationales résistent au bon sens. L'eau du Rhin borde ou traverse trois pays de la Communauté. Ce qui corrompt l'environnement de l'un nuit aux autres de la même façon. Ce raisonnement semble mal entendu, et le fleuve et ses affluents continuent de charrier la mort des bêtes et des plantes, de menacer la santé des hommes. Les pluies acides ont altéré en profondeur les forêts d'Allemagne. Elle rongent maintenant les forêts des Vosges et gagnent, vers le nord, les pays scandinaves. Pour d'autres raisons, la forêt méditerranéenne est aussi menacée. Nul pays n'est exempt de cette épidémie moderne. Qui arrêtera le fléau ? Une directive a été adoptée à Bruxelles sur les pollutions industrielles. Il reste à accélérer la mise au point de dispositions strictes contre le transfert de déchets toxiques et dangereux. De même, la réduction de la teneur du plomb dans l'essence est au centre de négociations ardues. Le but ainsi clairement identifié, aurons-nous la sagesse d'aller vers lui sans plus tarder ? Je n'ose l'affirmer.

Voilà pour le futur proche avec son éclairage habituel d'ombres et de lumières, son alliage d'élans et de blocages. Mais c'est au-delà du Marché Commun lui-même qu'il faut porter notre regard. A quoi sert l'Europe ? A cette question, il faut répondre sous peine de perdre en fin de compte et notre identité, et notre raison d'être, et nos raisons d'agir.

L'Europe, qui a pris une part éminente dans la formidable avancée des sciences modernes, serait-elle à ce point déconcertée par l'évolution des technologies nouvelles qu'elle serait incapable de sortir de la crise pour retrouver son rang, de renouveler les formes de son antique civilisation pour en retrouver les valeurs ?

Elle qui possède plus des deux tiers des régimes libres du monde, serait-elle incapable de consolider ses institutions et d'agir d'un même mouvement, là où il le faut, force de paix et d'équilibre entre les plus puissants, force de justice et de progrès entre le Nord et le Sud ?

Non, je ne le crois pas. Encore doit-elle prendre la pleine mesure des enjeux économiques, culturels et politiques du siècle qui s'annonce. Choisissons encore quatre exemples.

Le premier est celui de l'électronique. L'Europe consacre à sa recherche plus de crédits que le Japon ou les États-Unis d'Amérique. Mais chaque pays d'Europe, jaloux de ses techniques, voit ses défenses céder sous la pression américaine et japonaise. La tentation protectionniste gagnera du terrain, ou bien, quand l'Europe s'éveillera, elle aura perdu la bataille qui commande toutes les autres. Les tentatives d'alliances industrielles ont jusqu'ici, il faut le dire, échoué. N'est-il pas temps que les États les incitent à s'unir ? La modernisation d'industries ne se fera pas en se contentant d'accumuler les équipements, mais en utilisant aussi des financements tels que ceux de la Banque Européenne d'Investissements et du Nouvel Instrument Communautaire.

Mon deuxième exemple est celui de la conquête spatiale. Là, le moment des choix est venu plus tôt que nous ne le pensions, plus tôt peut-être que nous ne le souhaitions. D'abord à cause de nos propres succès dans le domaine des lanceurs comme dans celui des satellites. Mais entrer dans la phase industrielle suppose une répartition des tâches et des investissements. Forts de nos projets propres, il sera plus aisé d'examiner les offres qui nous sont faites par les États-Unis d'Amérique sur un projet de station spatiale civile. L'Europe — c'est ce que j'ai exprimé récemment à La Haye — ne devrait-elle pas par priorité consacrer ses efforts à elle-même ? Une station spatiale est à sa portée. Elle en a les moyens techniques et financiers et, s'il est présomptueux de devancer le temps au-delà du possible, l'expérience industrielle nous apprend que ce qui sera réalisable dans quinze ans exige une approche immédiate.

Les transports me fourniront le troisième exemple. Des accords sont intervenus récemment sur l'augmentation des contingents communautaires de transports de marchandises par route, sur la coopération ferroviaire et sur la sécurité routière. Il sera bon de les dépasser sans tarder. Un grand programme d'équipement ferroviaire pour les transports à grande vitesse, en réduisant les distances, rapprochera naturellement les Européens.

Quatrième exemple : la culture. Ne pas s'unir serait se condamner à subir les marées d'images et de mots venues de l'extérieur. Les projets ne manquent pas. Tous sont à notre portée. Citons : à partir d'un satellite franco-allemand, pourquoi pas une chaîne européenne de télévision offerte à tous les créateurs des pays membres intéressés ? Un fonds commun de soutien aux industries de programmes, qui vont avoir la lourde charge de donner un contenu aux réseaux innombrables qui se tissent autour de nous ? Un plan cohérent d'enseignement des langues européennes ? Des universités d'Europe alimentées par un incessant échange de chercheurs et d'équivalences de diplômes ? La Fondation européenne de la Culture ? J'ai été fier que s'installât aussi en plein cœur de Paris le

Théâtre de l'Europe qu'anime Giorgio Strehler. Chacun de vos pays porte haut d'enviables réussites. Mais aucun ne possède un marché suffisant. L'Europe l'a. Qu'elle y songe et qu'elle s'organise.

Il est cependant un domaine où elle se retrouve, si je puis dire, instinctivement : celui des Droits de l'Homme. En ratifiant l'article 25 de la Convention européenne, mon pays a rejoint sa propre tradition. Mais tous, nous sommes inquiets des progrès grandissants des terrorismes et de l'oppression presque partout dans le monde. Votre Parlement a constamment marqué son attachement au respect des principes qui ont fondé la liberté. Hier encore, il votait une résolution évoquant le sort d'Andréi Sakharov vers lequel se tournent nos pensées. Le malheur veut que chaque jour, sous toutes les latitudes, des hommes souffrent et soient persécutés pour ce qu'ils croient, pour ce qu'ils aiment, pour ce qu'ils sont. Le moment est venu de répéter un mot qui nous a naguère rassemblés : *résister*, oui, résister à la violence. Je ne connais pas de thème sur lequel les peuples de l'Europe se sentent plus proches de leurs représentants. Oui, notre Europe est une Communauté de droit. C'est notre fierté. La meilleure illustration en est la Cour de Justice où s'édifie un ordre juridique européen, dans une synthèse sans précédent entre systèmes de droit d'inspiration différente.

Autre dimension : les prises de position des Dix dans les affaires du monde. Nul n'a fait preuve d'autant d'imagination et de constance que l'Europe dans la poursuite des échanges avec le tiers monde. Pour préparer Lomé III, la conférence de Suva[6] a

6. Du 1er au 5 mai 1984.

permis, au début de ce mois, un rapprochement des points de vue, et l'on doit prévoir que les ultimes arbitrages interviendront les 28 et 29 juin à Luxembourg, qui permettront d'achever la rédaction de la future Convention. On en mesure l'importance au moment où recule l'aide internationale, tandis que s'aggrave la situation des pays pauvres — je pense à l'Afrique — sous les effets convergents du climat, de la crise, de l'endettement, de l'anarchie des marchés, du poids des taux d'intérêt et du désordre monétaire.

Les Conseils européens ont adopté des résolutions appropriées aux problèmes aigus qui occupent la scène mondiale : Proche et Moyen-Orient, Amérique centrale, Afrique australe, Afghanistan, Cambodge, j'en passe. Ils ont contribué à préserver ce lien fragile qui, de la conférence d'Helsinki à celle de Stockholm, maintient un dialogue entre l'Est et l'Ouest de notre continent. Ils ont renforcé la coopération entre la Communauté et les Sept pays amis de l'AELE[7]. Il n'était pas de leur ressort de prendre en compte les aspirations si souvent exprimées, surtout ces temps derniers, à une sécurité, à une défense communes. Parlant en mon nom personnel, j'évoque ici cette perspective comme je l'ai fait à La Haye, pour en apprécier à la fois l'extrême difficulté et la nécessité. Il est clair que le temps s'éloigne où l'Europe n'avait pour destin que d'être partagée et divisée par d'autres. Les deux mots d'indépendance européenne possèdent désormais une résonance neuve. C'est une donnée que notre siècle proche de sa fin, j'en suis sûr, retiendra.

7. Association européenne de Libre échange.

L'échéance de l'élection européenne est une occasion de faire le point et de reprendre l'initiative. La vie des institutions communautaires est marquée par de multiples imperfections. Aucune n'est à proprement parler insupportable, mais leur accumulation crée une contrainte permanente et diffuse dont nous ne cessons pas de payer le prix.

Il y a tout d'abord la règle de l'unanimité, dont la pratique est poussée bien au-delà de ce que commandent les Traités, et même que ne le prévoyait le Compromis de Luxembourg[8]. Comment l'ensemble complexe et diversifié qu'est devenue la Communauté peut-il se gouverner selon les règles de la Diète de cet ancien royaume de Pologne dont chaque membre pouvait bloquer les décisions ? On sait comment cela a fini. Il est temps de revenir à une pratique plus normale et plus prometteuse. Le Gouvernement français, qui avait été à l'origine de ce compromis, a déjà proposé d'en restreindre l'usage à des cas précis. La pratique plus fréquente du vote sur des questions importantes annonce le retour du Traité.

Mais la règle de l'unanimité n'est pas la seule difficulté que rencontre le Conseil des Ministres. Il existe également un partage trop fluctuant du travail entre la gestion quotidienne — Commission et Comités des représentants permanents — et le Conseil des Ministres, qui se voit retirer une part de sa responsabilité politique telle que prévue par les Traités, et fait ainsi du Conseil Européen une instance permanente

8. Sous la Présidence du Général de Gaulle, la France imposa à ses partenaires ce qu'on a appelé le compromis de Luxembourg par lequel il est permis à un État membre, si un intérêt national vital est en jeu, de demander que la décision soit prise à l'unanimité.

d'appel, voire une première instance dans la conduite des affaires courantes. Cela n'est manifestement pas son rôle. Rendons son autorité à la Commission. Restituons au Conseil des Ministres le moyen de mener les politiques dont le Conseil européen arrêtera les grandes lignes. Dotons ce dernier d'un secrétariat permanent pour la coopération politique.

On se plaint, je le sais, des relations insuffisantes entre le Conseil et votre Parlement. Corrigeons cette carence en présentant, conformément aux engagements souscrits par les pays membres dans la déclaration solennelle de Stuttgart, une réforme de la procédure de concertation. Réfléchissons enfin à la meilleure façon d'assurer plus de continuité à la Présidence de la Communauté.

L'Europe a toujours été de nature composite. Elle s'est développée par étapes, utilisant, selon ses besoins, les institutions qui sur le moment lui paraissaient les plus adaptées, quitte à transformer leurs relations mutuelles. Mais il faut conserver des points de repère. C'est pourquoi il est indispensable de consolider le principal traité qui lie les pays européens entre eux et constitue leur loi fondamentale, je veux dire le Traité de Rome.

Et pourtant, le même mouvement nous porte déjà au-delà de ce Traité pour des domaines qu'il ne couvre pas. Je pense à l'éducation, à la santé, à la justice, à la sécurité, à la lutte contre le terrorisme.

Or, que constatons-nous ? D'aucuns ont parlé d'une « Europe à plusieurs vitesses » ou « à géométrie variable ». Cette démarche, qui traduit une réalité, s'impose. On veillera à la rendre complémentaire et non pas concurrente de la structure centrale, qui reste la Communauté. Chaque fois que de tels problèmes sont posés, l'Europe a créé une nouvelle institution : le Conseil européen ; adopté un nouvel acte juridique reconnaissant une pratique — le Système Monétaire Européen : la coopération politique telle que définie par la Déclaration de Stuttgart ; conclu un traité ratifié par les Parlements nationaux : les Conventions de Lomé. Et voici que votre Assemblée nous encourage à aller plus loin dans cette voie en nous proposant un projet de traité instituant l'Union Européenne.

Ceux d'entre nous qui le voudront observeront la même méthode que naguère. A situation nouvelle doit correspondre un traité nouveau, qui ne saurait bien entendu se substituer aux traités existants, mais les prolongerait dans les domaines qui leur échappent. Tel est le cas de l'Europe politique. Pour une telle entreprise, Mesdames et Messieurs, la France est disponible. M'exprimant en son nom, je la déclare prête à examiner, à défendre votre projet qui, dans son inspiration, lui convient.

Je suggère à cette fin que s'engagent des conversations préparatoires qui pourraient déboucher sur une conférence des États membres intéressés ; le projet d'Union Européenne et la Déclaration solennelle de Stuttgart serviraient de base à ses travaux.

Telles sont, Mesdames et Messieurs, les réflexions que m'inspirent mon expérience d'Européen et mon passage à la Présidence du Conseil européen. Je suis sûr qu'un jour, tout cela se fera. Car notre jeunesse en a besoin. Car notre indépendance, celle de nos patries et celle de l'Europe, est à ce prix. J'ai trop confiance en notre Histoire pour admettre que nous puissions jamais nous laisser aller au déclin dont l'intolérable affaiblissement démographique est le signe le plus inquiétant. Mais il ne faut pas que cela se fasse trop tard. Aussi votre rôle — notre rôle — exaltant est-il de prévenir l'inéluctable, de réussir l'improbable, de réaliser l'espérance et de perpétuer, par sa jeunesse retrouvée, une grande civilisation, la nôtre.

« L'ÊTRE HUMAIN S'EST DÉFINI PAR LA VOLONTÉ »
(5 novembre 1984)

Recevant le Président de la République Fédérale d'Allemagne, le Chef de l'État insiste sur la nécessité d'ancrer la coopération franco-allemande dans la vie quotidienne des deux peuples.

Monsieur le Président,
Madame,

Le 22 septembre dernier, le Chancelier Kohl et moi-même nous nous inclinions sur les tombes des fils d'Allemagne et de France tombés à Verdun, devenu, selon vos propres termes, symbole de réconciliation entre nos deux pays.

La semaine dernière, à Bad Kreuznach, le 44e Sommet franco-allemand nous permettait de pousser plus avant projets bilatéraux et européens. Et ce soir, M. le Président, j'ai le plaisir de vous accueillir en ce Palais de l'Élysée, avec Madame Von Weizsacker et les membres de votre délégation, en compagnie de responsables français qui comptent parmi les artisans les plus convaincus du rapprochement entre nos deux pays. Rien ne peut témoigner mieux, sans doute, de l'intensité et de l'importance des liens qui nous unissent.

Vous consacrez à la France votre premier voyage officiel à l'étranger en qualité de Président de la République Fédérale d'Allemagne. Permettez-moi, en vous souhaitant la bienvenue, de vous dire combien nous sommes sensibles à ce geste. Il parle, je le pense, pour les sentiments personnels que vous portez à notre pays depuis que, jeune étudiant, vous y suiviez les cours à l'université de Grenoble. Il plaide aussi pour l'intimité entre nos deux Nations.

Vous étiez, il y a quelques mois encore, Maire-Gouverneur de Berlin et vous savez que la France reste fidèle à ses engagements, à ses responsabilités envers cette ville.

Et quel chemin parcouru depuis le début de ce siècle ! Notre génération, M. le Président, la vôtre, la mienne, celle de nombreux des invités de ce soir, a connu tant de drames ! Mais c'est à elle, et à celle qui la précédait, celle du Chancelier Adenauer, de Jean Monnet, de Robert Schuman, du Général de Gaulle, que revint la mission de s'élever au-dessus de ce passé tragique. Tout cela étant consacré par un Traité en bonne et due forme, le Traité de l'Élysée[1] dont nous avons célébré, l'an dernier, le vingtième anniversaire, et que nous avons appliqué depuis l'an dernier dans ses dispositions militaires.

Les hasards de la géographie, la réalité de la géographie, ont fait de nous des voisins. Ceux de l'histoire, des rivaux. Et voilà que notre détermination, la détermination d'hommes libres nous a faits partenaires et amis.

La défense de la France est un exemple de cette alliance neuve : la France a choisi une stratégie indé-

1. Traité franco-allemand du 22 janvier 1963.

pendante et s'est dotée d'une force de dissuasion qui lui est propre. Elle maintient également, sur le sol allemand, une part importante de son armée dont la puissance de feu et la mobilité ont été, sont constamment accrues. Nous sommes, vous le savez, un allié fidèle. Nous pensons que cette coopération en matière de défense dans la voie tracée par le Traité de 1963, ouverte en 1982, doit se perpétuer, s'approfondir, compte tenu des réalités qui s'imposent en Europe et au-delà.

Mais que serait cette solidarité des États si elle ne s'appuyait sur des échanges entre les peuples ?

C'est pourquoi nous devons sans cesse ancrer la coopération franco-allemande dans la vie quotidienne de nos concitoyens pour en faire un mouvement irréversible. C'est un peu ce qui nous inspirait lorsqu'en facilitant le passage des frontières, nous avons décidé d'aller dans ce sens. Franchir les frontières, dire cela est bien peu de chose, et pourtant le fait qu'on puisse aller et venir librement d'un pays à l'autre porte en soi sa signification. Il nous reste beaucoup à faire : à préciser nos convergences, et particulièrement à faire entrer dans les réalités que j'évoquais à l'instant nos politiques sociales, de l'éducation, de l'environnement, notre politique industrielle, à harmoniser nos pratiques administratives.

Et puis sans cesse il faut renouveler l'appel à l'imagination, celle des créateurs, celle des jeunes pour qu'ils se voient, pour qu'ils parlent, pour qu'ils cherchent ensemble. Il existe, me dit-on, plus de 1 300 jumelages entre communes allemandes et françaises, sans parler des associations culturelles, sportives, de loisirs. Nous avons décidé précisément, à Bad Kreuznach, d'organiser chaque année, alternativement dans l'un et l'autre pays, une journée des jumelages dont les collectivités locales et les associations seront les maîtres d'œuvre. Vous avez de votre côté, M. le Président, souhaité que se développe le dialogue entre jeunes dirigeants de l'industrie française et allemande. C'est, je le crois de mon côté, la voie de l'avenir.

Ces remarques valent, à une autre échelle, pour l'Europe tout entière. Elle ne trouvera son élan, cette Europe, qu'en devenant un élément familier de l'existence quotidienne. Et je ne suis pas de ceux qui croient que l'idée européenne ait perdu sa force d'attraction. Encore faut-il agir pour qu'à la longue les générations qui montent n'aient pas le sentiment qu'il s'agit là d'un sujet de discours, d'un concours de sensibilité, une sorte de victoire de la mémoire sur le passé, et rien de plus.

Voyez combien l'Europe reste actuelle. Deux des nations les plus anciennes du Vieux Continent s'apprêtent à entrer dans la Communauté, elles le demandent, et quelles raisons auraient-elles de vouloir s'agréger à cet ensemble s'il était voué au déclin ? Je suis de ceux qui pensent que ce nouvel élargissement, en soi positif, exige des pays déjà membres de la Communauté une volonté politique capable de surmonter les difficultés de gestion des affaires communautaires. Mais cet effort ne sera poursuivi que si votre pays et le mien sont capables, d'un même mouvement, de lui apporter l'impulsion nécessaire.

Pour assurer notre place dans le monde, souvenons-nous de cette remarque de Schiller : « l'être humain se définit par la volonté. » Eh oui, la volonté ! Celle de rattraper nos retards, d'unir nos efforts, d'inventer le présent, l'avenir. On peut citer déjà ce qui fut accompli avec grand succès quand on observe le déroulement des faits le long de quarante années ou presque. On va d'étonnement en étonnement et on aperçoit l'extraordinaire faculté de ressources allemande et française. Mais pas encore assez. Pas encore assez, parce que c'est maintenant que se décide la place de l'Europe, en tout cas de la nôtre — la part occidentale de l'Europe — dans le concert des peuples du monde. Il ne sera plus temps d'aviser quand les États-Unis d'Amérique, le Japon, d'autres grandes puissances industrielles auront supplanté partout les pays comme les nôtres. Ce que nous sommes capables de consacrer en crédits à la recherche et à ses premières applications dépasse simplement, à trois ou quatre pays d'Europe occidentale, les crédits japonais ou bien les crédits des États-Unis d'Amérique. Et nos résultats, non point par manque de compétence ni dans la science, ni dans la technique — nous disposons des savants, des chercheurs, des ingénieurs, des entreprises —, les résultats ne sont pas comparables, tant les nôtres sont finalement, hors quelques domaines bien précis, peu de chose auprès de la réussite de nos principaux concurrents-partenaires.

Il sera vite trop tard. On doit en prendre conscience. Vous en êtes vous-même curieux et parfois inquiet, et ce n'est pas tout à fait un hasard si, dans les jours qui viennent, vous allez visiter à Grenoble l'Institut Laue-Langevin, à Toulouse le Centre de production d'Airbus, des réalisations qui prouvent que les Européens peuvent, lorsqu'ils s'unissent, défier victorieusement leurs concurrents scientifiques et industriels.

Et puis, élargissons encore notre vue des choses, notre coopération ; il est d'autres domaines vitaux pour l'avenir : dans la compétition spatiale, qu'elle soit civile ou militaire, les nouvelles techniques biologiques, les technologies du traitement de l'information, celles de la robotique, que sais-je encore...

Libre et forte, notre Communauté pourra poursuivre avec l'autre partie de l'Europe un dialogue que la France, pour sa part, veut ouvert, nourri, sérieux, compréhensif. Un dialogue bénéfique pour tous, qui repose sur la conviction, qui est nôtre, que par-delà les appartenances diverses, sinon antagonistes, demeure sur ce continent une unité fondamentale, et partout sur ce continent assez de civilisation dans l'âme, le cœur et la mémoire des peuples pour qu'il soit possible un jour d'imaginer un autre langage.

L'Europe a montré au cours du passé ses capacités de redressement et d'adaptation. Et le relèvement de l'Allemagne après la dernière guerre, puis l'entente entre nos pays et la construction de la Communauté en ont apporté une preuve très remarquable au cours des années récentes.

Je crois pouvoir dire, tout en sachant fort bien que l'Allemagne Fédérale et la France connaissent leurs limites, qu'elles n'ont pas à se substituer au concert des Nations qui constituent la Communauté de l'Europe. Cepandant, sans vous, sans nous, rien ne serait possible. Notre amitié est irremplaçable. Permettez-moi de vous dire : elle est également exigeante. Nous attendons beaucoup de vous. Vous attendez beaucoup de nous. Souvent, les déceptions suivent de près les espérances, mais le parti de l'espérance reste le parti le plus fort ; nous ne pouvons progresser qu'ensemble.

Évoquant l'exposition « Symboles et réalités de l'art allemand » qui vient de s'ouvrir à Paris, vous avez récemment déclaré que nos deux pays, au-delà des symboles, devaient aller vers les réalités. Vous avez à l'évidence raison. Les grandes visions ne sont que chimères si elles ne reposent sur l'effort humble, persévérant de tous les jours.

M. le Président, Madame, en formulant des vœux pour vous-mêmes, pour le peuple allemand, pour le succès de notre coopération, en formant des vœux pour que votre voyage se révèle utile, sans doute, fécond, je l'espère, et qu'il vous laisse plus encore un souvenir fort, celui d'une amitié vécue, en formulant ces vœux, je lève mon verre en votre honneur : en votre honneur, M. le Président, en votre honneur, Madame. Ces vœux vont vers les vôtres, ceux qui vous sont chers, votre famille, vers tous ceux qui participent à l'édification de votre pays. Que cette visite vous apporte les satisfactions que vous en attendez : vous êtes les bienvenus, M. le Président, Madame. Nos vœux pour vous-mêmes, amis Allemands qui avez accompagné votre Président, ou Allemands de France qui êtes venus vous joindre à nous : sachez que notre pensée est proche de la vôtre.

« UNE GRANDE TÂCHE POUR LA FIN DE CE SIÈCLE ET POUR CELUI QUI SUIVRA »
(8 juillet 1985)

L'adhésion de l'Espagne au Marché Commun a marqué un moment important dans la construction européenne. Le Président de la République le souligne lorsqu'il reçoit le Roi Juan Carlos d'Espagne à Paris.

Sire,

En accueillant Votre Majesté, ainsi que vous, Madame, et les personnalités qui vous accompagnent, je pourrais me contenter de vous dire tout à fait simplement : vous êtes ici dans votre maison. Tant il est vrai que l'essentiel est là, dans l'honneur que vous faites à la France, en y accomplissant ce voyage d'État, moins d'un mois après la signature du Traité d'adhésion de l'Espagne aux Communautés Européennes.

L'Espagne n'a jamais quitté l'Europe, bien entendu. Elle n'a jamais cessé d'y appartenir. Mais ce lien nouveau prend une valeur particulière, vous le savez bien.

Elle, qui a tant fait pour la grandeur de l'Europe, pour son rayonnement, pour sa beauté, par ses qualités créatrices de toutes sortes, voilà qu'elle est pleinement, dans l'Europe moderne, à la place qu'elle devait occuper : telle était votre opinion et telle était la mienne.

Cela consacre, dans mon esprit, ce retour à la démocratie, aux règles constitutionnelles dont vous êtes, Sire, le symbole et le garant.

Il fallait toute l'intelligence d'un peuple avide de renouer avec son temps, le courage politique aussi de ses dirigeants, pour parcourir, en un temps si bref, l'itinéraire qui vous a conduit jusque-là. Je puis vous dire que c'est avec une sympathie passionnée que beaucoup de Français ont suivi vos efforts.

Vous me permettez d'évoquer notre rencontre de Madrid en juin 1982. C'était il y a trois ans. Et, il faut le dire, tout semblait bien difficile, nous étions au centre des turbulences dans les relations de nos deux pays. Je me souviens de vous avoir dit au cours de cette réception au Palais de la Zarzuela : s'il y a entre la France et l'Espagne des difficultés et des problèmes — et il y en a plus qu'il n'en faut —, eh bien, discutons-en. C'est ce que nous avons fait pas à pas ; nous avons ensemble, ainsi qu'avec le Chef du Gouvernement, exploré les voies d'une action commune pour apurer le passif que l'histoire, souvent troublée, chargée de passions, nous avait légué.

Prenons un sujet particulièrement délicat : si les auteurs de crimes et d'attentats, injustifiables, commis dans votre pays, se sont imaginés qu'ils pourraient bénéficier en territoire français de je ne sais quelle impunité, et s'ils ont pu le croire en certaines circonstances, il est clair que je ne l'ai jamais accepté et qu'aujourd'hui il est démontré par les actes que rien n'autorise un tel calcul. Certes, le droit d'asile est notre loi, la loi de la République. Et bien des Espagnols, depuis des décennies, en ont fait l'expérience.

Mais ni le terrorisme, ni le crime organisé ne peuvent se prévaloir du droit.

Et puis, en juin 1982, de quoi pouvions-nous parler une fois ce sujet de conversation fort important non pas épuisé, il ne l'était pas, il a mis longtemps à l'être, il suscitera toujours la nécessité d'un dialogue — de quoi avions-nous à parler, sinon de l'Europe, dont j'ai déjà dit un mot pour commencer : de l'adhésion de l'Espagne à la Communauté Européenne ? On disait, à l'époque, toujours : c'est la France qui ne veut pas, et les autres pays de la Communauté des Dix avaient tendance à s'abriter derrière cet argument tout fait, qui avait l'avantage immense à leurs yeux de dissimuler leurs propres objections. Et puis j'ai décidé, il y a trois ans, que la France, après en avoir débattu sérieusement, devait aller dans cette direction. Alors sont apparus d'autres obstacles, qui venaient d'autre part.

Je ne trahirai pas de secret en disant que pour la réussite de cette négociation longue, approfondie, parfois âpre et nécessairement âpre, car les intérêts sont souvent opposés — notre devoir est de défendre, quand c'est juste, les intérêts de nos ressortissants, et nous avons défendu pied à pied ces intérêts —, nous étions animés de la même volonté d'aboutir.

Je crois qu'au sein de l'Europe, cette nouvelle relation entre l'Espagne et la France a été finalement d'une importance décisive.

D'autres que moi pourraient dire la part éminente qui revient à des Européens convaincus comme vous-même, Majesté, et le Président du Gouvernement espagnol. Enfin nous avons réussi, le Traité a été signé solennellement le 12 juin à Madrid ; le Premier Ministre français était là pour témoigner de l'engagement de notre pays. Et, finalement, il nous semble conforme, dans l'équilibre de ses dispositions, aux justes chances de nos pays. Il constitue un pas en avant vers l'Europe, et une Europe qui, par là même, sera plus forte et mieux équilibrée qu'elle n'était, grâce à ce nouvel apport, réconciliée avec son identité historique et capable de faire entendre dans le monde une voix plus encore respectée et écoutée.

Certes, on l'imagine bien, tout n'est pas résolu pour autant. Nous avons fait l'Europe, plutôt nous l'avons élargie. Il faut que nous devenions de plus en plus — je parle pour nos peuples — de plus en plus Européens : acquérir des réflexes, et d'abord le réflexe communautaire, résister aux tentations et sollicitations extérieures concurrentes, ou bien, chaque fois que se présente une difficulté, au repli sur soi-même ; d'autres diraient aussi à l'attrait du grand large, car, après tout, l'Europe c'est immense, c'est plus d'habitants que n'en compte chacun des deux Empires qui, aujourd'hui, occupent le devant de la scène, c'est aussi plus de richesses et peut-on faire le compte des valeurs intellectuelles, scientifiques, artistiques, littéraires, quand on songe à ce qu'on était, à ce que demeurent les civilisations et les cultures dont nous sommes aujourd'hui porteurs ?

Nous attendons, il faut le dire, et ce voyage d'État nous est d'autant plus sensible. nous attendons aussi un élan pour nos relations bilatérales. Après tout, c'est une nouvelle Espagne que découvrent la France et l'Europe, un pays dont la mutation économique, sociale, morale, s'est accélérée dans les dix dernières années, riche d'une population jeune, entreprenante : il y a là un vaste champ pour la coopération. Et la déclaration commune que nous nous apprêtons à signer, que nos ministres des Affaires étrangères signeront demain sans doute, expose, je crois, clairement l'esprit, dessine les contours politiques, culturels, économiques, sociaux, régionaux, de sécurité, qui doivent désormais présider aux relations de nos pays.

Chaque année, désormais, Mesdames et Messieurs, se tiendra une rencontre franco-espagnole ou hispano-française « au sommet », comme on dit, comme nous le faisons déjà, nous-mêmes Français, avec nos grands partenaires européens. Des séminaires ministériels, des groupes de travail spécialisés, des entretiens réguliers entre hauts responsables militaires et civils compléteront le dispositif des consultations. Enfin, sur le plan industriel, quelles possibilités s'offrent à nous ! Je pense au secteur de haute technologie auquel l'Europe a décidé d'accorder une priorité particulière en lançant le projet Eureka. Et ce qui est réalisé déjà de façon bilatérale en matière d'informatique ou de matériel militaire, nous montre la voie. Nous serons très heureux d'accueillir les représentants espagnols le 17 juillet lorsque sera désormais lancé, à Paris, dans la réalité, le projet Eureka dont les prodromes ont déjà été connus de vous.

Et je vous dis tout de suite : l'Espagne y a pleinement sa place. Si le projet est d'origine française, et je l'ai déclaré à Milan, dès lors que les pays de l'Europe l'acceptent, il est le leur, ils en sont détenteurs, propriétaires, il n'y a pas de droit d'auteur en la circonstance, et nous attendons de l'Espagne, si elle le veut, et elle le veut, qu'elle apporte ce qu'elle est, qu'elle y contribue pleinement ; et la façon dont les choses seront mises en œuvre montrera bien que c'est là une démarche communautaire.

L'intérêt de nos deux États, la volonté de nos deux

Gouvernements, la parenté de nos deux peuples, on pourrait dire : tout nous rapproche, et pourtant on sait bien, peut-être pour les mêmes raisons, que cela nous a souvent éloignés. Mais je pense à la présence sur le sol français d'une communauté de plusieurs centaines de milliers d'Espagnols en France : ce sont des gens actifs, très intégrés au tissu social de notre pays, cela représente vraiment pour nous une sorte de pont naturel jeté entre nos deux nations. Nous nous entendons très bien avec les Espagnols de France, sans doute parce que nous nous connaissons mieux. Et ai-je besoin d'ajouter que l'action volontaire des gouvernements s'épuiserait vite si elle ne s'appuyait sur le mouvement des sociétés.

Il faut que se multiplient — et je sais que nombreux sont ceux autour de cette table qui s'y emploient — que se multiplient les occasions de rencontre entre nos industriels et nos chercheurs, nos élus, nos jeunes surtout, encore et toujours nos jeunesses.

Veillons enfin à accorder à l'étude de nos langues respectives l'attention et la place qu'elle mérite. Un certain glissement, non pas dans le bon sens, s'opère depuis quelque vingt ans...

Par leur position géographique, nos deux pays sont les seuls, faut-il le dire, à s'ouvrir à la fois sur la Méditerranée et sur l'Atlantique. Il y a d'un côté cette mer intérieure, support de notre identité latine et de notre correspondance avec l'Afrique, avec le monde arabe ; de l'autre, l'océan des découvertes, la route des Amériques. Certes, l'Afrique du Nord tient une place de choix dans les priorités de l'Espagne comme dans les nôtres. Et nous devont tenir compte des préoccupations que cause à ces pays l'élargissement de la Communauté.

En Amérique latine, l'Espagne joue un rôle éminent. Nos vues sont, je le crois — nous en avons parlé largement — convergentes. A l'heure où le spectre de l'endettement menace les démocraties renaissantes, la raison nous dicte de nous concerter et de nous entendre plutôt que de nous lancer dans des concurrences néfastes. Nous ensemble, nous sommes comptables, encore quelque temps, du devenir de ces continents si marqués par votre culture.

Je suis convaincu, Sire, qu'une page des relations entre nos deux nations est vraiment tournée. Ce que nous célébrons, en cette soirée à laquelle je suis vraiment très heureux de compter diverses personnalités qui se trouvent autour de cette table, venues d'Espagne ou de France, c'est une journée importante, c'est une amitié revivifiée. L'Europe, c'est plus que jamais l'horizon de nos rêves et de notre travail quotidien. C'est une grande tâche pour la fin de ce siècle et pour celui qui suivra. Nous allons peser ensemble sur les destinées de la planète, nous allons peser ensemble, et plus encore à partir de pays qui ont beaucoup compté dans l'évolution de la société humaine, et nous existerons ensemble dans les siècles qui viennent.

J'ai tenu à insister sur ces points, il en est d'autres, mais, Sire, c'est vous qui allez nous parler maintenant. Je vous dirai pour clore cet exposé que déjà, à diverses reprises, nous avons pu, à Madrid, à Paris, échanger, dans des conditions qui ont toujours été fécondes, des propos dont est née la situation présente, et quand la conversation ne suffisait pas, le téléphone venait pourvoir aux difficultés des voyages. Des ministres se sont rencontrés ; que d'artisans dont les noms n'ont pas à être cités mais qui ont voulu cette amitié que nous célébrons ce soir !

Et vous, Madame, comment ne pas se souvenir de votre accueil, du charme de votre maison, de l'agrément de votre famille, bref, du plaisir d'être ensemble, ce qui n'est pas indifférent lorsqu'on traite des autres choses. Vous avez apporté à l'Espagne contemporaine un élément qui est irremplaçable à la charnière de deux époques, vous avez choisi l'avenir. Madame, Votre Majesté, on dira donc : vive l'avenir, lorsque je lèverai mon verre à l'instant pour célébrer l'Espagne et l'amitié entre l'Espagne et la France. Ce sera d'abord pour faire des vœux — c'est la tradition, mais c'est plus que la tradition —, faire des vœux pour vos personnes, pour votre mission, pour ceux que vous aimez, pour vous, Mesdames et Messieurs nos invités espagnols, pour votre peuple,

VIVE L'ESPAGNE !
VIVE LA FRANCE !

IV

Du droit des peuples à disposer d'eux-mêmes

« L'HISTOIRE QUI PASSE DONNERA RAISON AU DROIT QUI RESTE » (20 octobre 1981)

Venant des États-Unis, le Président de la République effectue une visite de deux jours à Mexico. Après avoir réaffirmé les liens entre la France et les États-Unis d'Amérique, il tient à mettre l'accent sur le principe d'indépendance nationale qui doit régir les relations entre États, et rappelle aussi les sources vives du passé révolutionnaire de la France et du Mexique.

Aux fils de la Révolution mexicaine[1], j'apporte le salut fraternel des fils de la Révolution française !

Je le fais avec émotion et respect. Je suis conscient de l'honneur qui a été consenti, à travers ma personne, à la France nouvelle : l'honneur de pouvoir m'adresser au peuple du Mexique du haut d'une tribune entre toutes symbolique.

1. En 1917, six années après la chute du dictateur Porfirio Diaz, une Constitution fut adoptée, établissant le suffrage universel pour les hommes et limitant strictement les prérogatives de l'Église compromise par le soutien qu'elle avait apporté à la dictature de Diaz.

Ce privilège exceptionnel consacre une amitié exceptionnelle. Notre sympathie mutuelle ne date pas d'hier et ne s'évanouira pas demain, car elle fait corps avec l'histoire de nos deux Républiques. Mais c'est maintenant que nous pouvons, que nous devons parler à cœur ouvert, comme on le fait entre vieux compagnons.

Jadis, alors que les défenseurs de Puebla étaient assiégés par les troupes de Napoléon III, un petit journal mexicain imprimé sur deux colonnes, l'une en français, l'autre en espagnol, s'adressant à nos soldats, écrivait : « Qui êtes-vous ? Les soldats d'un tyran. La meilleure France est avec nous. Vous avez Napoléon, nous avons Victor Hugo. » Aujourd'hui, la France de Victor Hugo répond à l'appel du Mexique de Benito Juarez[1] et elle vous dit : « Oui, Français et Mexicains sont et seront au coude-à-coude pour défendre le droit des peuples ! »

Nos deux pays ont des buts communs, parce qu'ils ont des sources communes. Ce monument parle de lui-même. Il montre sur quelles pierres d'angle repose la grandeur du Mexique moderne. Chacune porte un nom. La démocratie : Madero[2]. La légalité : Carranza[3]. Le rassemblement : Calles[4]. L'indépendance économique : Cardenas[5].

1. Benito Juarez (1806-1872), avocat d'origine indienne, considéré comme le fondateur de la République mexicaine.

2. Francisco Madero (1873-1913), principal artisan de la Révolution mexicaine de 1911.

3. Venustiano Carranza (1859-1920), Président du Mexique, après la victoire de la Révolution en 1913.

4. Plutarco Elias Calles (1877-1945), Président du Mexique de 1924 à 1928.

5. Le Général Lazaro Cardenas (1895-1970), Président de la République mexicaine en 1934.

Par chance, les constructeurs du monument de la Révolution n'ont pas oublié de faire une place à Pancho Villa[6] et, pour ma part, permettez-moi de vous le dire, je n'oublierai pas non plus Emiliano Zapata[7], le signataire du Plan d'Ayala, le rédempteur des paysans dépossédés.

Ces héros qui ont façonné votre histoire n'appartiennent qu'à vous. Mais les principes qu'ils incarnent appartiennent à tous. Ce sont aussi les nôtres. C'est pourquoi je me sens ici, au Mexique, en terre familière. Les grands souvenirs des peuples leur font de grandes espérances.

Ni le Mexique ni la France ne peuvent se détourner des sources vives de leur passé révolutionnaire sans se renier et, à terme, sans se scléroser. Adultes, maîtres d'eux-mêmes, en pleine ascension, nos deux pays n'ont pas seulement pour mission de faire entrer des principes dans la vie, chez eux, mais de les faire connaître partout où ils sont bafoués.

« Le Mexique, pour la première fois — disait il y a peu le Président Lopez Portillo — a le sentiment qu'il peut apporter quelque chose au monde ». Je crois que le monde a le sentiment qu'il peut recevoir quelque chose du Mexique.

Chacun admet que votre pays se distingue, dans le contexte qui est le sien, par deux traits remarquables : la stabilité politique et l'élan économique. Si l'on y regarde de près, ces deux mérites qui vous honorent sont porteurs de messages qui intéressent le

6. Pancho Villa (1878-1927), héros des paysans du Nord pendant la Révolution de 1911, mourut assassiné en 1927.

7. Emiliano Zapata (1880-1919), héros des paysans du Sud pendant la Révolution de 1911, mourut assassiné en 1919.

monde entier et, en particulier, je crois, le continent américain.

Le premier message est simple, mais, apparemment, il n'est pas encore entendu partout. Il dit ceci : il n'y a et ne peut y avoir de stabilité politique sans justice sociale. Et quand les inégalités, les injustices ou les retards d'une société dépassent la mesure, il n'y a pas d'ordre établi, pour répressif qu'il soit, qui puisse résister au soulèvement de la vie.

L'antagonisme Est-Ouest ne saurait expliquer la lutte pour l'émancipation des « damnés de la terre », pas plus qu'il n'aide à les résoudre. Zapata et les siens n'ont pas attendu que Lénine soit au pouvoir à Moscou pour prendre d'eux-mêmes les armes contre l'insoutenable dictature de Porfirio Diaz.

Le second message du Mexique, à valeur universelle, je l'énoncerai volontiers ainsi : il n'y a pas de développement économique véritable sans la préservation d'une identité nationale, d'une culture originale. Le Mexique a fondu dans son creuset trois cultures, et leur synthèse a donné à votre pays la capacité de rester lui-même.

C'est une lourde responsabilité que d'être placé par le destin à la frontière du plus puissant pays du monde, juste à la charnière du Nord et du Sud. Bastion avancé des cultures d'expression latine, le Mexique a pu devenir le lieu naturel du dialogue entre le Nord et le Sud, comme l'attestera demain la conférence de Cancún. Parce que le Mexique, réfractaire aux dominations de toute nature, a su puiser en lui-même sa volonté d'autonomie.

La vraie richesse du Mexique, ce n'est pas son pétrole, c'est sa dignité. Je veux dire : sa culture. La richesse de votre pays, ce sont ses hommes et ses femmes, ses architectes, ses peintres, ses écrivains, ses techniciens, ses chercheurs, ses étudiants, ses travailleurs manuels et intellectuels. Que valent les ressources naturelles sans les ressources humaines ? Le Mexique créateur compte autant — sinon plus — à nos yeux que le Mexique producteur. C'est le premier qui met en valeur le second.

Après tout, on connaît bien des produits nationaux bruts supérieurs aux vôtres, mais s'il est un jour possible de calculer la création nationale brute par tête d'habitant, on verra alors le Mexique apparaître aux premiers rangs. Là est votre force. Pour ne rien vous cacher, c'est peut-être aussi la nôtre. Voilà ce qui doit faire passer nos deux pays de l'entente à la coopération.

Mais nos héritages spirituels, plus vivants que jamais, nous font obligation d'agir dans le monde avec un esprit de responsabilité. Chaque nation est, en un sens, son propre monde : il n'y a pas de grands ni de petits pays, mais des pays également souverains, et chacun mérite un égal respect.

Appliquons à tous la même règle, le même droit : non-ingérence, libre détermination des peuples, solution pacifique des conflits, nouvel ordre international. De ces maîtres-mots qui nous sont communs, la France et le Mexique ont récemment tiré la conséquence logique. Je veux parler du Salvador.

Il existe dans notre droit pénal un délit grave, celui de non-assistance à personne en danger. Lorsqu'on est témoin d'une agression dans la rue, on ne peut pas impunément laisser le plus faible seul face au plus fort, tourner le dos et suivre son chemin. En droit international, la non-assistance aux peuples en danger n'est pas encore un délit. Mais c'est une faute morale et politique qui a déjà coûté trop de morts et trop de douleurs à trop de peuples abandonnés, où qu'ils se trouvent sur la carte, pour que nous acceptions à notre tour de la commettre.

Les peuples de la région, à défaut des gouvernements, ne se sont pas trompés sur le sens à donner à la déclaration franco-mexicaine sur le Salvador[8]. Le respect des principes dérange le plus souvent les routines diplomatiques. Mais l'Histoire qui passe donnera raison au Droit qui reste.

La France, comme le Mexique, a dit non au désespoir qui pousse à la violence ceux qu'on prive de tout autre moyen de se faire entendre. Elle dit non à l'attitude qui consiste à fouler aux pieds les libertés publiques pour décréter ensuite hors la loi ceux qui prennent les armes pour défendre les libertés.

A tous les combattants de la liberté, la France lance son message d'espoir. Elle adresse son salut aux femmes, aux hommes, aux enfants même, oui, à ces « enfants héros » semblables à ceux qui, dans cette ville, sauvèrent jadis l'honneur de votre patrie et qui tombent en ce moment même de par le monde pour un noble idéal.

Salut aux humiliés, aux émigrés, aux exilés sur leur propre terre, qui veulent vivre et vivre libres.

Salut à celles et à ceux qu'on bâillonne, qu'on persécute ou qu'on torture, qui veulent vivre et vivre libres.

8. Le 28 août 1981, dans une déclaration commune, la France et le Mexique reconnaissent la représentativité politique du Front de Libération nationale qui réunit l'ensemble des guérilleros en lutte armée contre la junte salvadorienne présidée par Napoléon Duarte.

Salut aux séquestrés, aux disparus et aux assassinés qui voulaient seulement vivre et vivre libres.

Salut aux prêtres, aux syndicalistes emprisonnés, aux chômeurs qui vendent leur sang pour survivre, aux Indiens pourchassés dans leur forêt, aux travailleurs sans droits, aux paysans sans terre, aux résistants sans armes, qui veulent vivre et vivre libres.

A tous, la France dit : courage, la liberté vaincra ! Et si elle le dit depuis la capitale du Mexique, c'est qu'ici ces mots possèdent tout leur sens.

Quand la championne des droits du citoyen donne la main au champion du droit des peuples, qui peut penser que ce geste n'est pas aussi un geste d'amitié à l'égard de tous les autres peuples du monde, et en particulier du monde américain ? Et si j'en appelle à la liberté pour les peuples qui souffrent de l'espérer encore, je refuse tout autant ses sinistres contrefaçons : il n'est de liberté que par l'avènement de la démocratie.

Notre siècle a mis l'Amérique Latine au premier plan de la scène mondiale. La géographie et l'histoire ont mis le Mexique au premier rang de l'Amérique Latine. S'il n'est pas de chef de file, il est des précurseurs.

Personne ne peut oublier que la première révolution sociale de ce siècle et la première réforme agraire de l'Amérique ont eu lieu ici. Personne ne peut oublier que le premier pays en Occident à avoir récupéré le pétrole pour la Nation est celui du général Lazaro Cardenas, celui-là même qui vint au secours de la République espagnole écrasée par les bombes du franquisme. Personne ne peut oublier que c'est du Mexique que furent lancées les premières bases juridiques du nouvel ordre économique international, que c'est encore à vous et à votre Président Lopez Portillo que les Nations Unies doivent la grande idée annonciatrice d'un plan mondial de l'énergie.

Voilà pourquoi, quand un Français socialiste s'adresse aux patriotes mexicains, il se sent fort d'une longue histoire au service de la liberté.

Vive l'Amérique latine, fraternelle et souveraine !

Vive le Mexique !

Vive la France !

« LE PASSÉ EST LE PASSÉ. REGARDONS MAINTENANT ET RÉSOLUMENT L'AVENIR » (1er décembre 1981)

Dix-neuf années après la proclamation de l'indépendance de l'Algérie, le Président de la République effectue, les 30 novembre et 1er décembre 1981, un voyage officiel dans ce pays.

Dans un discours prononcé le mardi 1er décembre devant l'Assemblée populaire nationale algérienne, il jette les bases de ce que devrait être la coopération entre la France et l'Algérie et, d'une façon plus générale, entre le Nord et le Sud.

Monsieur le Président[1],
Messieurs les Députés,

Pour la première fois, un Président de la République française est invité à prendre la parole devant l'Assemblée Populaire Nationale Algérienne. J'en mesure l'honneur et l'importance et suis sensible à votre accueil.

Vous savez que j'ai moi-même siégé au Parlement de mon pays depuis notre Libération, au lendemain de la Seconde Guerre mondiale, jusqu'à mon élection

1. M. Rabah Bitat, Président de l'Assemblée populaire nationale algérienne.

récente à la Présidence de la République. Comment vous dire le plaisir et l'intérêt que j'éprouve à me trouver devant vous qu'il y a peu de temps encore, j'aurais pu appeler « mes chers collègues » ?

Mais c'est aussi avec émotion que j'ai entendu les mots que vous venez de prononcer, Monsieur le Président ; ils m'ont été droit au cœur. Et je pense que tous les Français, à travers ma personne, ressentiront comme il se doit l'hommage ainsi rendu à la fois à mon pays, au vôtre et à la nature des relations qui les unissent.

Certes, un voyage du Président de la République française en Algérie — chacun l'a dit, et c'était vrai — ne peut pas être un voyage comme les autres. Vous connaissez, comme je la connais, nous l'avons vécue, notre histoire. Je pense, en cet instant, à tous ceux, de part et d'autre, qu'elle a réunis et qu'elle a déchirés. Et je leur dis : « Le passé est le passé. Regardons maintenant, et résolument, l'avenir. »

Le moment que nous vivons prendra sa dimension si nos deux pays savent maîtriser les contentieux de l'Histoire, poser les fondations d'une nouvelle confiance mutuelle, envisager cet avenir sans arrière-pensées.

C'est dans cet esprit que, dès mon arrivée à Alger, j'ai rendu hommage à la mémoire des héros[1] qui symbolisent la nation algérienne.

C'est dans le même esprit que je me suis incliné au cimetière de Bologhine[2].

C'est encore l'esprit qui m'animera lorsque je par-

1. Cérémonie au cimetière El-Alia où se trouve le carré des martyrs de la Révolution, le 30 novembre 1981.

2. Cimetière européen d'Alger, ex-cimetière Saint-Eugène.

courrai tout à l'heure, de nouveau, les rues d'Alger à la rencontre de sa population.

L'Algérie a su bâtir un État constitutionnel qui a fait la preuve de sa solidité. Forte de sa jeunesse, elle est mobilisée pour la construction d'une société nouvelle et nous admirons, je dois vous le dire, la détermination avec laquelle vous avez entrepris de relever les défis du sous-développement et des inégalités, votre action pour ouvrir à la jeunesse algérienne les portes de l'école et de l'Université, vos efforts, parmi d'autres, pour tracer la route transaharienne ou planter, face au désert, un véritable « mur vert ».

Les Français, vous le savez, ont choisi de leur côté, au mois de mai dernier, de s'engager dans la voie du changement politique et social que je leur avais proposée, non seulement pour sortir de la crise économique, mais aussi pour affronter avec succès la grande mutation scientifique et technique qui s'annonce. Pour cela, j'ai appelé les Français, mes compatriotes, à se rassembler dans un vaste élan national.

Ainsi, nous avons en commun la force de nos ambitions respectives qui rend possible la rencontre, dans la même espérance, de deux nations différentes, faut-il y insister, mais deux nations baignées par la même mer, berceau commun de civilisations, deux nations ayant noué depuis longtemps des liens économiques et culturels qui ont su résister aux épreuves et aux contradictions.

Aujourd'hui, sur les deux rives de la Méditerranée, entre universitaires, écrivains, étudiants, ouvriers, ingénieurs, techniciens, partout se forme une trame serrée qui souligne l'importance et la nécessité de la coopération entre l'Algérie et la France.

Sans doute, Messieurs, avons-nous rencontré des difficultés entre nous, sans doute subsiste-t-il bien des problèmes bilatéraux. Il serait étonnant qu'il en fût autrement. Mais nous devons les situer à leur juste place dans un climat de compréhension et de respect mutuel auquel contribuera largement le voyage que je suis en train, avec plusieurs membres du gouvernement français[3], d'effectuer en Algérie. Climat qui trouve tout son sens pour nous, vos visiteurs et vos hôtes, lorsque nous constatons, depuis hier matin, de quelle façon votre Président, vos représentants, vos élus et votre peuple ont su nous accueillir.

Aucun problème n'est insurmontable, tous peuvent être résolus. C'est affaire de volonté politique, de compréhension, de générosité aussi, et je sais bien que ni le peuple algérien, ni le peuple français n'en sont dépourvus.

Déjà, pour ce qui nous concerne, dans le domaine qui est le nôtre, le gouvernement français a pris des mesures dès sa mise en place, par le canal de notre ministre d'État chargé de l'Intérieur, ici présent, afin d'assurer plus de dignité et de sécurité à la communauté des travailleurs algériens en France dont je salue ici la contribution à notre développement économique, sans oublier les multiples implications culturelles.

L'Algérie et la France ont droit, l'une comme

3. Le Président de la République était accompagné de MM. Gaston Defferre, Ministre d'État chargé de l'Intérieur et de la Décentralisation ; Michel Jobert, Ministre d'État chargé du Commerce Extérieur ; Mme Nicole Questiaux, Ministre de la Solidarité Nationale ; MM. Claude Cheysson, Ministre des Relations Extérieures, et Raymond Courrière, Secrétaire d'État chargé des Rapatriés.

l'autre, au respect de leur passé ; ce passé est bien entendu inscrit dans la mémoire collective de nos peuples, il doit être sauvegardé.

Dans le domaine économique, les intérêts légitimes, eh bien, faisons-en le tour et servons-les, en évitant tout ce qui pourrait aiguiser les difficultés et en recherchant tout ce qui peut contribuer à l'accord. Dès lors qu'une négociation sérieuse s'engage, alors on admettra que chacun y soit attentif. De ce point de vue, je vous fais confiance, vous pouvez nous faire confiance, chacun des problèmes qui aujourd'hui nous préoccupe sera examiné sous ce triple aspect : la connaissance des dossiers, la défense de nos intérêts légitimes, la volonté de réussir.

Tout commande qu'une coopération exemplaire s'établisse enfin entre nos deux pays.

Dans les domaines industriel, agro-alimentaire, dans ceux de la construction et de l'habitat, nos économies sont, à bien des égards, complémentaires. Multiplions nos échanges. Menons des actions communes de façon concrète, planifiée, comme ont su y parvenir de façon remarquable les villes d'Alger et de Marseille. Faisons patiemment, sérieusement, de nos rapports à venir, un symbole des relations nouvelles à établir entre un pays du Nord et un pays du Sud, si tant est que passe entre nos deux pays cette ligne de démarcation qu'il faudra bien, un jour, effacer.

Mais entre ces deux pays, entre ces deux voisins, le dialogue doit être aussi, et avant tout, politique.

Bien des pays se déterminent aujourd'hui par rapport à votre politique internationale et tous en tiennent compte.

Animatrice du non-alignement, à la pointe du combat pacifique pour la définition du nouvel ordre international, l'Algérie, je vous le dis hautement, est pour la France un partenaire à part entière.

La politique extérieure de la France s'inspire, elle aussi, d'une vision globale du monde. Elle repose sur l'idée simple que chaque peuple, que chaque État peut et doit choisir librement son système social, ses dirigeants, ses alliances, son système en dehors de toute ingérence extérieure. N'est-ce pas une des grandes leçons du temps que nous avons vécu ? La politique extérieure de la France est fondée sur la libre coopération internationale et sur la sécurité collective, à l'ordre du jour plus que jamais.

La France d'aujourd'hui ne s'interdit rien, rien ne lui est interdit par quiconque dès lors qu'elle cherche à rapprocher les peuples, à défendre la liberté, à consolider la paix.

Messieurs, la conscience d'intérêts communs aux habitants de la planète demeure, on le voit bien chaque jour, impuissante à faire prévaloir une organisation collective sur les intérêts égoïstes à court terme. L'Europe n'y parvient pas toujours mieux que d'autres. Mais cet égoïsme, naturellement à courte vue, est encore plus irresponsable et plus aveugle lorsqu'il s'agit des rapports entre les pays dits développés et les pays en voie de développement.

L'écart entre les riches et les pauvres se creuse au détriment des pauvres. Les revenus des productions des pays en voie de développement sont de plus en plus aléatoires. L'endettement de ces pays croît et le désordre monétaire international aggrave leurs maux. Des schémas se développent, préétablis, venus de l'extérieur, et sont souvent plaqués sur la réalité de chaque pays de façon artificielle, au point de les meurtrir. Nulle part l'explosion urbaine, la croissance des cités géantes où chaque problème s'exaspère par lui-même, ne sont maîtrisées. La faim, la malnutrition n'ont pas disparu, loin de là. Et tout se passe comme si la communauté internationale répugnait à se saisir de questions qui mêlent pourtant les destinées et des uns et des autres.

Eh bien, je dois vous le dire, la France n'accepte pas cette démission. A l'écoute des peuples qui luttent pour leur libération et leur développement, elle accorde la première importance aux relations Nord-Sud. C'est ça, le message de la France d'aujourd'hui. Il est temps de s'atteler à l'édification de l'ordre international plus équitable, plus stable, que j'appelle de mes vœux. Nous nous sommes trouvés d'accord à Cancún, le Président Chadli Bendjedid[4] et moi-même, pour préconiser que des négociations globales s'engagent dans le cadre de l'ONU. Nous avons souhaité, l'un comme l'autre, qu'une aide accrue au développement des productions d'énergie soit attribuée aux pays du tiers monde non producteurs de pétrole. La France et l'Algérie se sont également prononcées en faveur d'un mécanisme permettant de soutenir et de stabiliser le prix des matières premières. Sur ce point, nos voix ne sont plus isolées.

La France a décidé de porter, en peu d'années, le pourcentage de son aide aux pays en voie de développement de 0,3 à 0,7 % de son PNB — chiffre, comme vous le savez, recommandé sur le plan international — et de consacrer plus précisément aux pays les moins avancés 0,15 % de ce même PNB. Cet effort important a été entamé dès la préparation de l'actuel

4. Président de la République Démocratique et Populaire algérienne depuis février 1979.

budget. Et cette aide doit laisser place à la coopération. Ne mêlons pas les termes. On ne résoudra pas le problème du Nord et du Sud sous le couvert de l'aide. On y répondra sous le couvert de la coopération, de l'aide par soi-même, dès lors que chaque peuple aura été mis en mesure de disposer des moyens nécessaires. Cette aide, qui doit laisser place à la coopération, correspond de surcroît, j'en ai tout à fait conscience, à l'intérêt bien compris de la France et des pays industriels, et elle sera d'autant plus utile aux pays bénéficiaires qu'elle s'intégrera dans un processus de développement approprié à chaque cas particulier. Ce sont là des orientations générales qui nous guident dans nos relations économiques avec l'ensemble du tiers monde et, particulièrement, avec l'Afrique.

Je sais l'importance, pour vous, de cet immense continent qui demeure pour la France plus proche qu'aucun autre.

En vérité, j'ai voulu, devant vous, Messieurs, aborder l'élément historique qui nous vaut d'être réunis ce matin et, qui sait, une certaine façon d'entrevoir nos affaires bilatérales. Mais je ne veux pas manquer, me trouvant devant vous — sortant du cercle dans lequel nous sommes, où il fallait d'abord entrer, Algérie et France — de traiter quelques problèmes de caractère général, car, après tout, nos deux pays souverains ont bien le droit de débattre ensemble des affaires du monde.

Depuis quelques mois, je me suis attaché à mettre en place, en France, une politique qui respecte l'indépendance, l'intégrité et la souveraineté des États du monde, du continent africain, chaque fois qu'il nous était demandé avis ou conseil.

Je souhaite que toutes les parties du continent africain demeurent ou soient à nouveau hors d'atteinte des rivalités des super-puissances. La France appuiera pour cela tous les efforts, et en premier lieu ceux de l'OUA, qui, en fortifiant les Gouvernements et les États, donneront aux principes de non-ingérence une meilleure chance.

Sur quelques points précis, que je vais aborder avant de conclure, j'exprimerai la position de la France concrètement par rapport aux principes que je viens d'énoncer.

Par exemple, la Namibie : au sein du Groupe des Cinq[5], en accord avec nos amis traditionnels, nous avons agi pour que l'on fixe un calendrier précis ayant pour objectif l'indépendance de ce pays dès l'an prochain. Ne nous dissimulons pas les difficultés à venir. La réponse ne dépend pas de nous. Mais, pour ce qui concerne notre attitude et notre détermination, c'est dans ce sens que nous allons. Et j'ai pu observer, au cours de ces derniers mois, qu'un pays comme la France, pays témoin, pays acteur, peut faire entendre sa voix pour peu qu'il rencontre auprès de pays comme le vôtre l'écho — pour peu qu'il sache entendre l'écho de votre propre voix.

Autre exemple : le Tchad, pays qui, sous la conduite du Gouvernement d'unité nationale, aspire à l'indépendance, à l'unité, à la sécurité. Eh bien, je dis qu'elles doivent lui être garanties et, à cet égard, je me félicite qu'un accord soit intervenu, il y a quel-

5. Le « Groupe des Cinq », composé en 1977 des États-Unis, de la France, de la Grande-Bretagne, du Canada et de la RFA, devait servir d'intermédiaire entre l'Afrique du Sud d'une part, le SWAPO et l'Angola de l'autre, pour la mise en œuvre d'un règlement.

ques jours, à Nairobi[6], fixant au 17 décembre la date d'achèvement de la mise en place d'une force interafricaine. Et je dis ici hautement devant vous, Messieurs, vous en faisant la confidence, que la France entend respecter intégralement ses engagements, contribuer au redressement, au relèvement, à la reconstruction, en restant à sa place, sans jamais se substituer au peuple et aux représentants de ce peuple, là comme ailleurs, et que tous ceux qui se trouvent autour et qui s'inquiètent, qui parfois s'affrontent, sachent que la France, aussi bien au Tchad qu'ailleurs, n'entend entretenir aucune inimitié, que nous n'intervenons que si le Gouvernement légitime nous le demande, que nous ne voulons pas nous mêler des luttes intérieures et que le souci de l'unité, de l'indépendance du Tchad ne passe pas par une position agressive de la France à l'égard de quiconque.

Autre conflit qui préoccupe, à juste titre, dans votre région : celui du Sahara occidental où chaque jour, si l'on n'y prend garde, rend plus difficile à résoudre le problème qui s'y pose et risque d'en faire, comme dans d'autres domaines déjà cités, l'enjeu de rivalités plus vastes. Sur ce plan, dans les choix politiques qui ont précédé mon élection à la tête de la République Française, j'ai exprimé ce qui nous apparaissait comme le droit. Nous disons toujours les mêmes choses, mais il ne faut pas s'en lasser. Chaque peuple a le droit de se déterminer lui-même.

Et nous savons, aujourd'hui, que d'autres responsabilités nous incombent. Nous avons cherché chaque

6. Conférence de l'OUA sur le Tchad, réunie le 27 novembre 1981 à Nairobi (Kenya).

fois, en veillant à préserver nos amitiés, qui sont diverses, à faire prévaloir ce principe, ce qui nous a conduits à approuver les démarches des conférences de Nairobi, sages recommandations, ce qui nous a conduits à soutenir tout effort et de l'OUA et de l'ONU dans ce sens, à saluer toutes les initiatives qui vont vers l'acceptation du choix, par les populations, de leur propre destin.

A l'autre extrémité de la Méditerranée, deux peuples, deux histoires constamment confrontés ; l'amour d'une même terre ; tant de sang et tant de peine. La position de la France est simple, je l'explique aussi simplement devant ceux qui me font l'honneur de me recevoir : pour nous, nous voulons que se crée un État de droit. Le droit suppose que soit reconnu, à quiconque s'est vu admis dans la Société des nations par l'ONU, le droit à l'existence et à la sécurité et aux moyens de cette existence. Et cela suppose aussi qu'aucun peuple ne soit exclu d'une patrie ; et quand on a une patrie, on y choisit ce que l'on veut, c'est-à-dire que l'on y bâtit des structures institutionnelles de son choix. Et la position de la France va de ce côté-là : que le droit mutuel soit reconnu, que les peuples vivent et qu'ils se déterminent. Cela nous met parfois en contradiction, ici ou là, c'est sûr, mais la France ne se pose pas en médiateur.

Si les principes sont clairs, leur mise en œuvre est difficile. Je me contente devant vous d'en appeler à la raison et, si possible, au dialogue direct entre les parties intéressées. Et quelle que soit la démarche retenue, l'essentiel est de ne pas renoncer à l'espoir d'un règlement négocié et équitable au bénéfice de tous. Comment vivre, Messieurs — vous l'avez vécu dans votre esprit et votre chair — privé d'une terre, de l'attachement à la tradition des pères et de l'assurance de pouvoir travailler aux constructions futures dont vos fils seront les artisans ?

Entre la France et l'Algérie, entre l'Europe et l'Afrique, d'autres rapports peuvent se nouer, fondés, ainsi que je l'ai déjà dit, sur la complémentarité de nos économies et, pourquoi ne pas le dire, sur l'union de nos destins dans un monde que vous savez fort difficile.

A l'intérieur de la Communauté économique européenne à laquelle nous appartenons, vous le savez, la France se fait, autant qu'elle le peut, l'avocat d'une coopération nouvelle entre les pays d'Afrique qui le désirent et le Marché Comun. La présence du Ministre des Relations extérieures français[7] parmi vous, à mes côtés, marque bien, par ses actions passées au sein de l'organisme de la Commission de la Communauté économique européenne, quels sont nos choix fondamentaux. Peu d'entreprises européennes ont été aussi positives et aussi fécondes que celles dont il a naguère assuré la charge. Eh bien, que la Méditerranée soit au cœur de cette nouvelle politique ! Veillons à ce qu'Algérie et France, sans nous mêler de ce qui ne nous regarde pas — mais tout de même, cela nous regarde, la paix, par ici —, soyons des éléments qui permettent d'atténuer les tensions et de voir s'éloigner les risques d'affrontement.

La France, vous avez pu l'observer au fil de mon propos, est profondément attachée à la cause de la

7. Au sein de la CEE, M. Claude Cheysson occupa, de janvier 1975 à mai 1981, les fonctions de Commissaire européen chargé de la politique du développement.

paix. Je veux vous dire aussi, ayant décidé de ne rien laisser dans l'ombre, que je suis convaincu que l'équilibre des forces entre l'Est et l'Ouest est la seule véritable garantie de la paix. Bien entendu, à cette garantie devrait bientôt s'en voir ajouter une autre, celle du désarmement, car l'équilibre dans la course à l'armement, on peut imaginer ce qu'en sera l'épilogue sanglant.

Voilà pourquoi, à partir de cette notion d'équilibre, nous restons fidèles au vieux mot d'ordre des socialistes, une grande pensée de ce siècle : arbitrage, désarmement, sécurité collective. Membre d'une alliance défensive, nous entendons, dans la défense d'une indépendance farouchement exprimée, servir aux besoins de la paix. C'est pourquoi j'ai condamné des déséquilibres qui s'accentuaient, notamment en Europe, et j'ai demandé que la clarté se fasse sur les intentions des plus grands en vue de rendre possible une négociation. Celle, en particulier, qui vient de reprendre, depuis hier, à Genève, dont je me félicite et dont je souhaite que les travaux soient menés à bien de part et d'autre, avec la volonté d'aboutir. Chacun d'entre nous, Messieurs, en mesure l'importance : le sort du monde est constamment en jeu.

Pourquoi la France et l'Algérie, quand elles se rencontrent, ne parleraient-elles pas de tout ce qui touche à la vie de l'humanité, des affaires du monde, comme doivent le faire deux nations souveraines ayant vocation d'agir chacune pour soi, ensemble aussi quand il se peut ? Nous sommes à la fois proches et différents, soucieux de notre indépendance et d'esprit internationaliste : soyons conscients de ce que nous pouvons faire ensemble. Les paroles que j'ai entendues à l'instant dans la bouche de votre Président, que je salue et que je remercie, la qualité de son propos, la tonalité du discours, votre attention, ce que je puis discerner devant nous au travers de vos regards et de vos attitudes, cette capacité de dialogue ouvert entre nous, tout cela donne plus de force encore au salut de la France que j'adresse à l'Algérie, à son peuple, à son Président, auquel je dis ma confiance dans l'avenir de relations fondées sur le respect et sur l'amitié retrouvée.

« UN MÊME LANGAGE »
(4 mars 1982)

Le jeudi 4 mars 1982, au cours d'un voyage officiel en Israël, le premier effectué par un Chef d'État français, le Président de la République s'adresse aux députés israéliens à la Knesset.

A nouveau, il souligne que la France tient partout le même langage : « Je ne sais s'il y a une réponse acceptable au problème palestinien, mais nul doute qu'il y a un problème et que, non résolu, il pèsera d'un poids tragique et durable sur cette région du monde. »

Monsieur le Président de la République[1],
Monsieur le Président de la Knesset[2],
Mesdames et Messieurs,

Pour cette première visite d'un Chef de l'État français au peuple d'Israël, sur sa terre et chez lui, je veux vous dire, Mesdames et Messieurs les Députés, l'honneur que je ressens d'être votre hôte et, du haut de la tribune qui symbolise votre démocratie, de pouvoir ici saluer en vous les représentants de ce peuple noble et fier dans sa plénitude et sa diversité.

1. M. Itshak Navon, Président de la République d'Israël depuis avril 1978.
2. M. Savidor.

Je vous remercie, Monsieur le Président[3], des paroles que vous venez de prononcer. Vous avez eu raison de rappeler que nos deux pays n'avaient pas eu besoin d'attendre les fastes officiels pour s'estimer et se comprendre, pour se reconnaître et pour se rencontrer. Que de fois, en effet, l'Histoire n'a-t-elle pas associé nos efforts, assemblé nos espoirs, réuni nos destins ? Au cours du dernier tiers de siècle, des liens personnels et innombrables se sont tissés entre la France et Israël, mais aussi des liens organiques et publics. C'est ainsi que la France s'est affirmée dès le point de départ comme l'un des plus constants défenseurs de votre entrée en tant que peuple indépendant, maître de ses choix, dans la communauté des Nations. C'est ainsi qu'elle a été l'une des premières à établir des relations diplomatiques avec votre jeune État, devancée, je crois, de justesse — comme on s'empressait à l'époque ! — par l'Union Soviétique et les États-Unis d'Amérique. Elle a contribué par la suite, comme elle devait le faire, mais en y ajoutant cette inestimable valeur qui se nomme l'amitié, à affermir votre présence sur la scène du monde et à garantir votre sécurité. Je rappelle ces faits non pour en tirer gloire ou pour solliciter je ne sais quelle gratitude. Israël doit d'abord d'exister à la vaillance de ses fils, au labeur de son peuple, à la fidélité d'une indéracinable espérance. Mais quand il lui fallut dénombrer ses forces et ses amis pour accomplir l'ultime étape, celle du droit reconnu sur son sol retrouvé, la France, Mesdames et Messieurs, la France était à ses côtés.

Oui, le peuple français est l'ami du peuple d'Israël.

3. M. Savidor, Président de la Knesset, Parlement israélien.

Encore marqué du souvenir des années noires et des cruelles épreuves des communautés juives, le peuple français, d'un seul cœur, a vibré lors de la création de l'État d'Israël. L'holocauste est, dans son esprit, indissociable de votre renaissance. Il n'a pas cessé, depuis lors, d'admirer les travaux qui ont été autant de signes de votre vitalité, de votre foi dans l'avenir. Désormais, Israël vit et nous, la France, nous ne ménagerons pas plus qu'hier nos efforts pour que son droit à l'existence soit universellement admis sans équivoque, et donc pour que soit reconnu du même coup son droit à détenir les moyens de cette existence.

Dirai-je maintenant, par souci d'équilibre, ce que la France, ce que l'Europe, ce que la civilisation d'Occident dont nous nous réclamons et qui nous a formés, doivent à la large trace du peuple juif au travers de trois millénaires et davantage encore, jusqu'à ce jour entre les jours où — dans la nuit des temps — apparut la lumière qui nous éclaire encore ? Mais ne faisons pas le compte de nos mérites respectifs. Je retiendrai de tout cela que nos relations sont fondées sur l'échange. Histoire, culture, recherche de toute explication dans l'unité du monde et de soi, façon d'être et de vivre, société organisée autour de l'homme et faite pour lui, primauté enfin de la raison qui, parce qu'elle est raison, sait où s'arrête son pouvoir, voilà qui justifie le besoin qu'ont l'un de l'autre nos deux peuples. C'est ce besoin qui leur a permis d'étendre, de proche en proche, leur commun domaine, qu'il touche aux arts, aux lettres, aux sciences, aux techniques, à l'économie, aux rapports sociaux, ou qu'il atteigne ces dimensions culturelles ou spirituelles dont le meilleur de notre action s'est toujours inspiré.

Il y avait, vous le voyez, de multiples raisons pour que je réponde à votre invitation. Mais j'ajouterai celle-ci : il était temps qu'après une longue, trop longue absence, la France, en la personne de ses plus hauts représentants, reprît sa place parmi vous. 70 000 Français vivent en Israël. Notre langue y est largement comprise et pratiquée. Nos Ambassades entretiennent un dialogue permanent. Nos Gouvernements s'informent et se consultent. Et pourtant, notre discours, qui se nourrissait de plus en plus d'aimables références au passé, finissait par ressembler à des tics de langage ou à des clauses de style. Nous nous abritions derrière notre amitié tout en faisant semblant de ne plus nous connaître. Bref, il devenait urgent de parler au présent. C'est ce que je fais maintenant.

Qu'il soit bien clair, pour commencer, que lorsque je m'adresse à vos compatriotes, dont l'hospitalité me flatte, c'est pour leur dire qu'il appartient à ceux qui vivent dans cette région du monde de débattre et, si possible, de régler les affaires qui les concernent. La France le pourrait, qu'elle ne chercherait pas à se substituer aux peuples intéressés ou, lorsqu'elles ont à s'exprimer, aux institutions internationales. C'est pour elle question de principe. La paix, la liberté, la justice ne se traitent pas par procuration. Pas davantage la France ne vient ici en donneuse de leçons, ou en distributrice du blâme et de l'éloge. Enfin, elle ne se pose, je l'ai plusieurs fois répété, ni en arbitre, ni en médiateur entre des peuples et des États qui restent libres, avant tout, de leur propre démarche. Simplement, la France est du petit nombre de pays qui, par leur position, leur poids historique, leurs amitiés, leurs intérêts, ont de longue date été désignés comme les interlocuteurs traditionnels des peuples du Proche-Orient. Elle entretient avec la plupart d'entre eux d'actives et bonnes relations. Appelée en sa qualité de membre permanent du Conseil de Sécurité des Nations Unies à examiner les causes et la nature des conflits qui les opposent, elle se sent aussi comptable de la paix.

On m'a objecté, lorsque j'ai décidé de venir chez vous, que j'approuvais par là l'ensemble des aspects de votre politique. Mais vous ne m'en demandiez pas tant ! Et je me suis étonné, de mon côté, de cette curieuse façon de mêler ce qui est distinct. De quel pays oserais-je dire que j'approuve tout ce qu'il fait ? De quel pays exigerais-je qu'il se déclarât en accord sur toute chose avec moi ? Ayons de nos échanges une conception plus simple et plus saine. Une visite d'État a généralement pour objet de rapprocher les points de vue, ce qui suppose qu'ils étaient différents. Quand il s'agit d'alliés ou d'amis, cette visite doit permettre d'accroître le champ des convergences, jugées plus importantes et toujours préférables aux inévitables divergences. Il est donc normal que j'aie, au nom de la France, une opinion sur les problèmes majeurs de votre région et que je la fasse connaître, étant admis une fois pour toutes que j'exprime cette opinion dans le respect des droits fondamentaux qui s'imposent à moi comme aux autres et dont le premier, me semble-t-il, est pour chacun l'irréductible droit de vivre.

Ce droit, Mesdames et Messieurs, c'est le vôtre. Il est celui des peuples qui vous entourent. Et je pense, bien entendu, prononçant ces mots, aux Palestiniens de Gaza et de Cisjordanie, comme je pense, bien que les réalités juridiques et politiques ne soient pas les mêmes, au peuple du Liban.

Mais, avant de m'engager plus avant dans cette réflexion, je voudrais exposer les raisons pour lesquelles j'ai pris à l'égard d'Israël des positions dont nul n'ignore qu'elles ont été contestées, soit par les uns, soit par les autres. Pourquoi, en 1947, membre du gouvernement de mon pays, ai-je été, vous le rappeliez, Monsieur le Premier Ministre, hier, pourquoi ai-je été, avec Édouard Depreux, l'un des deux ministres à plaider et à obtenir asile pour l'*Exodus*[4] ? Parce que je ne supportais pas que ces hommes et ces femmes en quête de liberté fussent chassés de partout, rejetés du droit d'être eux-mêmes par ceux qui avaient plein la bouche de grands mots et de grands principes.

Pourquoi en 1978 ai-je approuvé, seul des responsables des grandes organisations politiques françaises, l'accord de Camp David[5] ? Parce que je pensais que

4. Au mois de juillet 1947, 4 500 émigrants juifs quittent l'Europe sur un bateau de fortune, l'*Exodus*, à destination de la Palestine. Décidées à limiter l'implantation de colonies juives, les autorités britanniques interceptent le bateau, menacent les passagers d'internement à Chypre. Mais, devant la résistance des émigrants, la Grande-Bretagne décide finalement de les renvoyer en Allemagne. L'affaire de l'*Exodus*, en provoquant une vive émotion dans l'opinion internationale, accélère les négociations qui permettent l'année suivante la création de l'État d'Israël.

En France, seuls réagissent officiellement François Mitterrand, ministre des Anciens Combattants, et le socialiste Édouard Depreux, ministre de l'Intérieur du gouvernement présidé par Paul Ramadier.

5. Le 17 septembre 1978 à Camp David, résidence du Président des États-Unis, en présence du Président Carter, Anouar el Sadate, Président égyptien, et Menahem Begin, Premier ministre israélien, signent l'accord de Camp David aux termes duquel les négociations entre les deux États sont établies. Elles se concluent le 25 mars 1979 par la signature d'un traité de paix israélo-égyptien qui pré-

ceux qui se faisaient la guerre avaient aussi le droit de se faire la paix et de se rapprocher pour tenter d'apporter une réponse au problème palestinien.

Pourquoi, en 1980, ai-je regretté que la conférence de Venise[6] eût implicitement rejeté, au bénéfice d'une négociation globale, la procédure de Camp David ? Parce que je préférais une paix qui se fait peu à peu à une paix qui ne se fait pas du tout, une négociation réelle à une négociation incertaine, et sans récuser pour autant l'accord global, en fin de compte.

Pourquoi, Président de la République, ai-je, en 1981, refusé d'associer plus longtemps la France au boycott commercial qui frappait Israël[7] ? Parce que ma règle est de ne consentir en aucune circonstance à quelque discrimination que ce soit contre un peuple honorable. Pourquoi ai-je consenti à ce que la France

voit : le retrait de l'armée israélienne derrière la frontière internationale reconnue entre l'Égypte et la Palestine sous mandat, la souveraineté de l'Égypte sur le Sinaï, le respect mutuel de la souveraineté, de l'intégrité territoriale et de l'indépendance respectives des deux pays, le plein rétablissement des relations diplomatiques, économiques, culturelles, la libre circulation des biens et des personnes entre les deux pays, la protection mutuelle des citoyens.

6. Le 13 juin 1980, le Conseil Européen de Venise demande « la reconnaissance des droits légaux du peuple palestinien et la participation de l'OLP aux négociations ». Tout en reconnaissant le droit à l'existence et à la sécurité de tous les États de la région, cette déclaration est un désaveu implicite de Camp David qui limite alors les négociations à l'Égypte et Israël.

7. La loi du 7 juin 1977, interdisant tout boycott économique, avait été assortie en 1980 de clauses restrictives vis-à-vis d'Israël, afin de favoriser le commerce avec les pays arabes. Dès le 17 juillet 1981, le gouvernement français annule ces dispositions, « soucieux de marquer sans équivoque le caractère intolérable des pratiques racistes dans notre société ».

participât à la force neutre du Sinaï[8] ? Parce que nous sommes volontaires chaque fois qu'il convient d'aider un processus de paix. Pourquoi enfin ai-je accepté l'invitation de MM. Navon et Begin de me rendre en 1982 en Israël ? Nous voici revenus à mon point de départ. Il n'y a pas pour la France d'interdit. Son devoir est de tenir toujours et partout un seul et même langage.

Ce développement vous indique la direction qu'il prend. Pourquoi ai-je souhaité que les habitants arabes de Cisjordanie et de Gaza disposent d'une patrie ? Parce qu'on ne peut demander à quiconque de renoncer à son identité ni répondre à sa place à la question posée. Il leur appartient, je le redis aux Palestiniens comme aux autres, de quelque origine qu'ils soient, de décider eux-mêmes de leur sort. A l'unique condition qu'ils inscrivent leur droit dans le respect du droit des autres, dans le respect de la loi internationale et dans le dialogue substitué à la violence. Je n'ai pas plus qu'un autre à trancher qui représente ce peuple et qui ne le représente pas. Comment l'OLP[9], par exemple, qui parle au nom des combattants, peut-elle espérer s'asseoir à la table des négociations tant qu'elle déniera le principal à Israël, qui est le droit d'exister et les moyens de sa sécurité ? Le dialogue suppose la reconnaissance préalable et mutuelle du droit des autres à l'existence, le renoncement préalable et mutuel à la guerre directe ou indirecte, étant

8. Le 23 novembre 1981, la France, la Grande-Bretagne, l'Italie et les Pays-Bas acceptent de participer à la force de maintien de la paix dans le Sinaï prévue par les Accords de Camp David, qui doit se mettre en place après le retrait israélien prévu en avril 1982.

9. Organisation de Libération de la Palestine.

entendu que chacun retrouvera sa liberté d'agir en cas d'échec. Le dialogue suppose que chaque partie puisse aller jusqu'au bout de son droit, ce qui, pour les Palestiniens comme pour les autres, peut, le moment venu, signifier un État. La France approuvera ce qui sera dialogue ou approche de dialogue, comme elle observera avec inquiétude toute action unilatérale qui, de part ou d'autre, retarderait l'heure de la paix.

De même, nul ne peut décider des frontières et des conditions qui, à partir de la résolution 242 de l'ONU[10], s'imposeront aux parties en cause. Ce sera l'affaire des négociateurs et d'eux seuls. « N'excluez de la négociation aucun sujet, quel qu'il soit. Je propose au nom de l'immense majorité des membres du Parlement que tout soit négociable », disiez-vous ici même, M. le Premier Ministre, vous adressant au Président Sadate le 20 novembre 1977.

Je ne sais s'il y a une réponse acceptable par tous au problème palestinien. Mais nul doute qu'il y a un problème et que, non résolu, il pèsera d'un poids tragique et durable sur cette région du monde. J'en parle non seulement parce que j'obéis à ce que je crois être mon devoir, mais aussi parce que la paix mondiale, déjà si compromise, voit s'accumuler de nouvelles menaces dans les secousses de l'Europe et dans les conflits multiples du Proche-Orient et du Moyen-Orient. Toute crise locale, Mesdames et Messieurs,

10. Votée le 22 novembre 1967 par le Conseil de Sécurité de l'ONU, la résolution 242 prévoit : le retrait des territoires occupés par Israël lors de la guerre des Six Jours, le respect et la reconnaissance de la souveraineté, de l'intégrité du territoire, de l'indépendance et du droit de vivre en sécurité pour chaque État de la région.

toute crise régionale qui dure, attire comme un aimant les puissants de ce monde qui cherchent toute occasion d'exercer leurs rapports de force. Toute crise locale ou régionale qui dure échappe un jour à ses protagonistes au bénéfice de plus forts qu'eux.

Mais nous ne devons pas oublier non plus les relations bilatérales entre nos deux pays. Ces relations, les ministres[11] qui nous ont accompagné ont pu en discuter avec leurs homologues. Et ce qui s'est passé depuis hier — la chaleur de votre accueil, la clarté de nos débats, la franchise de nos discussions, le ton même de notre langage — m'a démontré que ces relations bilatérales doivent se resserrer.

Pas davantage je ne veux taire, m'adressant à ce Parlement, puisque je m'exprime au nom de mon pays, ce que sont les priorités de la France : une unité plus grande de la communauté d'Europe dont elle est membre, une alliance défensive de l'Atlantique plus cohérente, l'indépendance de ses décisions lorsque sa vie est en cause, les vœux qu'elle forme pour qu'aboutisse la négociation de Genève sur le désarmement[12], sa volonté de dire haut à l'Est ce qu'elle pense d'un système et d'actions qui nuisent aux droits de l'homme, qui nuisent aux droits des peuples, et cependant notre volonté de préserver toutes ses chances au

11. Le Président de la République était accompagné de MM. Claude Cheysson, ministre des Relations extérieures, Jacques Delors, ministre de l'Économie et des Finances, Jack Lang, ministre de la Culture, et de Mme Edwige Avice, ministre délégué auprès du ministre du Temps libre, chargé de la Jeunesse et des Sports.

12. Négociation soviéto-américaine sur les forces nucléaires intermédiaires ou euromissiles, qui s'est ouverte à Genève le 30 novembre 1981.

dialogue qui, à travers les siècles, nous a toujours permis de parler à cette partie orientale de l'Europe.

Je ne veux pas oublier davantage la préoccupation qui est mienne devant les freins qui, aujourd'hui, se joignent pour empêcher que se dégage une audacieuse et réaliste politique dans les relations du nord industriel et du tiers monde.

Si on refuse de réformer le système monétaire international, si on refuse les moyens de développer les capacités des pays pauvres qui ne produisent pas de pétrole, si on refuse de définir une politique de soutien des matières premières pour les pays qui ne vivent et ne se développent que sur l'une d'entre elles — de telle sorte que l'impossibilité où ces pays se trouvent de dominer la spéculation qui s'abat sur eux empêche tout plan de co-développement avec les pays industriels —, on ira vers une crise insurmontable.

Mais je m'aperçois, avant de conclure, Mesdames et Messieurs, que je n'ai pas parlé de Jérusalem où nous sommes pourtant. La Bible a nourri mon enfance. A sa lecture, vous avez appris que Jérusalem — dans votre langue, c'est *Ir Shalom*, terre de l'unité et des contradictions, éternelle, je l'espère, universelle assurément — apparaîtra fatalement un jour comme le lieu où se rassembleront les frères séparés. Dans sa volonté farouche de survivre, votre peuple, j'en suis sûr, saura tirer de son génie les ressources d'intelligence et de courage qui changeront, pour lui et pour d'autres, la peine en joie et l'angoisse en espoir.

Je connais nombre d'entre vous, nos chemins se sont souvent croisés, des amitiés se sont créées. Mais je m'adresse en cet instant au Parlement dans son entier, à la Knesset de l'État d'Israël. Au nom de la France, je fais confiance aux représentants de ce peuple pour qu'ils assurent, selon leur idéal, le devenir d'Israël, mais aussi, permettez-moi de vous le dire, confiance — parce que nul n'a plus vécu que vous les siècles du passé, et nul n'éprouve davantage les luttes d'aujourd'hui — pour que se rassemblent enfin les enfants dispersés et qu'à la culture et à l'histoire du peuple juif répondent la culture et l'histoire du grand peuple arabe, héritier d'une grande civilisation qui, elle aussi, vous a formés.

Je voudrais, avant de conclure, vous dire ces simples mots : « *Hayim aroukin ve shalom le'am Israel. Hayim aroukin shalom le'amey ha-ezor* » (longue vie au peuple d'Israël, longue vie aux peuples de la région). Oui, *shalom*, amis, et longue vie !

« AU-DELÀ DES BLOCS »
(29 novembre 1982)

Après une visite en Égypte où il a rappelé « à quel point l'amitié entre l'Égypte et la France est profonde et singulière », le Président de la République se rend en Inde, chef de file des pays non alignés.

Là encore, il affirme la nécessité, pour préserver la paix, de sortir du système des blocs : « Nous avons en commun le souci de ne pas voir se perpétuer la loi des blocs, des blocs militaires et de leur affrontement, qui tend à dominer l'évolution du monde entier. »

Monsieur le Vice-Président[1],
Madame le Premier ministre[2],
Monsieur le Speaker[3],
Mesdames et Messieurs les Parlementaires,

Au cours de cette visite en Inde, j'ai souhaité m'adresser à vous, élus du grand peuple indien, membres du Lok Sabha et du Rajya Sabha[4]. Je vous

1. M. Mohamed Hidayatullah, Vice-président de l'Union indienne et Président de la Chambre des États.
2. Mme Indira Gandhi.
3. M. Bal Ram Jakhar, Président de la Chambre basse.
4. Chambre basse *(Lok Sabha)* et Chambre des États *(Rajya Sabha).*

remercie de m'avoir offert cette occasion et j'ai été très sensible, M. le Vice-Président, aux aimables paroles d'accueil que vous venez de prononcer.

C'est un honneur pour moi, élu de la France, pays de la Révolution de 1789, de la Déclaration des Droits de l'Homme et du Citoyen et de la reconnaissance publique des droits économiques et sociaux, de me trouver aujourd'hui au sein de ce Parlement où légifère la plus vaste démocratie du monde, et je suis venu tout simplement vous apporter le salut de mon pays.

Parlementaire moi-même pendant plus de trente ans, j'ai conscience de l'importance de votre tâche, et ce n'est pas sans émotion que je m'adresse à vous. Et vous comprendrez cette satisfaction d'autant plus que la Constitution française ne me permet pas, en tant que Chef de l'État, de m'exprimer devant le Parlement de mon pays.

Mesdames et Messieurs, comment ne pas évoquer dans cette enceinte la stature des fondateurs de votre démocratie ? La liste en est longue. J'ai été le contemporain d'hommes comme le Mahatma Gandhi, le Pandit Nehru, parmi tant de héros illustres ou obscurs.

Dès mon arrivée il y a trois jours, je suis allé me recueillir sur la stèle funéraire du Mahatma Gandhi, cet homme qui a symbolisé et galvanisé le combat de votre peuple pour l'indépendance et qui a donné ses lettres de noblesse à la résistance passive, à la non-violence. L'âme du Mahatma Gandhi, qui a incarné la continuité entre l'Inde traditionnelle et l'Inde moderne, plane toujours sur cette assemblée. Et je vous assure que sa pensée, issue d'une tradition millénaire, n'appartient pas seulement à votre pays, mais à l'humanité toute entière.

J'ai voulu rendre également hommage au Pandit Nehru, créateur d'un État puissant et vigoureux où s'équilibrent les avantages du parlementarisme et ceux du fédéralisme, conformément aux réalités et aux diversités de votre Nation, de la Nation indienne dont vous êtes l'expression. Œuvre immense poursuivie aujourd'hui par votre Premier Ministre, si proche elle-même des sources de cette grande histoire.

J'ai pu mesurer pendant ces jours combien Delhi, héritière de l'antique cité d'Indraprastha, et qui fut le siège de tant de dynasties, symbolise l'unité du pays. Je sais ce qui a été réalisé depuis votre indépendance, sur le plan agricole grâce à une remarquable « révolution verte », ainsi que sur le plan industriel où l'Inde a fait la preuve de ses capacités de premier plan. Tous ces efforts, menés en dépit d'obstacles multiples avec ténacité, forcent l'admiration et vous confèrent, à vous représentants du peuple, un rôle majeur pour le présent et pour le devenir de l'humanité, je veux dire de la société des hommes.

J'ai cité quelques noms fameux, mais en vérité cette œuvre, elle est la vôtre : au-delà de vos légitimes différences, l'œuvre de tous ceux qui, depuis le premier jour, ont choisi de fonder l'Inde que nous connaissons.

Il existe — M. le Vice-Président, vous avez bien voulu le rappeler et je vous en remercie — d'anciennes affinités entre l'Inde et la France. Sans remonter bien loin, c'est Napoléon Ier lui-même qui fonda la première chaire de sanskrit en Europe. Victor Hugo et Michelet furent l'un et l'autre des connaisseurs de vos hymnes védiques, de vos épopées et des Upanishads, témoignages du caractère universel d'une pensée, la vôtre. Que de créateurs et d'écrivains, français et indiens, qui ont cherché par leur dialogue à saisir d'un seul mouvement une part de la réflexion d'Occident, une part de la sagesse d'Orient !

Mais, quel que soit leur intérêt, je dois à la vérité de dire que ces échanges ont bien peu pesé sur le cours de nos histoires respectives. En dépit de votre accession à l'indépendance il y a 35 ans, la France a mis longtemps à mesurer l'importance historique, pour les temps présents et pour l'avenir, de cet événement. Mais je crois, ainsi que je l'ai dit le soir de mon arrivée dans votre pays devant le Président de la République[5] et le Premier ministre de l'Inde, que les conditions d'un nouveau départ dans l'histoire de nos relations sont maintenant réunies.

Certes, nous appartenons à des mondes différents. Vous avez vos amitiés, vos engagements, comme nous avons les nôtres. Mais nous avons en commun le souci de ne pas voir se perpétuer la loi des blocs, des blocs militaires et de leur affrontement, qui tend à dominer l'évolution du monde entier. Je me suis rendu depuis mon élection en Asie, en Afrique, en Amérique latine. Je suis aujourd'hui chez vous. Je peux vous dire que les peuples du monde se satisferont de moins en moins de ce qui est.

C'est le sens profond du non-alignement dont vous êtes porteurs et auquel vous voulez restituer sa pleine signification. Quand Delhi accueillera, dans quelques mois, le 7e Sommet des pays non alignés[6], nul doute qu'il s'agira d'un grand événement.

La France, de son côté, s'est engagée dans une action d'ampleur en faveur du développement. Sa

5. M. Giani Lail Singh.
6. Du 7 au 12 mars 1983.

détermination est d'autant plus profonde que nous estimons — hélas, trop seuls parmi les pays industrialisés — que là réside notre intérêt commun. Et pourtant, comment ne pas s'étonner qu'en dépit des menaces que représentent l'écart grandissant entre pays riches et pays pauvres, les confrontations armées, la course aux armement, il y ait si peu, entre nous, de projets communs ?

J'ai lancé des appels en ce sens à Ottawa, Mexico, Cancún, à Paris lors du Sommet des moins avancés, à Versailles, à Kinshasa. Partout les représentants de mon pays préconisent la réforme du système monétaire international, la garantie des cours des matières premières, la recherche de l'auto-suffisance alimentaire, l'indépendance énergétique, l'adaptation des mécanismes, l'augmentation des ressources des institutions internationales, au premier rang desquelles la Banque mondiale et le Fonds monétaire. Et l'engagement de la France est mis en pratique puisqu'au cours de mon septennat, le pourcentage du produit intérieur brut de la France consacré aux pays en voie de développement atteindra les 0,7 % demandés. Déjà les deux budgets annuels depuis mon élection ont marqué ce progrès.

La France a également réagi contre l'abandon, par certains pays industrialisés, de leurs dispositions initiales envers l'AID (Agence Internationale pour le Développement). Elle continuera d'agir, avec d'autres pays, pour que les ressources de cette institution permettent un effort accru. Vous savez aussi que mon pays a demandé le doublement des ressources du Fonds monétaire et décidé de participer au Fonds spécial affecté aux pays les moins avancés. La France, enfin, tout comme l'Inde, au sein du Groupe des

77[7], travaille pour que s'ouvrent enfin des négociations globales. Elle ne manque et ne manquera pas d'attirer l'attention des grands pays industriels sur cette extrême urgence.

Vous me permettrez de vous dire aussi que la France est éprise de paix. Sa population, éprouvée par deux guerres mondiales pendant ce siècle, en connaît et en a payé le prix. Aussi comprend-elle et soutient-elle l'effort que fait son gouvernement pour assurer sa sécurité et, plus largement, maintenir ou rétablir les équilibres nécessaires. C'est dans la conjonction d'une volonté nationale de dissuader tout agresseur et de refuser les fossés qui se creusent, les tensions qui s'avivent, stratégiques ou économiques, que la France situe l'axe principal de sa politique extérieure.

Que de drames, cependant, sollicitent notre attention : Proche-Orient, Moyen-Orient, Extrême-Orient, Afrique australe, Afrique occidentale, centrale, Amérique centrale, en Europe même... J'en passe. Le droit des peuples à disposer d'eux-mêmes, le respect des principes émis par les assemblées internationales, l'arbitrage, le désarmement, la sécurité collective constituent notre charte.

Mais, Mesdames et Messieurs, il nous faut construire une assise solide aux relations franco-indiennes. Beaucoup a été entrepris, mais beaucoup reste à faire

7. Le « Groupe des 77 », qui compte actuellement 125 membres, organise, dans le cadre des Nations Unies, des négociations à caractère économique entre pays en voie de développement. Fondé au Caire en 1962, il s'est exprimé pour la première fois en tant que tel, l'année suivante, dans la « Déclaration commune des pays en voie de développement » annexée à la résolution 1897 de l'ONU, relative à la Conférence des Nations Unies sur le commerce et le développement (CNUCED).

et nous devrons agir avec ténacité, bousculer bien des habitudes, surmonter beaucoup d'obstacles. Mon voyage dans votre pays, ma visite à son Parlement, et ces paroles que je vous adresse constituent, je l'espère, après les propos tenus par votre Vice-Président, une étape importante et non un simple épisode après lequel chacun reprendrait sa route indifférente et divergente.

Poursuivons au plus haut niveau le dialogue politique que je souhaite, auquel votre Premier Ministre, votre gouvernement ont donné l'impulsion. Accroissons résolument nos échanges économiques et commerciaux. Donnons une dimension nouvelle à notre coopération industrielle en y incluant les transferts de technologie. Retrouvons la flamme des précurseurs du dialogue entre nos civilisations.

Je vous remercie, Mesdames et Messieurs, de m'avoir permis de m'adresser à vous et quand je dis à vous, à toutes les nuances politiques confondues, je m'adresse au peuple de l'Inde auquel je vous prie de bien vouloir transmettre le salut de la France et du peuple français. Vous le ferez, j'en suis sûr. Oui, la France salue l'Inde et sa démocratie et vous dit que sur les chemins qui nous conduisent à l'avenir, nous entendons continuer d'être vos compagnons.

V

Des pays en voie de développement

« AU SEUIL D'UN NOUVEAU MILLÉNAIRE » (1er septembre 1981)

A Paris, le Président François Mitterrand ouvre la conférence des Nations Unies sur les pays les moins avancés. Deux cents nations y participent.

Le Chef de l'État y définit ce que devrait être une véritable coopération Nord-Sud. Un esprit de responsabilité partagée devrait remplacer la méfiance, l'indifférence : « Aider le tiers monde, c'est s'aider soi-même à sortir de la crise. »

Majesté[1],
Messieurs les Présidents,
Monsieur le Secrétaire général[2],
Messieurs les Ministres,
Messieurs les Directeurs et Secrétaires généraux,
Messieurs et Mesdames les Délégués,

C'est un grand honneur pour la France de recevoir aujourd'hui à Paris une Conférence des Nations Unies. Depuis plus de trente ans, cet événement majeur ne s'était pas produit. Trente années, c'est plus que l'espace qui sépare deux générations. Que de change-

1. Sa Majesté Birenda Bir Bikran Shah Deva, roi du Népal.
2. M. Kurt Waldheim, Secrétaire général de l'Organisation des Nations Unies.

ments entre-temps, en France et dans le monde ! Que soit remerciée la Communauté internationale qui, par une décision de l'Assemblée générale lors de sa XXXVᵉ session, a bien voulu accepter notre invitation.

Il vous appartiendra, Monsieur le Secrétaire général, en vertu des pouvoirs que vous tenez de vos hautes fonctions, de procéder cet après-midi à l'ouverture solennelle de la Conférence. Le fait qu'elle se tienne dans les bâtiments de l'UNESCO[3] que son Directeur général[4] a bien voulu mettre à notre disposition, ce dont je le remercie chaleureusement, n'est pas dénué de signification : la Convention de cette Organisation, en mettant l'accent sur la « dignité de l'homme » et sur la « solidarité intellectuelle et morale de l'humanité », nous indique opportunément dans quel esprit les travaux de la Conférence devront être menés et nous savons, Monsieur le Directeur général, à quel point vous tiennent à cœur les idéaux qui justifient l'action de l'UNESCO. J'exprime également notre gratitude, pour la tâche déjà accomplie en vue de cette Conférence et celle qui reste à faire, envers tous les fonctionnaires des Nations Unies qui se sont dévoués à sa réalisation et, au premier rang, ceux de la CNUCED[5] que dirige avec distinction et compétence M. Gamani Coréa. Je veux aussi remercier le personnel de cette maison qui nous reçoit si bien.

De notre côté, croyez bien que nous mettrons tout en œuvre pour que votre séjour dans notre capitale soit le plus agréable possible. Et aussi, et surtout, pour

3. Organisation des Nations Unies pour l'Éducation, la Science et la Culture.

4. M. Amadou Mahtar M'Bow.

5. Conférence des Nations Unies sur le Commerce et le Développement.

que cette Conférence de Paris reste dans les mémoires comme un progrès important de la coopération du Nord et du Sud, des pays déjà développés avec les pays en développement, des plus riches avec les plus démunis.

Après l'époque des dominations coloniales, après l'espoir des années soixante, pendant et après le choc de la crise économique mondiale, nous voici au seuil d'un nouveau millénaire. Six milliards d'hommes habiteront la Terre en l'an 2000 : laisserons-nous quatre milliards d'entre eux menacés sans cesse par la pauvreté ? Laisserons un milliard d'êtres humains traqués par la famine, par le désespoir ?

Tel est le problème fondamental auquel nous sommes confrontés.

Il se pose en termes simples : ou bien la Communauté internationale saura trouver en elle-même le désir et le ressort de relancer le dialogue et d'aborder les vrais débats ; ou bien les différentes parties du monde s'en retourneront chacune chez elle, amères et déçues, pour s'attaquer dans la solitude aux problèmes de l'heure, avec ce mélange de résignation et de désir diffus de revanche qui accompagne les grandes questions que l'on n'a pas jugé bon d'entendre.

Mais comment cent ou plus de cent nations accompliront-elles en quelques décennies le chemin du développement que les pays les plus avancés ont mis plusieurs siècles à parcourir ? Comment faire que chacun trouve sa voie propre dans un monde où les liens féconds et étroits qui existent entre nations recèlent aussi bien des contraintes et des dominations ? Comment bâtir pour tous un ordre économique international à la fois équitable et efficace, qui place le développement au premier rang des priorités de tous ?

Le déroulement de cette Conférence, ici même, à Paris, nous y voyons plus qu'un honneur : un symbole qui nous engage. L'effort actuel de la France vers plus de justice et davantage de dignité, cet effort-là, en dépit des obstacles, en dépit des moyens parfois limités, cet effort ne s'arrête pas et ne s'arrêtera pas à nos frontières. L'esprit de solidarité ne se partage pas. Étrange solidarité qui se changerait en indifférence, sitôt franchi un fleuve, sitôt traversées des montagnes, sitôt passé le poste de douane ! Le *chômage*, auquel de toutes ses forces la France s'attaque, car il dégrade l'homme et gaspille l'avenir, ce chômage, c'est aussi celui qui, dans tous les pays, riches ou pauvres, du Nord ou du Sud, arrache les gens de leur terre, les entraîne vers la ville où ils trouvent portes closes. D'ici l'an 2000, rappelons-nous qu'un milliard d'hommes, du Nord et du Sud, risquent de connaître la misère du chômage. L'*injustice* que nous allons combattre, sous toutes ses formes et par toutes sortes de mesures, cette injustice règne sur le monde où des multitudes ne trouvent pas réponse à leurs besoins essentiels, ne mangent pas à leur faim et meurent enfants avant d'avoir pu vivre, alors qu'une minorité de privilégiés se demandent chaque matin comment consommer le superflu dont ils disposent. Quant à la croissance, si nécessaire pour nous libérer du chômage et de la pauvreté, qui pourrait croire aujourd'hui qu'elle ne dépend pas d'abord de la prospérité commune ? Qui pense encore à la croissance harmonieuse d'une moitié du monde sans se préoccuper de l'autre ? Qui rêve encore à la relance durable des économies développées sans l'aide de nouveaux débouchés, de nouveaux partenaires, de nouveaux mondes avec qui collaborer, échanger et parler d'égal à égal ? Qui peut survivre aujourd'hui sans exporter ? Quel est ce paradoxe de vouloir fermer les frontières à la concurrence sans ralentir les ventes à l'étranger ? La concurrence des pays récemment industrialisés menace sans doute quelques-uns de nos secteurs affaiblis, mais, globalement, cette concurrence est le signe du développement de tous, de l'apparition de partenaires inédits, fournit la preuve que peuvent s'ouvrir de nouveaux marchés. Tout indique que ces mutations suscitent beaucoup plus d'emplois qu'elles n'en suppriment. La solidarité pour le développement avec l'ensemble du tiers monde m'apparaît tout à la fois comme la clef de notre avenir commun et une nécessité pour chacun. Aider le tiers monde, c'est s'aider soi-même à sortir de la crise.

Dans diverses enceintes régionales ou mondiales, globales ou sectorielles, nombreux sont ceux qui s'efforcent de ranimer le dialogue. A Caracas s'est défini le cadre concret d'importantes relations Nord-Sud. A Nairobi, une Conférence des Nations Unies vient de faire le point sur ce que peuvent apporter les énergies nouvelles et renouvelables dont dispose la planète. Les Chefs d'État et de gouvernement évoquent de plus en plus longuement, à chacune de leurs rencontres, les menaces du sous-développement et ils y consacreront dans quelques semaines une réunion à Cancún. Partout surgissent des initiatives pour sortir du silence et du refus.

La Conférence qui commence aujourd'hui à Paris s'inscrit dans ce mouvement et soulève d'emblée, sans déguisement ni fards, la question redoutée : qu'est-ce que l'urgence en matière de développement ?

Quel terrible raccourci que ce terme de « pays moins avancés » quand il désigne les plus démunis parmi les démunis ! Il est lourd, le fardeau de ceux qui cumulent les handicaps graves de l'Histoire et des ressources avec une évolution de plus en plus difficile au fil des dernières années. Deux cent quatre-vingt millions d'hommes disposent chacun, pour survivre une année, d'un revenu inférieur à 200 dollars. Dans ces pays-là, l'industrie ne fournit qu'une part minime du revenu ; dans ces pays-là, un adulte seulement sur cinq sait lire et écrire ; dans ces pays-là, un enfant qui vient de naître peut espérer vivre combien d'années ? 45 ans... tandis qu'un nouveau-né, dans les pays que je connais, peut atteindre une espérance de vie — ce n'est pas négligeable, que dis-je : n'est-ce pas le bien le plus précieux lorsque les conditions sont réunies pour que la vie soit supportable, et encore mieux lorsqu'elle peut être belle ? — peut atteindre 70 ans.

C'est parmi ces plus pauvres que les progrès sont les plus faibles. Depuis dix ans, les pays les moins avancés marquent le pas et voient leur croissance économique suivre avec peine le mouvement de leur population. Pour beaucoup d'entre eux, un processus de déclin s'est mis en marche et leur niveau de vie, pourtant si faible, s'abaisse encore. L'agriculture, condition première d'une amélioration durable, stagne et prend sans cesse davantage de retard sur les besoins. Ainsi, l'ensemble du tiers monde exportait-il en 1930 — et dans quelles conditions — dix millions de tonnes de céréales. En 1978, il en importe soixante millions. L'environnement, les ressources de la terre se dégradent, la désertification progresse, véritable perte de substance due aux calamités naturelles et à la surcharge des terroirs. Ainsi s'accentuent la dépendance vis-à-vis de l'extérieur, les besoins d'importations alimentaires, le recours croissant aux ressources de l'aide publique, seule forme de financement extérieur disponible à ces pays.

Comment voir sans inquiétude leur vulnérabilité chaque jour accrue ?

Voilà pourquoi il nous revient de créer les conditions permettant à ces pays de faire les choix nécessaires et utiles. Nous devons tous ensemble leur apporter l'appoint extérieur qui leur donnera les moyens de l'espoir. A quelle dignité pourraient prétendre les peuples nantis s'ils abandonnaient dans une situation sans avenir et sans issue les plus déshérités de leurs frères humains ?

Je peux le dire pour ce qui concerne mon pays : la France est consciente de cette urgence. Mais la France sait aussi qu'une fois réglée l'urgence, le problème du développement reste ouvert.

C'est dans une perspective générale de réponse au défi du sous-développement, et non dans un souci quelconque de division, d'alibi ou de substitution, parfois même de retour indirect à des méthodes coloniales, qu'il faut envisager ensemble, ici et maintenant, à Paris, l'aide que nous pouvons apporter aux pays les moins avancés.

Ce n'est que dans le cadre d'une stratégie globale du développement, la France en est convaincue, qu'une action en faveur des pays les moins avancés prendra une signification véritable.

Pour ce qui nous concerne toujours — je peux le dire en cet instant, ayant l'honneur de participer à cette séance et de présenter ce premier exposé —, c'est dans cinq domaines principaux que nous, Français, entendons porter notre action :

Premièrement, mon pays souhaite que dans les rapports Nord-Sud, un esprit de responsabilité partagée remplace la méfiance, l'indifférence. Une volonté nouvelle de se comprendre et d'agir doit se manifester. Les conversations au niveau des Chefs d'État qui se tiendront en octobre à Cancún contribueront à forger cette volonté. L'engagement de négociations globales lui permettra de se traduire par des actions concrètes correspondant à des intérêts mutuels. Avec ses partenaires, la France fera tout son possible pour que cette volonté se manifeste à brève échéance.

Deuxièmement, la France souligne l'importance d'aider concrètement les pays du Sud à surmonter les difficultés aiguës provoquées par l'alourdissement de leur facture énergétique. Elle a proposé à Nairobi l'établissement d'un inventaire économique des énergies nouvelles et renouvelables. Elle apporte son soutien entier au projet de création d'une « filiale énergie » de la Banque Mondiale qui associerait, à responsabilités égales, les pays du Nord et les pays du Sud au développement énergétique du tiers monde.

Troisièmement, la France reconnaît que tout processus de développement, surtout si son rythme est rapide, réclame d'importantes disponibilités financières. Sans elles, les projets resteront sans lendemain. Les engagements pris par la Communauté internationale n'ont pas été tenus pendant les années de forte croissance et de prospérité. Il faudra pourtant les atteindre alors que les circonstances sont bien moins favorables. La France a décidé de rattraper son propre retard et de parvenir d'ici 1988, dans le cadre de son prochain Plan de développement économique, à l'objectif de 0,7 % du PNB d'aide publique adopté par les Nations Unies.

A cet égard, la situation des pays les moins avancés appelle un effort particulier. L'idée de réserver aux pays les moins avancés une part non négligeable du montant global de l'aide publique nous paraît tout à fait appropriée.

Comme *quatrième* volet de notre action, il nous paraît indispensable d'apporter aux pays en développement dans leur ensemble, et particulièrement aux pays les moins avancés, plus de stabilité et de continuité dans leurs recettes. L'équilibre de nombreuses économies dépend des recettes d'exportation d'un seul produit. Pouvoir prévoir et planifier ces recettes, telle est la condition *sine qua non* du développement.

Pour cette raison, la France se montre favorable à la stabilisation des recettes provenant de l'exportation des matières premières du tiers monde. Il s'agit d'une part des accords de produits, et nous profitons de cette occasion pour saluer les efforts de la CNUCED en ce domaine et redire notre attachement au Fonds Commun. Il s'agit aussi des mécanismes financiers qui compensent les fluctuations des recettes, comme le *Stabex* de la Communauté Européenne[6] Ainsi, l'ensemble des pays les moins avancés devrait pouvoir disposer des avantages dont certains d'entre eux bénéficient déjà. Nous avons, dans le cadre de la Communauté Européenne, à effectuer diverses propositions dans ce sens.

Cinquièmement, enfin, la recherche du mieux-être doit être accompagnée par un effort pour préserver

6. Instauré en avril 1975 dans le cadre de la convention de Lomé signée entre la CEE et 46 pays d'Afrique, du Pacifique et des Caraïbes, le STABEX (Stabilisation des recettes d'exportation) est un mécanisme destiné à stabiliser les recettes d'exportation de ces pays, en garantissant le cours de certains produits de base échangés avec la CEE.

l'identité des peuples et promouvoir leur communication.

Où ce message d'écoute de la diversité, de respect de l'identité, pourrait-il être mieux entendu et mieux compris qu'ici même, à l'UNESCO qui a tant fait pour l'alphabétisation, la scolarisation, la mémoire des peuples, pour que s'épanouissent, à côté des moyens d'existence, les raisons mêmes de vivre ? Comment empêcher la technologie, facteur de domination pour les uns et d'aliénation pour les autres, et cependant facteur indispensable au développement, comment empêcher la technologie de s'imposer à la culture, alors qu'elle doit s'y intégrer ? Souvenons-nous qu'à négliger les cultures, qu'à mépriser les traditions, on les contraint à se durcir, à se figer, à donner d'elles-mêmes une pauvre image, parfois même une caricature, simplement pour ne pas mourir.

Depuis vingt ans, certes, Mesdames et Messieurs, des progrès et de grands progrès ont été accomplis dans de nombreux domaines, même si, sur le plan qui nous occupe, nous observons une lente dégradation. Ces progrès ont été accomplis grâce à l'acharnement d'un petit nombre, grâce aux trésors de générosité et d'imagination de certains, dans combien d'organisations non gouvernementales, grâce aussi à la patience, la compétence et l'obstination des institutions internationales, et, au sein de ces institutions internationales, de femmes et d'hommes vers lesquels vont notre respect et notre reconnaissance.

Et pourtant, au fil des ans, l'ambition semble décroître alors même que la misère s'étend. Les objectifs de 1960, on les recule vers l'an 2000. Les optimismes d'antan, on semble en rougir sans s'excuser ; les volontés d'hier, on n'y veut plus souscrire. La guerre contre la pauvreté s'enlise dans les tranchées, pour peu qu'elle ne cède pas la place à d'autres formes de la guerre. D'un côté, les riches gérant leur crise avec la légèreté de convalescents éternels, sautant de rechutes en légers mieux pour replonger dans un nouveau malaise. De l'autre, les pauvres, chaque jour chargés d'apprivoiser la détresse, d'arracher à la terre de quoi seulement recommencer demain.

Et, au milieu, comme une sorte d'équateur entre le Nord et le Sud, l'écart chaque jour se creuse. Est-ce donc cette image blessée du XXe siècle que nous voudrions léguer au XXIe ? Est-ce donc ce portrait que nous voulons tirer de nous-mêmes pour la suite des temps et des générations qui viennent ? J'imagine votre réponse, et je souhaite que cette Conférence de Paris soit, grâce à notre volonté commune, le commencement d'un très long démenti et le début d'une véritable espérance.

« NOUS REFUSONS L'ÉGOÏSME A COURTE VUE DU "CHACUN POUR SOI, LE MARCHÉ POUR TOUS" »

(5 novembre 1981)

Rééquilibrer les rapports Nord-Sud constitue une des lignes de force de la politique extérieure de la France. Le Chef de l'État le réaffirme à Paris lors de l'ouverture de la conférence des Chefs d'État de France et d'Afrique à laquelle trente-trois pays sont représentés.

Messieurs les Chefs d'État[1],
Mesdames et Messieurs les Chefs de délégations[2],

A l'issue de votre dernière rencontre annuelle, vous étiez convenus de vous retrouver au Zaïre. Si c'est la

1. MM. Mathieu Kerekou (Bénin), Jean-Baptiste Bagaza (Burundi), André Kolingba (Centrafrique), Ahmed Abdallah (Comores), Denis Sassou-Nguesso (Congo), Félix Houphouet-Boigny (Côte d'Ivoire), Hassan Gouled (Djibouti), Omar Bongo (Gabon), Moussa Traore (Mali), Mohamed Khouna Ould Haydallah (Mauritanie), Seyni Kountche (Niger), Abdou Diouf (Sénégal), Goukouni Oueddei (Tchad), Gnassingbe Eyadema (Togo), Mobutu Sese Seko (Zaïre), Juvenal Habyarimana (Rwanda), Siaka Stevens (Sierra Léone), Syad Barre (Somalie).

2. Onze pays étaient représentés par des ministres : Guinée-Bissau, Guinée équatoriale, Maroc, Saõ-Tomé et Principe, Seychelles, Tunisie, Angola, Égypte, Éthiopie, Soudan, Ile Maurice.

France qui vous reçoit aujourd'hui, c'est que j'ai personnellement souhaité vous accueillir tous, à Paris, dans les premiers mois de mon mandat, pour témoigner l'intérêt et l'amitié que je porte aux peuples de votre continent et, avec moi, l'ensemble du peuple français.

Ce changement, nous le devons à l'extrême courtoisie de M. le Président Mobutu, qui a bien voulu accepter que nos travaux soient organisés dans mon pays, ce qui me donne l'occasion de l'en remercier pour un geste qui reporte seulement à plus tard le moment où nous lui rendrons visite.

Je souhaite donc une très cordiale bienvenue à vous tous, Chefs d'État, Chefs de délégations, délégués, observateurs et invités qui avez bien voulu participer à cette Conférence, dont l'élargissement ouvre de nouvelles perspectives par l'enrichissement de notre réflexion commune et le renforcement de la compréhension mutuelle entre nos peuples.

Pour ce qui me concerne, si c'est la première fois que je participe à votre réunion, je ne me sens guère dépaysé parmi vous.

J'ai, de longue date, accordé un vif intérêt au Continent qui est le vôtre. J'en ai d'ailleurs tiré une très grande humilité, car la variété de ses peuples, de ses traditions, de sa géographie, de ses ressources naturelles, de ses problèmes et de ses espérances oblige l'observateur le plus averti à s'adapter constamment sans être jamais certain de tout embrasser ni de connaître complètement.

Pour avoir souvent visité vos pays, pour avoir naguère pris part aux responsabilités de la politique française en Afrique et, aux moments difficiles, contribué à l'émancipation des peuples de ce qui fut l'Afrique française, bref, pour avoir identifié une partie de ma vie à celle de votre Continent, j'ai appris que l'Afrique n'était vraiment connue et comprise que des Africains eux-mêmes.

Je le sais d'autant mieux que j'ai eu l'avantage de rencontrer, dans un passé récent, mais aussi dans un passé lointain, bon nombre d'entre vous et plus particulièrement ceux qui furent mes collègues dans diverses assemblées. Votre Doyen, mon ami, le Président Félix Houphouet-Boigny[3], à qui je tiens à rendre ici un amical hommage, connaît bien tout ce que ces

3. Ministre de la France d'Outre-mer dans le gouvernement dirigé par René Pleven (juillet 1950-février 1951), François Mitterrand doit faire face, dès son arrivée, à une situation de grande tension en Afrique noire où s'enchaînent répression et troubles avec, en toile de fond, un ordre colonial de plus en plus mal supporté. Fondé en 1946, le Rassemblement démocratique africain (RDA) réunit alors une partie des élus africains partisans d'une plus grande justice et d'une véritable démocratie. A leur tête se trouve un jeune médecin, député de la Côte d'Ivoire, Félix Houphouet-Boigny, qui vit en 1950 dans une semi-clandestinité, la police le tenant pour responsable des troubles récents. En dépit de ces poursuites, François Mitterrand le fait venir à Paris en décembre 1950 et cette première entrevue permet d'élaborer un compromis qui évite une brutale rupture : la France s'engage à appliquer en Afrique occidentale française les réformes politiques et sociales indispensables, libère les dirigeants du RDA emprisonnés, mais, en contrepartie, ce dernier renonce à toute action illégale. Cette reconnaissance réciproque est définitivement scellée en 1951 : les élus RDA quittent à l'Assemblée Nationale le groupe communiste auquel ils sont affiliés pour rejoindre l'UDSR, parti de François Mitterrand.

Avant de devenir, en 1960, premier Président de la Côte d'Ivoire indépendante, poste qu'il a conservé depuis lors, M. Houphouet-Boigny fut ministre délégué à la Présidence du Conseil dans le gouvernement Guy Mollet (janvier 1956-mai 1957) ; François Mitterrand y détenait le portefeuille de ministre de la Justice.

souvenirs peuvent évoquer de communion d'idées, de combats communs, de solidarité et d'amitié.

L'Afrique d'aujourd'hui est majeure. Les pays ou presque tous les pays qui la composent sont entrés dans le concert des Nations et leurs voix sont entendues chaque jour un peu plus dans les enceintes internationales. L'Afrique a pris conscience de son poids et de son importance. Elle sait qu'elle a, elle aussi, un message à faire passer au Monde, ce qui n'a pas pour effet, naturellement, d'éluder les problèmes qui sont les siens ni les préoccupations qui sont celles de ses peuples : elle demande simplement aux autres de les connaître, de les comprendre et, dans le cadre des grandes négociations, de l'aider à les résoudre. Ce faisant, c'est ainsi que je la vois, l'Afrique ne revendique rien d'autre que plus de justice, de respect et de liberté, pour les États comme pour les peuples.

Chers amis, depuis le 10 mai 1981, sur bien des plans, la France a changé de politique. Vous ne l'ignorez pas, vous qui êtes si avertis de la politique mondiale et particulièrement de la politique française. Je connais l'intérêt que vous portez à l'égard des positions des nouveaux responsables de notre politique et à celui à qui les Français ont confié pour sept ans — sept années — la direction de leurs affaires.

Je n'ai pas encore eu l'occasion, depuis mon installation, de rencontrer personnellement tous ceux qui sont ici. Et je sais que vous vous posez, ce qui est légitime, des questions sur notre politique extérieure, non seulement en raison des liens parfois anciens, je l'ai dit, qui sont les nôtres, mais aussi parce que nos destins restent encore étroitement confondus, ne serait-ce que par les relations bilatérales que la France entretient, soit directement, soit par l'intermédiaire de la Communauté Européenne, avec de nombreux pays d'Afrique.

Je souhaite donc vivement que vous puissiez repartir dans quelques jours mieux informés, mieux éclairés sur nos objectifs internationaux, sur l'esprit dans lequel ils sont formulés et sur les moyens de leur mise en œuvre.

Notre Conférence pourrait être seulement l'occasion de débattre de nos problèmes spécifiques, mais je pense que la qualité des personnalités présentes et l'importance de nos responsabilités nous créent un autre devoir : celui de parler ensemble des problèmes du monde, car vous êtes et nous sommes une large partie de ce monde et nous avons notre mot à dire sur les affaires universelles, et pas simplement à nous considérer comme responsables d'un canton de la planète.

J'ai en tout cas estimé qu'il était dû à votre rang et à vos qualités que j'aborde les problèmes généraux, sans nous en tenir strictement aux problèmes que l'on pourrait appeler africains ou français.

Mais je voudrais surtout insister sur deux points qui sont en réalité deux lignes de force : d'abord, la France pense que l'Afrique ne pourra trouver sa place que dans un monde respectant l'indépendance des Nations, refusant les ingérences et sachant se donner les moyens d'écarter les conflits et de défendre la paix ; ensuite, qu'elle a un rôle à jouer dans les efforts pour le rééquilibre de l'économie mondiale entre les riches et les pauvres.

Ainsi, je vous dirai comment la France souhaite donner l'exemple en retrouvant sa vraie mission : celle qui la conduit, je viens de vous le dire, à agir par un message universel.

Naturellement, cette politique que la France entend mener ou qu'elle souhaite favoriser n'est pleinement possible que dans un monde en paix. A cet égard, de par vos responsabilités, vous ne pouvez pas être indifférents à l'état des rapports entre l'Est et l'Ouest, même si nous avons coutume de cadrer nos rapports dans le Nord et le Sud.

Bien entendu, vous souhaiteriez que les relations entre les deux super-puissances n'aient jamais à interférer avec les problèmes qui sont en priorité les vôtres : vous souhaiteriez que les controverses sur les rapports Est-Ouest n'occultent pas les questions du développement, et la France, pas davantage, ne l'accepte. Mais nous devons tenir compte des réalités du monde.

Lorsque la France a dû traiter le problème comme nous l'avons fait — j'y reviendrai dans un instant — à Cancún, comme nous l'avons fait dans une déclaration en compagnie du Mexique sur le Salvador, cela voulait bien dire qu'il n'appartenait pas à l'Est et à l'Ouest de régler de tout, de trancher de tout et d'organiser le monde autour de ce seul problème dont, bien entendu, je n'ignore pas l'importance.

Là-dessus, la France a pris des positions claires, permettez-moi de le rappeler en termes simples : si l'équilibre des forces dans le monde n'était plus assuré, la paix serait menacée.

Depuis plusieurs années, chacun des puissants a cherché à accroître ses moyens militaires, pensant ainsi préserver sa sécurité. Et de la recherche de la sécurité à celle de la domination, il peut n'y avoir qu'un pas. Ce pas ne doit pas être franchi. Aussi n'ai-je pas hésité à alerter l'opinion française et européenne chaque fois que m'est apparu un déséquilibre menaçant. C'est pour cette raison que la France, membre à part entière et en toute souveraineté de l'Alliance Atlantique, alliance défensive, et dans une aire géographique strictement définie, mais non pas membre de l'organisation militaire intégrée, l'OTAN, approuve les décisions devant conduire à l'égalité des moyens en matière militaire et stratégique, mais tout en redoutant la course aux armements ; toutes les cartes une fois mises sur la table, devra bien s'engager la nécessaire négociation.

La France entend garder la libre maîtrise de ses propres forces, garantes de l'indépendance de ses décisions. Elle se déclare favorable à toute forme de négociations entre les super-grands, comme à celles qui peuvent être menées dans le cadre de l'Organisation des Nations Unies ou de ses institutions spécialisées, à condition que les discussions s'engagent sur des bases claires, première condition d'une conversation franche que nous souhaitons fructueuse.

Votre objectif est d'empêcher que l'Afrique ne devienne le champ clos des rivalités et des contradictions d'intérêt extérieures à votre continent.

Tel est aussi le point de vue de la France qui entend, cela va de soi, respecter en toutes circonstances la souveraineté des États et la volonté des peuples. Elle est disposée, en particulier et dans cet esprit, lorsque cela correspond aux décisions de l'Organisation de l'Unité Africaine, à prêter son concours et à assurer les moyens qui garantiront votre souveraineté.

C'est à ces conditions que le principe de non ingérence, si souvent invoqué et si souvent bafoué, retrouvera sa vraie signification.

L'Afrique et la France ont une longue histoire commune. Celle-ci ne s'est pas faite sans difficultés ni affrontements. Il n'en demeure pas moins, j'en suis convaincu, que nos peuples ont su trouver, au fil du temps, le chemin de l'estime et de l'amitié. Et nous voulons maintenir et même développer cette amitié pour lui donner sa véritable dimension.

Permettez-moi, ayant évoqué les problèmes des relations Est-Ouest, d'examiner aussi quelques-uns des conflits qui troublent aujourd'hui l'Afrique, sans oublier bien des conflits ou rivalités locaux auxquels nous devrons toujours prendre garde.

Eh bien, parmi les conflits qui troublent aujourd'hui l'Afrique, l'un des plus préoccupants concerne l'indépendance de la Namibie. Après avoir consulté ses amis traditionnels, la France a accepté, à leur demande, de demeurer au sein du « Groupe des Cinq » et d'y remplir les missions prévues par l'Organisation des Nations Unies, dont nous avons approuvé sans réserve la Résolution 435. Nos efforts se développent actuellement. Nous considérons que notre présence dans ce groupe n'a pas à servir d'alibi à d'interminables négociations, et qu'il faut fixer un calendrier précis. Par exemple, nous pensons qu'il faudrait aboutir à cette indépendance en 1982.

Chacun de vous connaît — deuxième sujet préoccupant — la situation présente au Tchad. La politique de la France consiste à soutenir le Président Arap Moi[4], Président de l'OUA, dans les efforts qu'il déploie pour aider au règlement de ce problème. Comme je l'ai redit à Cancún, la voie raisonnable passe par la mise en place effective de la force interafricaine qui

4. Président de la République du Kenya et Président de l'OUA.

permettra au gouvernement légitime et au Président Goukouni Oueddei — dont je salue la présence parmi nous — de bénéficier des conditions nécessaires à la conduite des affaires de son pays et aussi à la réorganisation de l'armée nationale tchadienne. La France a accordé sans condition préalable aucune son aide à la reconstruction du Tchad qui aspire, comme chacun d'entre nous, à l'unité et à l'indépendance.

Au Sahara occidental — troisième point difficile —, nous avons salué l'initiative du Roi du Maroc et la sagesse de l'ensemble des participants aux deux conférences de Nairobi, qui ont permis de dégager les voies d'un règlement possible, si nécessaire à tous, sur la base du droit à l'autodétermination des populations concernées. La France soutient encore ici la politique de l'OUA et appuiera les efforts en cours en espérant qu'ils pourront aboutir au plus vite.

Eh oui, Messieurs, comme vous le voyez, j'aborde sur le plan de la politique générale les problèmes considérés comme difficiles et sur lesquels nous aurions sans doute besoin nous-mêmes de rapprocher nos points de vue. Mais tel est bien l'objet de ma démarche : j'entends vous parler comme à des amis, comme à des frères, comme à des responsables, chacun au même titre que l'autre, et donc parler avec vous en responsables majeurs des affaires de la planète.

Messieurs les Chefs d'État, Mesdames et Messieurs les Chefs de délégations, comment passer sous silence le Proche-Orient qui risque à tout moment de s'embraser aux portes de l'Afrique ? Je ne dirai qu'un mot de notre politique : Israël ayant vu son existence reconnue par le droit international, il faut lui en assurer les moyens, c'est-à-dire des frontières sûres et reconnues, et, de même, le peuple palestinien devra disposer d'une patrie où il bâtira les structures étatiques de son choix.

Telles sont les grandes lignes de la politique extérieure de la France dans cette région du monde.

Vous pouvez l'observer, la France ne vit pas repliée sur elle-même, elle a le souci d'apporter sa propre réponse, celle de la solidarité, aux problèmes économiques et monétaires qui commandent l'avenir de nos peuples. Mais qui peut affirmer son droit lorsqu'il est dépourvu des moyens de maîtriser son développement économique ?

La coopération pour le développement est liée à cette question primordiale de notre époque. Telle est la conviction qui m'anime. Telle est la dimension fondamentale de notre action. Nous refusons l'égoïsme à courte vue du « chacun pour soi, le marché pour tous ». Les rapports Nord-Sud doivent être plus équilibrés et plus solidaires.

Entre le Nord et le Sud, laisser jouer la seule loi du marché, c'est laisser les plus forts se débarrasser sur les plus faibles du poids de la crise. C'est donner aux spéculateurs internationaux, qui règlent les cours des matières premières au gré de leurs anticipations ou de leurs intérêts et de leurs seuls intérêts égoïstes, droit de vie ou de mort économique sur des millions de producteurs de cacao, de café, de sucre, de coton, de bois, de jute, entre autres exemples. C'est soumettre l'effort de développement de jeunes nations aux aléas de forces aveugles.

Rééquilibrer les rapports Nord-Sud, c'est d'abord accepter d'en parler franchement et globalement entre égaux. A Cancún, la France a plaidé pour la reprise de négociations globales, dans le cadre des

Nations Unies, et non dans le cénacle ou la chapelle d'un petit nombre de pays cooptés. D'urgence, les problèmes de l'auto-suffisance alimentaire, de la sécurité énergétique, de la stabilisation des cours des matières premières, de l'essor industriel, doivent être débattus.

La France n'attendra pas l'issue des négociations globales pour agir. J'ai annoncé à la Conférence des Nations Unies sur les pays les moins avancés que l'aide publique de mon pays au développement des plus démunis serait, d'ici à 1985, portée à 0,15 % du produit intérieur brut de notre pays. Quant à l'ensemble de l'aide publique au développement, il sera doublé en pourcentage, de 0,35 % à 0,7 % du produit national brut, d'ici à 1988.

Je crois qu'il n'y a pas de contradiction à vouloir simultanément arracher de la stagnation la France, elle-même dans la tourmente de la crise économique mondiale, et ses amies les nations africaines, à vouloir conjointement lutter contre les inégalités les plus choquantes en France et dans les rapports entre les peuples, dans les rapports Nord-Sud. Je dirai même que cela forme un tout, peut-être même la même théorie, la même conception du monde et du sens de l'humanité. Oui, dans un monde caractérisé par la sous-utilisation des ressources, la France et l'Afrique peuvent s'aider mutuellement à parvenir au plein emploi de leurs capacités.

Mais, si la France s'engage à accroître considérablement son aide publique au développement, elle veut aussi en changer la logique. La solution du drame du sous-développement ne passe pas par la mise en place de cultures ou d'industries exportatrices axées sur des technologies inadéquates et exclusivement tournées vers les marchés des pays développés. A ce capitalisme marchand devrait être préféré un développement agricole et industriel mettant en valeur les ressources humaines et naturelles, en cherchant à satisfaire par priorité les besoins essentiels de la population.

Le domaine alimentaire est primordial. La France est prête — et l'on entendra ces paroles au-delà de cette salle — à collaborer avec tous ceux qui souhaiteraient son concours pour développer les cultures vivrières, former les paysans, étendre les infrastructures rurales, mais elle sait bien quelles sont les limites de ses moyens. En tout cas, sans attendre que ces réformes de structures obtiennent leur plein effet, elle accentuera son aide alimentaire, éventuellement sur une base pluri-annuelle, et plaidera auprès des autres pour un plus grand effort européen.

Dans le domaine de l'énergie, de lourdes factures pétrolières obèrent les balances des paiements et les capacités de développement. La Conférence de Nairobi a montré que tous les pays, et certains d'une façon considérable, disposaient d'un potentiel énergétique en hydro-électricité, en bois — et donc en utilisant la bio-masse —, en énergie solaire, mais que des capitaux considérables étaient nécessaires pour mettre en valeur ce potentiel. A Cancún, la France a fait progresser de façon, je l'espère, utile, le projet d'un plan de financement des investissements énergétiques du Tiers-Monde par la Banque Mondiale. En tout cas, notre appui est assuré aux pays africains qui souhaitent développer une stratégie d'auto-suffisance énergétique.

Quant à la stabilisation des cours des matières premières, elle est au premier chef une priorité, je l'ai dit tout à l'heure. La France est partie prenante aux Accords de Lomé[5], cette heureuse entreprise des pays de la Communauté Européenne et de 61 États d'Afrique, des Caraïbes et du Pacifique. Dans ce cadre, la France appuie vigoureusement le programme *Stabex* de stabilisation des recettes d'exportation. Ce programme cherche à pallier les dégâts résultant des fluctuations formidables et aveugles des cours. En amont, la France approuve le programme intégré des Nations Unies et j'ai annoncé à Cancún que nous signerions, nous la France, l'accord de juin 1980 qui donnera naissance au Fonds commun destiné à stabiliser les cours de dix-huit produits de base.

Agriculture, énergie, matières premières, ce sont trois champs d'action où des initiatives concrètes doivent remplacer les discours redondants.

Messieurs les Chefs d'État, Madame et Messieurs les chefs de délégations, nous sommes cette année plus nombreux encore que naguère : le cercle s'est agrandi et je pense que nous nous en réjouissons tous. Sachez que je suis très heureux de vous voir, pour certains d'entre vous de vous retrouver, de vous

5. La convention de Lomé, signée en avril 1975 entre la C.E.E. et 46 pays d'Afrique, des Caraïbes et du Pacifique, prévoit une aide financière de la C.E.E. à ces pays sous forme de subventions et de prêts à faible taux d'intérêt, la franchise pour les produits de ces pays exportés vers la C.E.E. et la garantie de recettes d'exportation grâce au STABEX (Stabilisation des recettes d'exportation), mécanisme instauré en 1975 entre la C.E.E. et ces 46 pays d'Afrique, du Pacifique et des Caraïbes.

En 1976, 8 nouveaux pays rejoignent cette convention. En 1984, enfin, ce sont 65 pays d'Afrique, des Caraïbes et du Pacifique, plus les 10 pays de la CEE, qui se sont joints à l'accord. Le chiffre de 61 cité par le Président s'explique par le fait que certains États ont adhéré à la convention entre deux Conférences.

connaître mieux et de discuter de la façon la plus sérieuse des problèmes qui sont les nôtres.

Je m'interroge sur le point de savoir si l'on ne devrait pas donner à notre rencontre annuelle un titre correspondant mieux à l'esprit nouveau qui nous anime, une meilleure définition. On n'associe pas, dans un titre, un Continent et un pays, même si ce pays est le mien et si, bien entendu, je souhaite qu'il joue un rôle éminent dans l'ensemble de nos débats. Je vous propose que nous y réfléchissions ensemble.

Si j'accorde une importance toute particulière à ce que la voix de la France soit davantage entendue sur la scène internationale, je sais aussi que vous attendez de nous plus encore.

Je me résumerai : le respect de nos différences doit s'accompagner d'une solidarité aussi étroite qu'active entre nous. Chacun est libre de sa démarche et de ses objectifs. Chacun doit pouvoir conduire lui-même ses propres affaires, mais il est bon que, de temps à autre, nous mettions en commun ce qui nous réunit. Ailleurs, on nous écoutera peut-être davantage... En tout cas, sachez que je m'y emploierai, pour ma part, avec force et résolution.

Je suis persuadé que notre Conférence apportera à nos démarches un nouvel élan et je vous répète, chers Amis, que vous êtes ici, à Paris, les bienvenus du peuple français.

« LE MONDE PREND CONSCIENCE... »
(14 octobre 1985)

Au cours d'un voyage officiel au Brésil, le Président de la République souligne la solidarité indispensable entre les nations industrialisées et les pays en développement : « Le sort des créanciers et des débiteurs est intimement lié et une solution ne peut être trouvée sans un partage du fardeau entre les uns et les autres ».

Monsieur le Président[1],

Mes premières paroles seront pour vous remercier des appréciations élogieuses que vous venez de porter sur mon pays.

Je suis venu chez vous, fidèle à une promesse. Cette promesse, je l'avais faite à votre prédécesseur, le Président Tancredo Neves, chez moi, dans les Landes où je l'avais accueilli en janvier.

Je m'incline devant sa mémoire qui n'est pas près de s'effacer, je le vois bien, dans le cœur des Brésiliens, et que je n'oublierai pas mon non plus. A cet hommage, j'associerai la compagne de toute sa vie, Dona Risoletta Neves.

Mais ce message de la France, c'est à vous, M. le

1. M. José Sarney.

Président, que je l'apporte, vous, le continuateur du « Père fondateur de la Nouvelle République », vous qui avez à cœur d'en exécuter l'héritage, vous qui l'exécutez avec l'autorité que requiert votre fonction et que marque votre personne.

Cette tâche est immense, à la mesure de ce pays, un demi-continent avec ses quelque 135 millions d'habitants. Mais si j'ai bien lu tout ce que j'ai appris sur vous, vous êtes d'abord un homme du Maranhao, de cette ville de Saint-Louis dont vous venez de parler, fondée jadis par des Français, et de cette terre de vieille paysannerie, ce qui me rapproche singulièrement de vous. Puis, vous êtes aussi un écrivain, un poète de talent, l'ami des créateurs que vous avez invités à rêver sur l'avenir. Je vous cite : votre peuple « grandit comme un arbre », et, là vous avez repris Bernanos : « ou se compose comme un poème » — c'est ainsi que notre illustre Français s'exprimait dans sa *Lettre aux Anglais*. Il avait vécu chez vous et il vous connaissait bien.

Moi aussi, je suis heureux de me trouver au Brésil pour vous connaître, Mesdames et Messieurs, pour vous connaître, Madame, Monsieur le Président, et, au-delà de vous, ce grand peuple. Je suis le premier Chef d'État, m'avez-vous dit, à me rendre au Brésil depuis l'avènement de votre nouvelle République. Eh bien, j'y vois une heureuse conjonction entre le retour de la démocratie et le retour de la France. L'heure des retrouvailles a sonné entre nos États, mais nos peuples, eux, ne s'étaient pas quittés.

En me rendant chez vous, je me demandais : A quoi donc est due, et de quoi est faite cette sorte de connivence entre Brésiliens et Français ? La réponse me paraissait tenir en deux mots et vous venez de les confirmer dans votre toast, il y a un instant : langue et culture.

Cinq siècles de relations et, en tout cas, plus de deux cents ans d'amitié : voilà qui résume, me semble-t-il, l'histoire de nos pays.

Vous avez vous-même, Monsieur le Président, rappelé l'attirance exercée sur votre pays par les écoles littéraires, artistiques, philosophiques de la France. Vous avez cité plusieurs noms fameux : Benjamin Constant, Auguste Conte dont la devise figure sur votre drapeau, mais j'ajouterai quand même aussi quelque chose. Sait-on que l'Empereur Don Pedro II s'entretenait avec Hugo de l'esclavage, avec Renan des langues sémitiques, avec Pasteur de l'extinction de la fièvre jaune ?

Étrange et forte histoire que celle qui relie l'homme et la terre. La terre, un paysage, un cours d'eau, une ville inspirent le poète ou bien le romancier. Et voilà que ce qu'écrit ou chante le romancier ou le poète devient un autre paysage, un autre fleuve, une autre ville, et ce dialogue recommence sans cesse : l'homme et la terre. Voilà pourquoi l'homme du Brésil et la terre du Brésil exercent aussi sur nous la même attirance.

Les preuves de cette attirance sont multiples tout au long de ces derniers siècles. Vous avez cité Montaigne. On peut aller jusqu'à une époque beaucoup plus récente, jusqu'à Le Corbusier, jusqu'à Louis Jouvet ; à Sainte Beuve, notant l'influence de la littérature du Minas Gerais sur le romantisme français ; à Blaise Cendrars qui vous appartient à vous et à nous, exaltant la magie du Sertaõ ; Claudel écrivant à Rio la *Messe de là-bas* et glissant dans *Le Soulier de satin* une touche de *macumba* ; Duhamel prônant le métissage des civilisations ; Manet ravivant sa palette après un bref voyage ; Darius Milhaud nous donnant les *Saudades du Brésil* ; Anatole France devenant la première personnalité étrangère membre de l'Académie brésilienne des Lettres ; Bernanos, encore une fois, qui avait fait du Brésil et de Barbacena sa seconde patrie. Devrais-je parler de Santos Dumont dont on ne sait s'il fut le plus français des Brésiliens ou le plus brésilien des Français ? Enfin, ne sont-ce pas également des professeurs français, dont le plus éminent peut-être[2] a bien voulu m'accompagner ici, qui ont contribué, dès 1934, à faire de l'Université de Saint-Paul ce qu'elle est aujourd'hui ?

Aujourd'hui, c'est à une véritable renaissance de la langue et de la pensée françaises que nous assistons au Brésil avec, notamment, la décision des États de la fédération de réintroduire l'« option obligatoire » du français dans l'enseignement secondaire. De même que je veillerai pour ma part à ce que votre magnifique langue, longtemps, trop longtemps négligée chez nous, trouve la place à laquelle elle peut légitimement prétendre.

Le projet « France-Brésil » nous offre à cet égard une occasion précieuse.

Dans mon esprit, il s'agit moins d'échanger des expositions, des colloques, que de former l'instrument permanent d'une meilleure connaissance mutuelle entre nos peuples, car c'est bien de cela qu'il s'agit. Certes, nous sommes loin de partir du néant. Notre coopération scientifique et technique avec le Brésil est la plus importante de celle que nous développons hors la tradition française qui s'exprime en Afrique.

2. Claude Lévi-Strauss.

Le réseau brésilien des Alliances françaises demeure le premier du monde. Et, cependant, il nous faut aller plus loin, favoriser toutes relations entre nos peuples.

J'ai moi-même vécu au cours de ces dernières années bien d'heureuses occasions à la rencontre de mes amis brésiliens et j'avais beaucoup de joie, il y a peu de temps, à recevoir en une occasion solennelle l'un des vôtres, Jorge Amado[3], au Palais de l'Élysée, auquel je disais : « Le Brésil, quand il vient nous voir, il doit se sentir chez lui ».

Huitième puissance économique du monde, le Brésil, on le sait, affronte un terrible défi. Je crois qu'il a besoin, dans cette circonstance, de compter ses amis.

Je vous le déclare : la France a contribué, contribue et contribuera au développement du Brésil. Usines, mines, barrages, turbines, voies ferrées, métro, aéronefs : rien de ce qui a accompagné le fantastique essor du Brésil au cours des trente dernières années ne nous est resté étranger. Quant aux entreprises françaises, elles ont, dans leur grande majorité, fait le gros dos durant la crise, mais elles ont évité, comme l'ont fait tant d'autres, de fermer leurs succursales, démontrant ainsi avec éclat leur confiance dans l'avenir de votre pays.

Le Brésil a montré ces derniers temps qu'il était un pays d'une vitalité exceptionnelle. Après trois années de récession, vous avez su retrouver, en 1984, le chemin de la croissance et de l'équilibre — et même plus — de la balance des paiements courants.

3. Écrivain brésilien à qui le Président de la République a remis la Légion d'honneur le 5 septembre 1984.

Ces beaux résultats n'ont pas été sans sacrifice et sans douleur pour votre peuple, mais vous avez montré que l'effort est le gage de la sécurité et de la réussite, et comme quelques-uns de vos grands voisins, vous avez su repousser les solutions de facilité. Par ce choix récemment encore affirmé, votre pays, aux réunions de Séoul[4], a manifesté qu'il croit en lui-même et qu'il est conscient de ses responsabilités mondiales.

Le sort des créanciers et des débiteurs est intimement lié et une solution ne peut être trouvée sans un partage du fardeau entre les uns et les autres. Tous les systèmes internationaux reposent sur la confiance, mais le fardeau des pays endettés est tel qu'il nous faut l'alléger sous peine de rendre impossible à la fois l'assainissement de leurs économies et la survie du système économique et financier dans lequel nous vivons.

Il n'est pas concevable que des pays en développement puissent avoir pour seul horizon, durant les quinze ou vingt années qui viennent, la récession ou même la stagnation. Cela représenterait une trop grave menace non seulement pour le système économique mondial, mais aussi pour la démocratie. Aussi ne puis-je que redire ici ce que j'ai affirmé à chacun des Sommets des sept grands pays industrialisés : il n'y a pas de solution durable au problème de la dette sans un retour à une croissance élevée et continue de l'économie mondiale, sans une organisation des mar-

4. Assemblée générale du Fonds monétaire international (8-9 octobre 1985) au cours de laquelle le secrétaire américain au Trésor, M. Baker, a proposé d'augmenter les prêts aux pays du Tiers-Monde les plus endettés.

chés de matières premières, sans un meilleur respect des règles du commerce international, sans une réforme du système monétaire qui garantisse davantage de stabilité aux monnaies.

Le monde, enfin, prend conscience de la gravité de la situation. J'aperçois qu'au cours de ces trois dernières années, un pays comme les États-Unis d'Amérique évolue dans le sens souhaité. Nul ne prétend plus que la question de la dette puisse être réglée de façon mécanique par l'octroi d'allègements à court terme et par la baisse du niveau de vie dans les pays les plus pauvres.

Mais il ne suffit pas d'analyser correctement une situation, encore faut-il se donner les moyens de l'améliorer.

Pour aider les pays endettés, notamment les plus pauvres, afin qu'ils renforcent les structures de leurs économies et qu'ils créent les bases d'un développement soutenu et durable, il faut que les grands organismes financiers mondiaux augmentent leurs aides. Des financements d'origine publique sont indispensables pour compléter et, parfois, remplacer les financements d'origine privée. A cet égard, la France propose depuis plusieurs années une augmentation des ressources de la Banque Mondiale, une meilleure articulation entre Banque Mondiale et Fonds Monétaire International, une augmentation des liquidités internationales sous forme de droits de tirages spéciaux. Un accord se dessine, aujourd'hui même, chez les pays riches jusqu'ici réticents, pour accroître le rôle et augmenter les capacités d'intervention de la Banque. Je me réjouis de cette évolution et j'espère qu'elle se traduira rapidement dans les faits.

Je constate que les esprits évoluent vers la nécessité de faire baisser les taux d'intérêts et de limiter par des interventions concertées les variations erratiques du dollar. Je ne saurais oublier le rôle que peut jouer la Communauté Européenne dans un pareil domaine, et l'appartenance de la France à cette Communauté doit permettre de renforcer les perspectives de coopération.

S'il est certain que cette Europe a, depuis de nombreuses années, en raison de liens historiques, conclu des accords privilégiés avec des pays d'Afrique, des Caraïbes et du Pacifique, il n'en reste pas moins qu'elle n'ignore pas l'Amérique latine en général, et le Brésil en particulier.

Au sein de cette Communauté, la France apporte son appui aux accords internationaux sur les produits de base ; lorsqu'on sait, pour vous-mêmes, que votre pays est le premier producteur de café et le deuxième producteur de cacao dans le monde, on comprend l'importance des enjeux.

Pour l'avenir, l'élargissement de l'Europe des Dix à l'Espagne et au Portugal représente sans doute un gage d'espérance supplémentaire pour le Brésil.

La création d'un Institut latino-américain qui aura pour sièges Madrid et Brasilia marque cette volonté de renforcer les liens entre l'Europe et votre continent. J'ai bien noté ce que disait tout à l'heure le Président lorsqu'il parlait d'« Eureka ». Aujourd'hui, 18 pays d'Europe participent à ce projet de haute technologie, à des fins civiles et naturellement pacifiques. Plusieurs pays hors d'Europe m'ont fait savoir qu'ils souhaitaient y prendre part : Canada, Argentine. Bien entendu, il nous faudra consulter nos partenaires. Mais, dès maintenant, je peux vous dire que la

France se fera l'avocat d'une participation brésilienne, si vous le décidez.

Monsieur le Président, considérant nos rapports politiques, je ne peux que les qualifier en deux phrases : ils étaient déjà bons, les voilà excellents !

Aucune rivalité, aucun contentieux ne nous séparent. Ce n'est pas un discours qu'on peut tenir à tout le monde. Depuis la « France antarctique » au XVIe siècle, la « France équinoxiale » au XVIIe, nos relations ont toujours été exemptes de dépendance comme de domination. Elles se placent sous le signe du respect mutuel que se doivent des peuples libres et égaux en droit. A ce titre, je puis dire que nos relations sont exemplaires.

On peut faire plus. Lorsque le Brésil et la France se rencontrent, il est légitime que toutes les grandes affaires du monde soient abordées. Depuis 1983, nos Ministres des Affaires étrangères se rencontrent assez souvent : pourquoi ne pas conférer à ces contacts une périodicité régulière ?

Tous les sujets doivent être traités — nous allons commencer de le faire : l'équilibre stratégique entre l'Est et l'Ouest, thème que défend partout la France ; le dialogue nécessaire entre les pays du Nord et du Sud, priorité pour la France ; sans oublier les grands conflits régionaux qui constituent une menace constante pour la paix du monde.

Sur deux points importants, nous nous sommes récemment retrouvés — cela figurait dans votre discours, M. le Président : l'Afrique du Sud et l'Amérique Centrale. Par sa condamnation ferme et sans équivoque des pratiques de l'apartheid, votre pays a conforté la position prise par la France devant les Nations Unies. D'autre part, la participation du Brésil au « Groupe de Lima[5] » apporte un appui très utile aux « pays de Contadora[6] » qui, comme on le sait, s'efforcent de rétablir la paix et de maintenir la souveraineté des États dans une région particulièrement exposée de votre continent.

Il faut penser que là où les pays d'une région ne trouvent pas d'eux-mêmes la solution souhaitable, aussi bien en Amérique Centrale qu'au Moyen-Orient ou qu'en Afrique australe, sans oublier les autres sujets de querelles, partout la décision échappe aux pays concernés et appartient de plus en plus aux grandes puissances qui se partagent la suprématie dans le monde.

Nous traiterons des problèmes qui touchent à la paix du monde, à l'armement et au surarmement, aux éventualités de « guerre des étoiles », à tout conflit qui pourrait contaminer la sécurité pour vous, pour nous et pour tous.

M. le Président, je voudrais conclure en exprimant un « acte de foi » dans les destinées de votre peuple. Beaucoup plus qu'aux richesses de son sol ou de son sous-sol, il devra sa grandeur à ses qualités, aux qualités de son peuple, et ces qualités sont immenses.

J'espère que cette relation qui s'établit aujourd'hui pourra se poursuivre dans les mois ou les années qui viendront. Aussi, M. le Président, vous pourriez nous faire le grand bonheur, quand vous en trouverez la

5. Constitué le 23 août 1985 par l'Argentine, le Brésil, le Pérou et l'Uruguay pour appuyer l'action du groupe de Contadora.

6. Constitué le 9 janvier 1983 par le Mexique, le Panama, la Colombie et le Venezuela pour rechercher une solution négociée aux conflits d'Amérique centrale. Il a proposé, le 7 décembre 1984, un plan de paix qui n'a pas reçu l'approbation des pays concernés.

disponibilité, de venir nous voir en France. Nous vous recevrons du mieux possible, en tout cas avec cœur.

Et vous, Madame, nous pourrons reprendre les conversations aujourd'hui même engagées, de même que les personnalités brésiliennes qui nous ont réservé un accueil si charmant.

M. le Président, la France discutera avec le Brésil. Elle défendra ses intérêts. Elle ne le fera pas au-delà de ce qui compromettrait les chances du Brésil dans sa bataille pour son redressement.

M. le Président, Madame, il est temps de lever mon verre à mon tour pour le toast que je vous dois bien. Ce verre, je le lèverai en pensant d'abord au peuple brésilien sous tous ses aspects, dans sa diversité, partout où il travaille, où il vit. Je veux qu'il entende ce soir la parole d'un Président de la République française qui lui souhaite bonheur, paix et prospérité.

Je lève mon verre, M. le Président, Madame, à vos santés, à celles des êtres qui vous sont chers, de ceux qui vous accompagnent dans la vie ou qui la continueront. Je lève mon verre à votre santé, Mesdames et Messieurs qui représentez à nos yeux le Brésil tout entier. Oui, à votre santé.

Vive le Brésil !
Vive la France !

« LE MONDE A CHANGÉ. IL NE FAUT PAS RESTER AVEUGLE » (14 novembre 1985)

A Rome, à l'occasion du quarantième anniversaire de la F.A.O. (l'Organisation pour l'Agriculture et l'Alimentation), le Président de la République insiste sur le fait que, face aux déséquilibres mondiaux, aucun pays ne peut lutter seul.

Monsieur le Président de la République[1],
Monsieur le Président[2],
Monsieur le Directeur général[3],
Mesdames et Messieurs les Ministres,
Mesdames et Messieurs,

J'éprouve à mon tour l'honneur qui m'est fait et qui est fait à mon pays de m'adresser à vous et à la communauté internationale en ce jour où nous célébrons le 40e anniversaire de l'Organisation des Nations Unies pour l'alimentation et l'agriculture. Comment ne pas évoquer à ce moment les noms de ceux qui,

1. M. Francesco Cossiga, Président de la République italienne.
2. Il s'agit de M. Henri Nallet, Ministre de l'Agriculture et Président du Conseil mondial de l'alimentation.
3. M. Edouard Saouma, Libanais, directeur général de la F.A.O., organisme des Nations Unies.

dès 1930, refusant les thèses malthusiennes sur la surproduction, ont préparé les bases de l'Organisation qui nous réunit aujourd'hui ? Je pense en particulier à celui qui sera plus tard le premier Directeur général de l'O.A.A., Sir John Boyd Orr, à notre compatriote André Meyer, premier Président du Comité exécutif, et au Président Roosevelt qui convoquait en mai 1943 à Hot Springs la première conférence des Nations Unies consacrée à l'alimentation et à l'agriculture. Bien d'autres noms sont dans nos mémoires et je tiens à rendre un hommage à ces femmes et à ces hommes qui, en plein conflit mondial, voulaient déjà éliminer la faim et la malnutrition.

Et voilà que depuis 40 ans cet objectif guide votre action, celle des États qui composent votre Organisation et de ceux qui la dirigent. Si le but est loin d'être atteint, des progrès immenses ont été accomplis. Tous les pays reconnaissent que votre Organisation joue dans ce domaine un rôle majeur, en alertant les opinions publiques, en mettant en place des dispositifs de lutte contre les situations de crise, en apportant son appui technique à l'augmentation des productions agricoles et alimentaires dans les pays en développement.

Sous votre conduite dynamique et éclairée, Monsieur le Directeur général, cette action s'est encore renforcée. Grâce au concept de sécurité alimentaire, des bases solides ont été fournies aux États pour fonder leur politique dans les domaines recherche, formation, économie, qui touchent à la production alimentaire, des stratégies sectorielles ont été élaborées dans plusieurs domaines, notamment les pêches et les forêts. La publication de l'étude « *Agriculture, horizon 2000* », qui envisageait les différents schémas possibles, a fourni un cadre de références très précieux pour les politiques nationales et régionales de planification. Bref, un nouvel élan a été donné en tous lieux, et particulièrement aux actions sur le terrain.

Les programmes ont représenté 265 millions de dollars en 1984, 300 en 1985. En dix ans, le Centre d'Investissement de l'Organisation a préparé des projets dont le montant total dépasse 20 milliards de dollars.

Le projet de « Pacte de la sécurité alimentaire mondiale » soumis à cette Conférence a le mérite de fixer les devoirs et les responsabilités de chacun : gouvernements, organisations internationales, organisations non gouvernementales, personnes privées, dans la lutte contre la faim et la malnutrition.

Je voulais énumérer quelques-uns de ces éléments qui montrent l'efficacité de votre action et l'autorité acquise par vos organes responsables dans une politique qui touche à la vie du monde tout entier.

La situation alimentaire du monde d'aujourd'hui est hélas bien connue : excédents de plus en plus importants d'un côté, pauvreté et misère de l'autre, et personne ne peut accepter que se perpétue un tel déséquilibre.

Contrairement aux précisions alarmistes du début des années 70, nous savons aujourd'hui que le secteur agricole peut connaître des taux de progression très élevés dans de nombreux pays, sans parler de l'Europe qui, au lendemain de la Seconde Guerre mondiale, était bien loin encore de pouvoir subvenir à ses propres besoins alimentaires, et on a vu de grands pays en développement comme l'Inde, la Chine, votre pays, Monsieur le Président de la République, l'Indonésie, devenir autosuffisants, voire excédentaires.

Mais les équilibres sont encore fragiles ; dans bien des pays d'Amérique latine, la production a atteint un palier ; dans de nombreux pays, malheureusement, la progression des productions vivrières demeure inférieure à la croissance démographique. La famine dramatique que vient de connaître une partie de ce continent ne résulte pas seulement de l'aggravation des conditions climatiques, elle s'inscrit dans un processus de diminution régulière de la production alimentaire disponible par habitant.

Certes, en liaison avec les Gouvernements africains, la réaction de la communauté internationale a été massive, rapide même. La France et la Communauté Européenne ont participé très largement à cet effort ; elles ont augmenté de manière importante le volume de l'aide alimentaire en rationalisant la gestion de cette aide et en prenant les mesures nécessaires pour accélérer les livraisons.

Je me permettrai de rappeler, à cet égard, que mon pays, la France, a ainsi doté les différents fonds d'aide soit de façon multilatérale, soit par accord bilatéral, cette année même, de 245 000 tonnes de céréales.

Je tenais aussi à saluer la façon dont les Nations Unies dans toutes leurs composantes — et je citerai naturellement le Bureau des Opérations d'urgence pour l'Afrique et le Programme alimentaire mondial — ont su mobiliser de façon concertée toutes les ressources dont elles pouvaient disposer, et vous avez été, comme il est bien normal, au premier rang.

Qu'il me suffise, Monsieur le Directeur général, d'évoquer l'appel que vous lanciez en faveur de l'Afrique dès le mois d'octobre 1983, les heureux résultats dus au système d'information et d'alerte rapide dont j'ai moi-même proposé le renforcement lors du Sommet des Pays Industrialisés qui s'est tenu à Bonn cette année.

Enfin, je veux noter le rôle quotidien — il ne s'agit pas de grands plans audacieux — le travail quotidien de votre Organisation pour la mobilisation de l'aide alimentaire.

Pour ce qui nous concerne, nous, Français, nous continuerons de participer au programme d'aide de la C.E.E. qui représente plus de 2 millions de tonnes — j'ai dit le chiffre de notre contribution nationale : 245 000 tonnes —, et de poursuivre les efforts que nous avons entrepris en ce sens.

Si nous observons cette année, grâce à l'évolution climatique, en particulier en Afrique sahélienne, une meilleure production, des récoltes plus convenables aussi parce que les fleuves coulent en abondance, parce que les pâturages supportent de nouveau les troupeaux qui viennent du Sud, malgré tout, cette progression ne doit pas faire illusion. La dégradation continue. Les causes sont multiples, interdépendantes : modification des habitudes alimentaires, désorganisation des circuits commerciaux, exode rural, dégradation de l'environnement. J'en passe.

Face à de tels déséquilibres, aucun pays, Mesdames et Messieurs, aucun pays ne peut lutter seul. C'est l'ensemble de la Communauté internationale qui doit assumer ses responsabilités. La France, qui a eu l'honneur d'accueillir en février dernier le Conseil Mondial de l'Alimentation, qui s'est vu confier par ses membres la présidence de ce Conseil en la personne de notre Ministre de l'Agriculture, M. Nallet, mesure toute l'importance des efforts nécessaires pour établir des conditions plus favorables au développement des ressources agricoles là où les hommes en ont besoin.

La croissance rapide de l'offre de produits alimentaires en provenance de pays développés se traduit par une compétition accrue sur les marchés internationaux et par une baisse des prix.

Je vous dis, Mesdames et Messieurs, qu'il n'est pas possible d'admettre que le secteur agricole de subsistance dans les pays en développement soit soumis à une simple concurrence sauvage.

Qui pourrait prétendre que les agriculteurs des pays en développement soient en mesure de se heurter de front aux marchés internationaux ? Qui va démontrer que les forces du marché sont capables d'établir ou de rétablir l'équilibre ?

Certes, je le sais bien, le protectionnisme entrave l'expansion des échanges agricoles. Doit-on en conclure pour autant que seule une libération totale du commerce international élargira la place des pays en développement sur les marchés mondiaux ?

Il est clair, au contraire, que la compétition tournera inévitablement au profit des économies et des agricultures plus puissantes.

Comment assurer le développement agricole qui nécessite des efforts continus, des actions qui ne portent souvent des fruits qu'après de nombreuses années, si, dans le même temps, on laisse les producteurs subir les fluctuations des marchés ? Le problème posé doit être perçu dans tous ses aspects.

Je répète que mon pays est contre le protectionnisme. Tout doit être mis sur la table si l'on commence à discuter. Les efforts demandés aux uns et aux autres doivent être équilibrés. Nous sommes prêts à participer aux négociations commerciales multilatérales si elles sont soigneusement préparées à partir d'un ordre du jour précis qui permettra d'avancer simultanément sur tous les dossiers. Nous avons toujours plaidé auprès de nos partenaires industriels pour que les pays en développement soient pleinement et librement associés et que, surtout, leurs intérêts, et d'abord ceux des plus pauvres, soient préservés. C'est la raison principale de la position que j'ai prise lorsque je me suis trouvé en compagnie de mes six partenaires du Sommet des pays industrialisés à la Conférence de Bonn. Mais le recul du protectionnisme n'est pas la seule ni même la première condition pour un retour à la croissance dans le monde. Il importe aussi d'œuvrer à la réforme du système monétaire international, de poursuivre nos efforts en matière d'organisation de marchés, particulièrement au niveau régional, et, je le redis ici, ces trois actions doivent progresser de façon parallèle.

L'organisation des marchés est au cœur de nos préoccupations. Les pays importateurs nets de produits vivriers cherchent à satisfaire leurs demandes intérieures sans mettre en péril les possibilités de production nationale, et les pays exportateurs ont eux aussi besoin de marchés organisés pour s'assurer des rentrées de devises régulières et soutenir leur propre effort de développement agricole. Au niveau mondial, rien n'est possible si nous ne parvenons pas à maîtriser les fluctuations brutales des prix de produits de base qui constituent pour nombre de pays en développement une source majeure de devises. Les mécanismes de stabilisation des recettes qui, inclus dans la Convention de Lomé à l'initiative de la C.E.E., viennent d'être étendus à tous les pays les moins avancés, constituent un moyen exemplaire pour établir un juste équilibre entre l'agriculture d'exportation et l'agriculture vivrière.

Je ne reviendrai pas sur la nécessité d'organiser les marchés internationaux, mais je voudrais insister sur l'intérêt qui s'attache pour de nombreux pays en développement à établir ou à renforcer des liens de coopération régionale. Un développement harmonieux des productions alimentaires n'est possible que s'il s'inscrit dans un espace économique de dimensions suffisantes où s'expriment, peuvent s'exprimer les complémentarités naturelles, et où peuvent être atténués les aléas de la spéculation mondiale.

L'époque est propice. Cette année déjà, apparaissent çà et là en Afrique des zones où, en raison d'un excédent de production, les cours s'effondrent alors que non loin de là, dans le même pays ou dans un pays voisin, il reste tant de besoins à satisfaire. Nous savons bien que, sans un prix rémunérateur, les producteurs se découragent, préparant ainsi les disettes futures. Voilà pourquoi des actions de coopération régionale s'imposent par des financements adaptés ; notamment, par le développement triangulaire, les pays du Nord doivent soutenir ces efforts.

Je le dis hautement au nom de mon pays. Je sais que nos organisations professionnelles sont prêtes à mettre leur compétence technique au service de leurs partenaires du Sud. En tout cas, mon Gouvernement leur apportera l'appui indispensable. Chez nous, en Europe, notre Communauté économique fait l'expérience de la solidarité régionale. Si nous ne nous étions pas engagés dans cette voie, nous n'aurions pas assuré à nos producteurs des prix intéressants, à nos consommateurs la sécurité des approvisionnements. Je ne veux pas mettre en exergue les mérites de l'Europe. Elle a aussi ses défauts. Je veux simplement citer là un exemple vécu qui montre une voie utile que l'on peut honnêtement recommander, d'autant plus que l'organisation de cette politique commune en Europe ne peut pas être synonyme d'un repli sur soi. Notre Communauté, qui est le premier pays, le premier ensemble importateur mondial de produits agricoles, est aussi, je me permets de le rappeler, le premier client des pays du Tiers Monde dans les domaines agricole et alimentaire.

Mesdames, Messieurs, il n'est pas suffisant d'organiser les échanges. Les perspectives de l'économie mondiale demeurent incertaines, la reprise marque le pas ; ce qui se produit n'a pas l'effet d'entraînement que certains escomptaient ; les obstacles structurels sont tels que si l'on se résigne à laisser jouer les forces naturelles, les écarts continueront à se creuser et réduiront à néant les efforts des uns et les progrès des autres.

Quels sont ces obstacles ? Problèmes de l'emploi et des mutations industrielles dans le Nord ; poids de l'endettement dans le Sud. Les pays en développement, et particulièrement les pays pauvres, demeurent tributaires de la baisse des cours de matières premières, des taux d'intérêts qui alourdissent la charge de leurs dettes. Je le répète de la façon la plus claire : nous n'avons pas le droit de laisser comme seul horizon aux pays en difficulté une récession sans espoir ; s'ils sombrent, nous sombrerons avec eux.

Vous connaissez les efforts que mène notre pays dans les différentes enceintes internationales ; aux politiques d'ajustement des pays en développement doivent répondre des efforts de réforme des pays industriels dans le domaine du commerce, de la monnaie, de l'aide. J'en appelle pour cela non seulement à l'esprit de justice ou de solidarité, mais aussi à la raison, au sens des réalités. Cette croissance doit s'appuyer sur des politiques monétaires et budgétaires afin de favoriser une décrue des taux d'intérêts qui demeurent encore beaucoup trop élevés et qui peuvent à eux seuls compromettre les résultats acquis.

Je constate quelques progrès :

A New York, le 22 septembre dernier, les Ministres des Finances des sept pays les plus industrialisés ont conclu un accord qui marque une étape importante dans cette direction, celle d'une plus grande stabilité monétaire mondiale. Ils ont en effet admis pour la première fois que les taux de change déterminés par les marchés ne correspondaient pas nécessairement aux données économiques fondamentales, et qu'en l'occurrence, le rééquilibrage des balances des paiements des principaux pays impliquait une réappréciation du yen et des monnaies européennes vis-à-vis du dollar. Ils ont également convenu d'intervenir d'une manière concertée sur les marchés des changes pour les stabiliser et les orienter. Je me réjouis du succès de la coopération internationale. Et les marchés des changes ont commencé de montrer qu'ils ont compris le signal qui leur était adressé.

J'ajoute que mon pays a fait des propositions pour que l'on développe la baisse générale des taux d'intérêts, condition majeure de la reprise de la croissance et de la solution des problèmes de l'endettement. Je le réaffirme : les solutions aux difficultés des pays en développement ne pourront venir que d'une reprise de la croissance profitable à tous, et voilà pourquoi je pense que notre démarche doit s'organiser autour de trois axes essentiels :

— *premièrement,* l'aménagement du système monétaire international ;

— *deuxièmement,* la participation pleine et entière des pays en développement au processus de négociations commerciales multilatérales ;

— *troisièmement,* une approche globale des problèmes de la dette et du développement, avec la perspective de nouveaux accords financiers, publics et privés.

Les contrats passés doivent être respectés, chaque situation examinée avec précision. Il y a urgence. S'il nous est possible de progresser simultanément dans ces trois directions, je suis convaincu que nous pourrons, tous ensemble, faire renaître l'espoir d'une amélioration du sort des populations des pays du Sud.

Depuis plusieurs années, la France a emprunté cette voie. Puisque vous m'avez fait l'honneur de m'inviter, d'inviter mon pays, je n'ai pas voulu m'en tenir à des considérations générales mais montrer, selon l'opinion que j'en ai, quelle direction prendre. J'ai voulu ainsi montrer que la France était logique avec elle-même. Vous avez bien voulu le souligner tout à l'heure, Monsieur le Président.

En 1985, mon pays consacrera près de 0,55 % de son produit national brut à l'aide publique au développement, progressant ainsi vers les 0,7 % qui sont recommandés. Je me permets de vous dire qu'il y a simplement trois ans et demi, la France n'en était qu'à 0,3 %. Pour les pays les moins avancés, le niveau de notre aide a atteint l'objectif désiré et fixé par les Nations Unies de 0,15 % de notre produit national brut. Nous sommes un des quatre pays au monde à avoir accru aide multilatérale et aide bilatérale au cours de ces quatre dernières années. Et tandis que d'autres diminuaient leur aide ou la stabilisaient, ce qui revenait au même en raison de l'augmentation progressive des charges, la France a accru la sienne — et c'est vrai que, dans cette lutte, nous donnons priorité au développement rural ; nous le ferons encore plus à l'avenir.

Nous soutenons les initiatives de notre Organisation. Nous participons aux réflexions engagées au sein du Conseil mondial de l'Alimentation. Nous collaborons quotidiennement au Programme d'aide alimentaire mondial. Et je veux profiter de l'occasion pour rendre hommage, à mon tour, au Fonds International pour le Développement de l'Agriculture et à son Président, M. Jazairy, pour tout ce qui a été fait au sein de cette organisation. Nous avons apporté, nous, Français, une contribution que je crois décisive — vous avez bien voulu le noter, Monsieur le Président, et je vous en remercie — au Fonds spécial pour l'Afrique, sous l'égide de la Banque Mondiale, de même que nous participons au programme spécial pour l'Afrique subsaharienne en complément de notre propre contribution à la reconstitution des ressources. Enfin, mon pays est prêt à apporter un appui technique à la mise en œuvre de ce programme.

Vous connaissez ma préoccupation — vous la vivez vous-mêmes — à l'égard du problème de la désertification qui revêt un caractère angoissant pour tant de pays, notamment en Afrique. J'avais proposé un plan pour l'Afrique, je prévoyais la relance du développement rural, un programme de lutte contre le désert. Ce plan a été accepté. Je m'en réjouis. Je crois que les travaux d'experts permettent d'en espérer une mise en œuvre prochaine. Il faut persévérer, et c'est dans le même esprit que j'ai invité des responsables politiques du Nord et du Sud à se rencontrer à Paris, au mois de juin prochain, pour examiner, face aux menaces qui pèsent sur les patrimoines forestiers, sur nos forêts européennes, sur les forêts des régions sèches, les moyens de renforcer par solidarité internationale la sauvegarde de ces patrimoines.

Vous avez bien voulu, Monsieur le Directeur général, apporter votre appui et celui de votre organisation à cette initiative. Je vous en remercie, de même que j'ai le plaisir de relever combien vous êtes préoccupé par le développement du continent africain. Le plan de relance des agricultures africaines que vous proposiez au printemps dernier à la communauté des donateurs, la place privilégiée accordée à l'Afrique dans le programme de travail et le budget proposé à l'approbation de cette Conférence, traduisent dans les faits ce souci.

Voilà des initiatives, voilà des orientations qui ne peuvent que recueillir non seulement l'approbation de mon pays, mais l'approbation de la société humaine tout entière.

Au cœur de toute politique, Mesdames et Messieurs, c'est bien de l'homme qu'il s'agit, *a fortiori* lorsque cette Organisation est celle qui nous accueille aujourd'hui et qui est au service de l'agriculture, bien entendu, mais cela veut dire au service des producteurs agricoles et, au-delà des producteurs, des échanges dans leur ensemble pour faciliter le bien-être, la possibilité de vivre, tout simplement, des consommateurs.

C'est bien de l'homme qu'il s'agit, ne perdons jamais cela de vue au travers des procédures administratives, des nécessités techniques, des besoins politiques : c'est l'homme qui représente l'objectif d'entreprises comme celle-là.

Ma conviction est qu'une véritable stratégie paysanne reste le fondement d'un développement rural, d'un développement général. Cela signifie qu'il faut reconnaître le rôle irremplaçable du paysan comme acteur essentiel de la vie économique et sociale, et, pour cela, il faut qu'il dispose, ce paysan, non seulement des moyens matériels de produire, mais aussi de la liberté, celle de s'associer, comme on vient de le constater à l'écoute du beau discours de Monsieur le Président Soeharto[4], de s'entendre, de s'organiser, de mettre en œuvre, de laisser le maximum possible — et ce maximum va très loin — d'initiatives individuelles, familiales, de savoir organiser la vie des campagnes, celle des villages, bref, de faire comprendre partout que l'heure est venue du développement collectif par l'affirmation des vertus et des capacités individuelles.

Tel est bien, me semble-t-il, l'esprit qui animait ceux qui ont fondé votre Organisation. Le monde a changé. Que de problèmes se sont posés ! Nous vivons aujourd'hui celui de l'endettement. La France est un pays créancier, il est normal qu'il reçoive réponse pour les obligations contractées à son égard, et pourtant, mon pays répète partout où il se rend qu'il est prêt à examiner, qu'il recommande même une concertation et des mesures, notamment de liquidité, d'organisation des cours et des marchés, d'organisation monétaire, à examiner les rééchelonnements et les mesures indispensables pour ne pas contraindre des millions et des millions d'hommes et de femmes à

4 Président de la République indonésienne.

produire avec acharnement pour simplement nourrir le remboursement d'intérêts. Il faut le faire, mais cela doit être conçu avec intelligence, avec audace, avec le sens des perspectives, en sachant qu'en fin de compte nous sommes solidaires.

Je disais : le monde a changé. Des problèmes ont été résolus heureusement, d'autres non. Il ne faut pas rester aveugle. La société internationale a encore été impuissante à régler l'essentiel : la faim, la misère, la livraison de millions et de millions d'hommes aux rigueurs de la nature, quand ce n'est pas aux rigueurs des sociétés humaines.

Voilà l'exemple que donne l'Organisation que vous dirigez, à laquelle vous participez éminemment, Mesdames, Messieurs. Elle a su s'adapter. Elle est restée fidèle à ses principes et à son idéal. Vous gardez la foi dans votre action. Vous suivez l'actualité, vous prévoyez les charges de l'avenir. Voilà qui permet d'espérer, voilà le but que nous nous sommes fixés, qui nous est commun à nous tous — je cite :

« Assurer à chaque homme, comme l'affirmait le Manifeste de Rome déjà en 1963, l'exercice du premier des Droits de l'Homme, celui d'être affranchi de la faim ».

« IL NE FAUT PAS CÉDER AU MANQUE D'IMAGINATION » (12 décembre 1985)

La douzième conférence des Chefs d'États de France et d'Afrique s'ouvre à Paris le jeudi 12 décembre 1985. Le Président de la République réaffirme, lors de la séance d'ouverture, la nécessité pour les pays industriels et les pays en voie de développement d'unir leurs efforts pour maîtriser la crise.

Messieurs les Présidents,
Messieurs,

Nous ouvrons la séance, qui est la séance d'ouverture de la 12e Conférence des Chefs d'État d'Afrique et de France. Cette réunion a lieu à Paris selon le rythme déjà établi qui veut qu'une année sur l'autre, nous nous retrouvions soit en Afrique, soit en France.

L'année dernière, nous avions le plaisir d'être reçus par M. le président du Burundi, que je tiens encore à remercier pour l'excellence de sa réception, l'agrément de son pays et le sérieux des débats.

Vous aurez à décider de la capitale où nous nous rendrons l'an prochain ; des suggestions vous seront faites et je ne doute pas que l'année prochaine, comme chaque année, nous ayons grand intérêt à nous retrouver pour débattre des grands sujets qui nous concernent tous.

Je remercie les Chefs de délégations d'avoir bien voulu se rendre dans mon pays. Ils sont très représentatifs de ce grand continent. Ils représentent les intérêts les plus divers. Ils sont reliés, pour la majorité d'entre eux, par la communauté de culture, à la fois leur culture d'origine et la culture française ; d'autres sont venus d'autres zones africaines, ont été nourris à d'autres sources, mais, eux aussi, à des sources africaines profondes, car il ne faut jamais oublier que la dominante, c'est l'Afrique, et que vous êtes tous Africains.

Chacun d'entre vous est le bienvenu. Ceux qui relèvent d'autres cultures, d'autres formes d'expression, doivent se savoir ici accueillis fraternellement.

De même je saluerai ceux qui, depuis longtemps — j'allais dire depuis toujours, du moins leur pays — ont fondé cet organisme, lui ont assuré sa permanence, lui ont donné sa vraie valeur. Inutile que je cite des noms ; chacun les a dans l'esprit. Qu'ils en soient eux aussi profondément remerciés.

Messieurs les Chefs d'État, Messieurs les Chefs de gouvernement, Messieurs les Chefs de délégation, avant d'évoquer devant vous les grands problèmes qui nous préoccupent et qui seront au cœur de nos débats, laissez-moi vous dire la joie que je ressens de vous accueillir à l'occasion de cette Conférence franco-africaine dont je vous ai dit qu'elle était la douzième.

Soyez certains qu'en vous retrouvant, j'éprouve profondément le même sentiment que lors de nos précédentes rencontres : celui de vivre un moment significatif et privilégié.

Il est significatif, en effet, que nous manifestions, depuis longtemps déjà, la volonté de nous réunir pour échanger nos idées, pour resserrer nos liens. Voilà qui tendrait à démontrer que s'il existe, dans le monde, des forces de séparation, d'antagonisme entre les États, il y a aussi, au moins en ce qui nous concerne, une aspiration très forte au dialogue et à la concertation.

Face aux multiples problèmes que nous devons affronter, la sagesse nous conseille, sans nier les divergences ni les différends, d'agir de concert. Et je veux insister sur la double solidarité qui commande notre avenir : solidarité des pays africains entre eux, solidarité entre l'Afrique et la France, entre l'Afrique et l'Europe.

Il existe une grande organisation, l'Organisation de l'Unité Africaine, dont je salue ici le Président en exercice, le Président Abdou Diouf. Cette conférence entre nous n'a pas pour objet, loin de là, de se substituer à la seule organisation qui ait compétence pour débattre des problèmes de l'ensemble de l'Afrique, ou pour représenter l'Afrique dans le reste du monde.

C'est une démarche originale que la nôtre : informelle, dont l'ordre du jour est malléable à tout moment, qui n'entend pas régler les problèmes qui ne sont pas de notre ressort, qui est une consultation, une façon de mieux approcher les questions graves qui nous sont communes ou qui peuvent devenir communes, et c'est une façon de contribuer, d'aider au développement des grandes institutions, en particulier de celle dont je viens de parler.

Alors, quelles sont les quelques grandes questions qui viennent à l'esprit ?

D'abord, que l'Afrique puisse nourrir les Africains et qu'elle assure son propre développement.

S'il est vrai que depuis l'an dernier, d'une façon générale, l'économie mondiale va mieux, cette reprise n'en est pas moins fragile, précaire. Les déséquilibres de fond ne sont pas résorbés. Plus grave encore, on assiste à une accentuation des écarts entre les pays en développement, au détriment de l'Afrique. Je n'oublie pas que la sécheresse de l'an dernier a provoqué une famine dramatique et révélé d'une manière cruelle les handicaps structurels des États africains, dont plusieurs comptent parmi les pays économiquement les moins avancés. Cela n'a pas facilité les choses, c'est le moins qu'on puisse dire.

Et puis la pression démographique entraîne des difficultés grandissantes pour faire face aux besoins alimentaires des populations. Un témoignage : la baisse de 15 % des indices de production en dix ans, avec les efforts douloureux d'ajustement, empêche d'enrayer la baisse de revenu par tête.

Les pluies de cet été vont permettre des récoltes plus satisfaisantes dans l'ensemble, et j'espère le retour à une situation alimentaire plus normale — avec cependant, dans quelques pays, le maintien de la pénurie. Cette amélioration globale, dont nul ne peut prévoir la durée, ne doit pas nous cacher les déséquilibres de fond que connaissent les agricultures.

Et je dois dire que face à ces difficultés, rien ne se fera sans le courage et le réalisme des pays africains. Rien ne se fera non plus sans une mobilisation durable et massive de la communauté internationale.

Le courage, le réalisme, vous en avez montré, et avec quel éclat, au dernier sommet de l'O.U.A. où a été adoptée une résolution sur la situation économique de l'Afrique dont il faut retenir les points forts :

— le *premier*, le développement du continent incombe — je cite : « au premier plan » — aux gouvernements africains ;

— le *deuxième*, c'est la part des investissements publics dans le secteur agricole qui doit être accrue substantiellement afin de parvenir à l'auto-suffisance alimentaire ;

— le *troisième*, le remboursement de la dette est une obligation que les États membres doivent honorer.

Mais j'ai entendu aussi l'appel lancé à la communauté internationale.

En effet, au-delà des aides d'urgence auxquelles la France a contribué cette année — plus de 310 000 tonnes, sans compter toute une série d'aides en céréales, qui font passer ce chiffre, par d'autres manières, *grosso modo* à 400 000, que ce soit à titre bilatéral ou à titre multilatéral —, seule une démarche volontaire peut permettre d'éviter que les écarts ne continuent à se creuser entre les riches et les pauvres. Les obstacles, nous les connaissons tous ; j'insisterai en particulier sur les conséquences de la nouvelle baisse des prix des matières premières et sur l'alourdissement de la charge de la dette. Ce sera sans doute une part de nos conversations. S'il est indispensable que les pays emprunteurs respectent les engagements contractés, il est aussi nécessaire que le fardeau soit partagé quand la charge devient insupportable.

Il est impossible d'accepter comme seule perspective d'avenir la récession, sans espoir de retour au développement et donc sans espoir d'amélioration du sort des populations. Cela est impossible.

Et c'est la thèse que la France défend dans toutes les instances, les enceintes internationales : aux indispensables politiques d'ajustement menées par les pays africains doivent répondre des efforts des pays industrialisés dans les domaines du commerce, de la monnaie, de l'aide au développement. C'est un impératif de solidarité, de justice ; c'est aussi l'intérêt général, car ces réformes conditionnent le retour à la croissance de tous les pays. C'est travailler pour les autres ; c'est aussi travailler pour soi.

Je pense que ce retour à la croissance doit se diriger de trois façons :

D'abord par la baisse des taux d'intérêt qui, malgré une amélioration, demeurent trop élevés. Cette baisse est indispensable.

Il faut également parvenir à une meilleure stabilité des taux de change. Certes, dans ce domaine, des progrès ont été enregistrés, grâce à l'accord conclu en septembre dernier par les ministres des Finances des cinq principaux pays industrialisés. Pour la première fois, il a été reconnu que le libre jeu du marché ne reflétait pas toujours les données économiques fondamentales et on s'est finalement entendu, contrairement à certaines théories développées précédemment, pour intervenir sur le marché des changes.

Pour moi, c'est un pas en avant important. Mais je pense qu'il faut aller plus loin dans l'aménagement du système monétaire international.

Ensuite, une autre condition de retour à la croissance est le recul du protectionnisme. Les négociations commerciales multilatérales n'auront de sens que si les pays en développement y participent pleinement et librement. Leurs intérêts doivent être préservés, car la compétition, finalement, tourne toujours à l'avantage exclusif des plus forts. Voilà une exigence. C'est d'ailleurs une des conditions de la participation de la France à ce processus de négociations.

Le recul du protectionnisme n'est quand même pas suffisant. Il doit aller de pair avec la poursuite d'autres efforts, en particulier dans l'organisation des marchés mondiaux. C'est très difficile. Les problèmes que connaissent aujourd'hui les accords internationaux de produits nous le rappellent. Il faut une volonté pour maîtriser les conséquences des fluctuations brutales des prix des produits de base qui constituent, pour la plupart d'entre vous, une source irremplaçable de recettes extérieures.

A titre d'exemple : la déstabilisation du marché du coton par l'irruption massive des produits américains ou chinois — certains d'entre vous l'ont perçu cruellement — a provoqué un effondrement des cours qui aura des conséquences graves sur les économies des pays africains. Comment ne pas penser aux États du Sahel déjà si souvent frappés — je pense à la République Centrafricaine, au Mali, au Togo, à d'autres encore ?

Et c'est parce que j'étais conscient de ces risques que j'ai donné instruction au Gouvernement de la République française pour qu'il lutte afin d'obtenir un renforcement du *Stabex* dans la troisième Convention de Lomé[1].

Enfin, vous aussi, vous pouvez agir en organisant des marchés au niveau régional. Vous n'êtes pas

1. Voir note *supra*, p. 363.

démunis de moyens. Un développement harmonieux des productions, notamment alimentaires, sera facilité par la constitution d'espaces économiques de dimensions suffisantes où pourront s'exprimer les complémentarités naturelles et où vous pourrez atténuer la compétition ou la rudesse de la compétition aveugle du marché international.

L'existence, cette année même, d'excédents dans certains de vos pays, pourrait provoquer localement une chute des prix et décourager les producteurs. Cela existe. Ces effets peuvent être atténués grâce à une coopération régionale, tandis que les pays industrialisés peuvent et même doivent y contribuer par une aide triangulaire et des financements adaptés.

La troisième condition d'un retour à la croissance est d'assurer aux pays du Tiers Monde, et d'abord à l'Afrique, de nouveaux apports financiers publics et privés. La naissance d'un consentement — d'un consensus, comme on dit — de la communauté internationale en faveur de l'Afrique me paraît être un des éléments les plus positifs de l'action de la France. Et l'Europe a donné un premier signe encourageant à l'occasion de la renégociation de la Convention de Lomé en maintenant, comme je l'avais demandé, les moyens du 6e Fonds Européen de Développement, mais en valeur réelle.

Cette détermination, je l'affirme à nouveau, comme je l'ai manifestée à l'occasion de la création du Fonds Spécial pour l'Afrique, Fonds de la Banque Mondiale qui va engager très prochainement ses premières opérations. Vous savez que la France a pris cette initiative, et pris aussi l'initiative d'un financement.

Je crois que nos thèses commencent à être entendues. Des mesures encourageantes ont été adoptées à

Séoul[2], particulièrement la décision de recycler en faveur des pays les plus pauvres les 2,7 milliards de dollars provenant des remboursements du Fonds Fiduciaire[3]. L'Afrique devrait bénéficier dans l'avenir de 60 % des ressources ainsi dégagées.

Ma conviction, voyez-vous, Messieurs, est qu'il faut aujourd'hui poursuivre cet effort d'aide au développement, tout en réfléchissant aux moyens de renforcer la coordination entre les différentes sources de financement.

Il vous appartient, à vous, de profiter de cette conjoncture plus favorable pour préparer les prochaines échéances que sont le Comité de Développement[4] du printemps et la session extraordinaire de l'Assemblée Générale des Nations Unies.

Sur mes instructions, le Gouvernement français s'est prononcé en faveur de la convocation de cette session extraordinaire et aussi pour que l'on procède ultérieurement à l'examen particulier de la dette africaine. Nous avons eu un dialogue avec M. le Président en exercice de l'O.U.A., et nous avons constaté la convergence de nos intentions.

En effet, si l'endettement de l'Afrique au sud du Sahara — avec plus de 70 milliards de dollars — peut paraître faible par rapport à celui de l'ensemble des pays en développement (qui dépasse, vous entendez

2. Voir note *supra*, p. 385.

3. Il s'agit des produits de ventes d'or du FMI. Il a été décidé, à la Conférence de Séoul, d'en affecter la dernière tranche (2,7 milliards de dollars) aux pays les plus pauvres.

4. Le Comité de Développement est composé des ministres des Finances des États membres du FMI et de la Banque Mondiale, et chargé de préparer des propositions sur l'aide financière aux pays les plus pauvres.

bien, 950 milliards de dollars !), c'est quand même une charge très lourde, trop lourde pour l'économie des pays africains.

Le service de la dette a connu depuis 1983 une forte augmentation ; il devrait atteindre en 1985 près de 12 milliards de dollars, soit plus du quart de vos recettes d'exportation.

Voilà pourquoi nous sommes prêts, si vous le souhaitez, à collaborer avec vous pour préparer le prochain Comité de Développement.

Dans le débat comme dans l'action, je vous le dis solennellement, vous pouvez compter sur l'appui de la France. Notre effort ne peut pas suffire ; il a besoin d'entraîner d'autres pays industriels ; il ne s'agit pas d'énoncer des promesses qui ne pourraient être tenues, et vous devez mesurer notre effort sans supposer qu'il peut se substituer aux autres.

Mais enfin, pour ce qui concerne mon pays, il poursuivra son effort d'aide au développement qui est passé de 0,36 % du Produit National Brut français en 1981, à 0,55 % en 1985, dont 0,15 % consacrés aux pays les moins avancés, conformément aux engagements que j'avais pris lors de la conférence de Paris, et nous irons aux 0,7 % recommandés par les Nations Unies, proportion désirable pour tous les pays industriels et qui reste très en deçà chez les autres.

Je ne dis pas cela pour valoriser le rôle de la France, mais simplement pour dire que, grâce à vous et à votre expérience, nous sommes plus en contact, plus informés. Votre concours et, je peux le dire, les liens d'amitié qui nous unissent, permettent à la France d'être mieux informée, de mieux saisir, d'être plus sensible aux besoins de votre continent et de vos pays, preuve supplémentaire de l'intérêt de ces débats.

Nous n'avons pas plus de mérite que d'autres — simplement une histoire, une expérience, et votre présence.

Ce que je dis là, devant les Africains, pourrait paraître assez facile à énoncer. Vous me rendrez témoignage que je tiens le même langage devant les autres instances : je l'ai tenu à Bonn, récemment, lors du dernier Sommet des pays industrialisés, en refusant par exemple trop de précipitation pour l'ouverture d'une nouvelle négociation du G.A.T.T.[5], qui au demeurant me paraît souhaitable à la condition qu'elle ne se passe pas au détriment du plus grand nombre, et notamment des pays du Tiers-Monde dont il faut l'accord. A l'époque, il n'y avait pas cet accord ; il commence à se dessiner. L'on ne peut se réunir sur le plan international avec pour seul objet d'accroître les avantages des plus riches.

Je l'avais dit à Cancún, dès 1981, et je l'ai répété dans toutes vos capitales et dans les capitales des pays du Nord, ou plus exactement encore des pays plus riches, ou des pays même très riches. Je l'ai dit à la tribune du Congrès américain et je le répéterai. Je l'ai dit au Brésil où je me trouvais récemment — la France est créancière du Brésil pour 10 % de sa dette qui dépasse 100 milliards de dollars. C'est dire le risque que j'accepte dans un pays qui doit lui-même lut-

5. Le G.A.T.T. *(General Agreement on Tarifs and Trade)*, accord général sur les tarifs douaniers, a été signé à Genève par vingt-trois pays le 30 octobre 1947. Depuis cette date, il a été l'objet de nombreuses négociations dont les principales ont été le Kennedy Round (1962-68) et le Tokyo Round (1973-79).

ter pour ses équilibres et pour sa croissance, qui doit faire un effort rigoureux pour supporter les effets, chez lui, de la crise internationale.

Nous menons de front toute une série d'actions que je vous prie de bien vouloir considérer. Monsieur le Ministre de l'Économie et des Finances, qui est ici même, pourrait vous dire la somme d'efforts que représente notre chute d'inflation, que j'avais recueillie à près de 14 % par an en 1981 et qui sera au-dessous de 5 % en 1985, avant de connaître une nouvelle baisse, j'en suis convaincu, si cette politique, naturellement, est continuée en 1986, au point que nous sommes au niveau de la moyenne des pays de la Communauté. D'ailleurs, ce mois-ci, nous distançons, comme nous l'avons fait le mois dernier, plusieurs pays dont la réputation n'est pas à faire dans ce domaine. Nous allons équilibrer, je pense, notre balance des paiements. Nous avons une capacité d'exportation de produits manufacturés industriels qui s'accroît considérablement. Mais tout cela, c'est un effort très dur qui pèse sur ceux qui travaillent, sur ceux qui produisent. On ne peut pas tout demander à la fois. Je vous dis cela pour que vous ayez une conscience nette que la France aussi a ses problèmes.

Mais je maintiens cette façon de voir à l'égard des pays de l'Afrique parce que cela me paraît un devoir, et, je crois aussi, l'intérêt général au-delà de votre propre intérêt.

Alors, tout en préservant les domaines traditionnels de nos interventions, je souhaite qu'un effort supplémentaire soit fait pour soutenir les initiatives de coopération régionale, la recherche, notamment en matière agronomique, la lutte contre la désertification. C'est cela, l'esprit de mes propositions. Je le répète, ne négligeons pas les enjeux à plus long terme.

A cet égard, les initiatives de vos pays, notamment de la seconde Conférence ministérielle de Dakar, doivent être soutenues. La prochaine Conférence sur l'arbre et la forêt, qui se tiendra à Paris en février 1986, permettra de donner suite à vos propositions.

Enfin, je voudrais ajouter que parmi les projets français, l'un des plus anciens est peut-être sur le point d'aboutir : il s'agit d'établir un lien entre la réduction des dépenses d'armement et l'aide au Tiers-Monde, dont se saisira la Conférence qui devrait se tenir à Paris sous quelques mois, à la suite des propositions que j'ai faites à la tribune des Nations Unies en septembre 1983.

J'ai réuni autour de moi un certain nombre d'hommes dont l'expérience et l'imagination ont été éprouvées au service de l'Afrique et du Tiers-Monde. Vous savez le souci qu'en ont les ministres directement responsables, comme M. le Ministre des Relations extérieures ou M. le Ministre de la Coopération. J'ai pris auprès de moi — indépendamment de la présence constante à mes côtés de mes collaborateurs que vous connaissez, et spécialement de M. Guy Penne —, après qu'il eut remarquablement conduit la mission qui lui avait été confiée, l'un de ceux qui connaissent le mieux vos problèmes, je veux parler de M. Edgard Pisani. Il est directement à mes côtés, avec une charge polyvalente, mais tout naturellement son attention se portera de préférence, après avoir négocié Lomé III et après avoir été Commissaire européen, sur tous les problèmes que j'évoque. Je veux dire que nous tendons toujours à renforcer nos équipes pour que nous soyons plus aptes encore, du côté français, à répondre aux besoins de nos amis africains.

Je n'aurai garde d'oublier que votre continent n'est pas affecté seulement par des difficultés économiques et financières, qu'il est aussi le théâtre de conflits ou de troubles graves.

On a parlé, on parlera du Tchad. L'O.U.A. s'est déjà exprimée. Très récemment encore, M. le Président Diouf ouvrait largement le dossier et engageait les conversations dans le sillon déjà ouvert par plusieurs d'entre vous, notamment par celui qui en a reçu la charge, le Président du Congo. D'autres bonnes volontés se sont offertes pour qu'il soit possible d'entretenir ce dialogue, je ne veux pas en faire l'énoncé, je pense à celle de M. le Président du Gabon. Il y eut naguère une réunion à Lomé ; il y en eut d'autres, il y en a un peu partout. C'est dire que les bonnes volontés ne manquent pas. Elles doivent éviter de s'éparpiller ; il faut les concentrer. Puisque l'O.U.A. et le Président du Congo ont une connaissance de ces choses, eh bien, on va essayer de les aider.

Il est certain qu'il faut que la paix revienne au Tchad, sur la base du droit commun : souveraineté, indépendance, intégrité. Remettre en cause des frontières selon des conceptions ethniques ou tribales, ou simplement par l'ambition de pays riverains, c'est remettre en cause la sécurité de chacun de vos pays, car les principes, cela pèse. Si l'on manque aux principes, la réalité se charge ensuite de réserver toutes les plus fâcheuses surprises. Et pourtant, je sais bien qu'ici, autour de moi, se trouvent des amis de la France mais que les opinions sur tel ou tel point, particulièrement sur celui-ci, ne sont pas identiques. Au moins est-il des principes sur lesquels on doit s'unir — ensuite, c'est une question d'appréciation dans l'approche, et cette appréciation, elle doit d'abord être africaine. Ce n'est pas à la France d'en juger.

Il faut être clair. La France a des accords de coopération et de sécurité, de défense, avec un certain nombre d'entre vos pays. A l'égard de ces pays, elle est tenue de respecter ses engagements, et elle les respectera s'il le faut.

A l'égard des autres qui sont le plus grand nombre, ces obligations sont d'amitié, de loyauté, mais elles ne sont pas des obligations de caractère juridique. La France sera présente de la façon qu'elle jugera bon, si tel ou tel de vos pays fait appel à elle. Elle sera votre amie, mais c'est un autre ordre d'obligation.

Elle se refuse en tout cas, selon une expression que j'ai cent fois employée, à être considérée comme le « gendarme de l'Afrique ». Finie l'époque coloniale ! Je ne la ressusciterai pas, même pour rendre service. Vous êtes des pays, des États souverains, comme la France ; nous parlons à égalité et cela fait partie des grands principes qui m'animent. Mais, naturellement, le devoir d'assistance est inscrit dans les droits reconnus par l'Organisation des Nations Unies, par la morale internationale, par l'amitié.

La France est donc ouverte à toute conversation, mais j'ai voulu tout de suite définir, marquer qu'il existe des différences dans l'engagement. Que ceux qui ont fait confiance à la France par ces accords continuent d'avoir pleine confiance. Que ceux qui n'ont pas jugé bon d'agir de cette façon — mais c'est de leur propre autorité, et, bien entendu, ils sont aussi respectables — sachent que la France est leur amie. On verra bien, selon les cas qui se présenteront.

Pour le Tchad, il n'y a pas d'accord international, je l'ai déjà dit l'an dernier. Mais il y a une réalité. Cette réalité, c'est que le Tchad est un pays ami de la France, qu'il a un Chef d'État reconnu par les instances internationales, un Gouvernement, et que ce pays aspire, plus que tout autre, à connaître enfin la paix intérieure, l'unité, à se voir respecter dans son indépendance. Et la France ne peut qu'approuver cette démarche. Elle est intervenue une fois, sous ma présidence ; elle était intervenue d'autres fois, en d'autres circonstances, au cours des années précédentes, dans un pays en guerre intérieure depuis bientôt vingt ans.

Il a été fait appel à la France. Nous y avons répondu. Le droit est le droit. La France ne consentira jamais, chaque fois qu'elle sera consultée, à considérer qu'il pourrait y avoir une partition du Tchad. Dans les faits, l'unité du Tchad concerne d'abord les Tchadiens, ensuite les Africains, enfin les institutions internationales qui se portent garantes de l'indépendance des États.

Et si la France n'a pas une vocation ni même une obligation de caractère contractuel pour assurer la sécurité par ses propres moyens, ajoutés à ceux, courageux et méthodiques, du Gouvernement du Tchad, il n'en reste pas moins qu'elle a déjà indiqué qu'elle pourrait s'engager si on le lui demande — naturellement, si les États africains réunis dans leur instance suprême n'ont pas d'autres propositions à faire, et ils peuvent en faire. La France considère qu'elle a une solidarité à l'égard de ce pays. Après avoir conclu un accord sur le principe simple et sain : « pas de forces étrangères au Tchad », le respect de cet accord est la règle d'or du retour à la paix. Je le répète, la France est entièrement engagée par le respect de cet accord dès lors qu'il serait respecté d'autre part. Sinon, le risque est réel, étant bien entendu que c'est le gouvernement du Tchad et le Président du Tchad — parce que ce sont les Tchadiens qui doivent en décider — qui doivent d'abord apprécier la situation et juger de la façon dont il faut y répondre.

La France est l'amie du Tchad : elle soutient le gouvernement légitime comme elle soutient tous les autres. Elle n'est pas l'ennemi des voisins du Tchad, et particulièrement de la Libye. Elle souhaite simplement que la raison prévale, et le respect du droit.

Je remercie ceux d'entre vous qui ont favorisé, de façon éminente, les négociations entre les différentes composantes tchadiennes. Comme il n'y a pas de solution militaire possible — en tous cas, ce serait tout à fait détestable —, je pense que vos démarches vont dans la bonne direction. Je les encourage ; je souhaite qu'elles aboutissent, qu'elles réussissent.

Toute aggravation de cette situation compliquerait sérieusement la situation en Afrique même : d'abord dans tous les pays limitrophes, ensuite dans les pays un peu plus lointains. Si un climat d'insécurité se répand en Afrique, alors que vous avez tant à faire pour promouvoir l'état économique et social de vos populations, comment ne pas se dresser pour dire « halte » à quiconque voudrait troubler la paix davantage ? Plutôt que d'inciter les Africains à troubler la paix, la plus grande preuve de ferveur pour la cause africaine serait de leur dire : eh bien, mettons-nous au travail ! exploitons notre sol, tirons-en les richesses, développons le bien-être de notre population, investissons, produisons, développons ! N'est-ce pas cela, la première façon de servir votre cause ? C'est l'indépendance de l'Afrique qu'il s'agit de proposer, son indépendance, sa fierté, son bien-être et d'abord sa survie. N'est-ce pas par cela qu'il faut commencer, plutôt que d'assouvir des ambitions particulières qui n'ont pas beaucoup d'intérêt par rapport à ce grand projet ?

Consolider la paix, c'est un mot d'ordre qui vaut partout, sur les cinq continents. Nous sommes prêts à le dire aux autres ailleurs ; enfin, faisons-le aussi chez nous, en Europe, faites-le aussi chez vous, en Afrique. Mais je n'ai pas à préciser davantage ce que peut être une ligne de conduite. Je n'interviens que dans la mesure où la France est concernée, ou l'a été. Pour le reste, M. le Président de l'O.U.A., et vous, Messieurs les Anciens et les Sages — ce qui ne veut pas dire que les moins anciens soient moins sages, simplement c'est un degré dans l'expérience — vous tous, unissez-vous, précisément forts de vos divergences, pour que quelques lignes de conduite communes finissent par s'imposer.

Il y a d'autres conflits : il y a le Sahara occidental, on ne peut pas le taire, il a déjà provoqué assez de débats au sein de l'Organisation de l'Unité Africaine et je ne veux pas aviver des plaies qui sont encore cruellement ressenties.

J'ai dit un jour et j'ai écrit d'ailleurs : « Chaque peuple a le droit de choisir son destin. » Mon principe de base : l'autodétermination, qu'on la fasse là comme ailleurs. Et j'ai recommandé aux parties en cause, notamment à mes amis marocains, de recourir à un referendum sous contrôle international, pour que, naturellement, cela se déroule correctement. Et quand ce peuple se sera déterminé, chacun s'inclinera devant sa volonté.

Il existe des difficultés de procédure, je sais, des recommandations ou même des délibérations de l'O.U.A. qui ont posé des conditions subséquentes. Cela n'est pas du domaine de la France. Nous n'avons pas à nous mêler plus qu'il ne convient de la mise en œuvre de vos décisions ; c'est votre affaire, ce n'est pas la mienne. Je n'ai donc pas à intervenir dans ce domaine : ce serait manquer de délicatesse à votre égard. Mais le principe, on peut le mettre en œuvre pour que cela devienne une pratique : referendum, droit d'autodétermination, vote, contrôle international. Le reste est de votre ressort.

J'avais dit d'ailleurs à Rabat, le 27 juillet 1983, devant la Chambre des Représentants — je me cite, pardonnez-moi : « Que les peuples puissent faire entendre leur voix, que les évolutions nécessaires se fassent par la négociation, que les conflits soient réglés par les intéressés eux-mêmes. »

Puis il y a le défi — il y a bien d'autres conflits, certes, mais je vais à l'essentiel —, le défi vraiment inadmissible lancé par l'Afrique du Sud à la communauté internationale. Dès la proclamation en particulier de l'état d'urgence, en juiller dernier, le Gouvernement français a décidé de suspendre tout nouvel investissement ; il a rappelé son Ambassadeur, son Attaché militaire ; il a saisi le Conseil de Sécurité afin de faire adopter, le 26 juillet 1985, la résolution 569 qui demande aux États membres de prendre des mesures restrictives à l'encontre du pays où se maintient l'odieux système de l'apartheid.

Nous n'avons de ressentiment contre personne. Nous pensons simplement qu'un État ne peut s'édifier sur la ségrégation, légaliser en somme ce qui échappe à la loi, ce qui doit échapper à la loi. Nous poursuivrons cette action jusqu'à l'abolition totale de l'apartheid et l'établissement, là comme ailleurs, d'une société multiraciale, libre et démocratique. Nous ne voulons pas intervenir dans les affaires intérieures de ce pays autrement que par ce qui touche au Droit international et aux Droits de l'Homme. Là s'arrête notre intervention. Ce peuple aussi a le droit de se déterminer lui-même. Et il y a certains personnages-symboles : comment ne pas être fortement impressionné par le sort d'un homme comme Nelson Mendela[6], par exemple, ne pas saluer le mérite et la constance d'un homme comme lui, qui se bat pour une juste cause. Je vous le répète, la France n'est pas un redresseur de torts, mais elle est un adepte du droit international, du droit des peuples à disposer d'eux-mêmes et tout simplement des Droits de l'Homme. C'est pourquoi, avec détermination, nous continuerons de nous sentir proches des pays de la ligne de front[7] et, dans le cas de la Namibie, nous pensons qu'il n'est pas acceptable de perpétuer des occupations étrangères, contrairement d'ailleurs aux résolutions de la communauté internationale.

Voilà pourquoi nous entendons peser dans ce sens et nous approuvons tout à fait la démarche du Président Abdou Diouf qui proposait de réunir une conférence à se sujet.

J'achève cette intervention un peu longue, mais nous avons beaucoup de choses à nous dire.

J'ai brossé un tableau plutôt sombre de la situation économique qui prévaut sur votre continent. Mais

6. Dirigeant historique de l'A.N.C. (Congrès National Africain, principale organisation de résistance noire), emprisonné depuis vingt-trois ans.

7. Il s'agit des six pays voisins ou proches de la République d'Afrique du Sud (Botswana, Zimbabwe, Mozambique, Angola, Zambie, Tanzanie), opposés au régime de Pretoria.

enfin, nous ne devons quand même pas nous laisser envahir par une sorte de maladie du pessimisme ou de la paralysie. Qu'est-ce que vous voulez, l'Afrique n'est pas l'objet d'une malédiction qui relèverait d'un décret de la Nature. La nature, cela se domine, à condition d'y mettre de la patience et de la ténacité. Il ne faut pas céder au manque d'imagination. Je me souviens de ces paroles de Jean Jaurès qui disait que « les progrès de l'humanité ont toujours été accomplis contre ce que l'on appelle, souvent à la légère, la nature des choses ». Et vous avez déjà montré, dans beaucoup d'endroits de l'Afrique, que vous en étiez capables.

La culture, au sens large, est la condition du développement humain et donc du progrès. Et tous les pays ici représentés en sont conscients. D'ailleurs, ils consacrent à l'éducation, en moyenne, 25 % de leur budget annuel.

Mais je peux vous dire que la France est fière de contribuer à la formation de la jeunesse africaine, quand on lui demande son concours. Elle accueille chaque année sur son sol de nombreux étudiants. Elle envoie des enseignants français. Elle souhaite que vous ayez confiance en elle.

Je vous avais parlé de la création d'une Maison de l'Afrique, l'an dernier à Bujumbura[8]. Vous pourrez voir la maquette du bâtiment prévu ; elle est exposée dans un des salons de ce centre de conférences.

Je crois que toutes les occasions que nous aurons de multiplier les relations culturelles et humaines, toutes ces occasions seront bonnes. Bref, vous

8. Capitale du Burundi, siège du XIe sommet franco-africain des 11 et 12 décembre 1984.

connaissez mon attachement personnel à l'avenir de votre continent.

Je souhaite que nous nous unissions pour réaliser, avec toutes vos énergies, les lignes d'action principales que vous avez vous-mêmes retenues. J'avais même l'idée suivante : voyez, nous faisons une année de l'Inde, actuellement en France, qui est à l'origine de puissantes manifestations de resserrement de nos liens avec ce grand pays. Pourquoi est-ce que nous ne ferions pas une grande année de l'Afrique, chez vous et chez nous, avec sans doute une projection dans la Communauté Européenne ?

Cela aurait un grand retentissement, cela sensibiliserait l'opinion publique, cela mobiliserait peut-être plus encore la communauté internationale. C'est une idée parmi d'autres. Mais quelques symboles, quelques signes, quelques gestes, sortis du fond de nos peuples, faisant appel à la beauté, à la capacité de création artistique, esthétique, à la richesse culturelle — qui, chez vous, puise à plusieurs sources — sont une force supplémentaire. C'est une dimension qui me paraît aussi indispensable que la dimension économique ou politique.

Voilà, j'en ai fini, Messieurs. A vous maintenant de vous exprimer.

Je vous ai dit tout à l'heure que je n'avais pas d'ordre du jour ; c'est notre règle. Nous ne procédons pas à des votes. Nous avançons dans un débat ; nous nous nourrissons de ces débats. Chacun d'entre nous en tire les conséquences qu'il souhaite.

Notre attention est naturellement attirée par les problèmes économiques — j'en ai parlé —, par l'endettement — j'en ai parlé —, par certains conflits régionaux — j'en ai parlé. Tout autre projet ou intention que vous souhaiteriez évoquer ici, bien entendu, le sera. Les débats sont ouverts. Je donne la parole à ceux qui voudront.

Mais, en terminant, je vous remercierai, Messieurs, pour votre concours et pour votre attention. Je souhaite la réussite de nos travaux.

Vive l'Afrique !

Vive l'amitié qui nous unit !

Je suis là devant des hommes éminemment responsables. C'est cette responsabilité dans la conduite des affaires du monde qui importe le plus.

Merci.

REPÈRES CHRONOLOGIQUES

1981

7 juin	Attaque de l'aviation israélienne contre le centre de recherches nucléaires de Tammuz, en Irak, construit grâce à la France.
13 juillet	Lors du Sommet franco-allemand de Bonn, le Président de la République se prononce en faveur du rétablissement de l'équilibre des forces nucléaires face aux SS 20 soviétiques.
19-21 juillet	Sommet des sept principaux pays industrialisés à Ottawa.
28 août	Déclaration franco-américaine sur le Salvador.
22-23 octobre	Sommet Nord-Sud. 22 Chefs d'État et de gouvernement représentant toutes les régions du monde (à l'exception du bloc soviétique), réunis à Cancún (Mexique), décident d'ouvrir au sein des Nations Unies des négociations globales sur un nouvel ordre économique.
20 novembre	La R.F.A. et l'Union Soviétique signent un contrat sur l'achat de gaz sibérien.
23 novembre	La France, la Grande-Bretagne, l'Italie et les Pays-Bas décident de participer à la force de maintien de la paix qui sera installée dans le Sinaï en avril 1982.
13 décembre	En Pologne, l'état de guerre est proclamé et un conseil militaire de salut national présidé par le Général Jaruzelski est constitué.
29 décembre	Les États-Unis annoncent des sanctions économiques contre l'URSS.

1982

18 janvier	Signature de l'accord pour l'achat de gaz sibérien par la France.
2 avril	L'Argentine prend possession de l'archipel des Malouines (Falklands).
6 avril	Le Gouvernement britannique annonce des sanctions contre l'Argentine, auxquelles s'associent les pays de la C.E.E.
4-6 juin	Sommet des sept pays les plus industrialisés à Versailles.
6 juin	L'armée israélienne envahit le Liban. Début de l'opération « Paix en Galilée ».
7 juin	Au Tchad, les forces de Hissène Habré s'emparent de N'Djamena, la capitale.
14 juin	Les troupes argentines se rendent aux forces britanniques qui ont commencé à débarquer sur les différentes îles de l'archipel des Malouines le 25 avril.
18 juin	Annonce par le Président Reagan de l'extension de l'embargo sur l'exportation vers l'URSS d'équipements destinés au gazoduc européen.
19 août	Le gouvernement libanais demande à la France, aux États-Unis et à l'Italie d'organiser une force multinationale d'interposition. Le premier contingent français arrive à Beyrouth le 21.
1er septembre	Fin de l'évacuation de Beyrouth et départ de Yasser Arafat pour la Grèce.
15 septembre	L'armée israélienne pénètre dans Beyrouth-Ouest.
16-17 septembre	Massacre de civils palestiniens dans les camps de Sabra et de Chatila à Beyrouth-Ouest.
24 septembre	Arrivée à Beyrouth du premier contingent français de la deuxième force multinationale de sécurité.

8 octobre En Pologne, la Diète adopte une loi mettant hors la loi tous les syndicats indépendants, dont « Solidarité ».

21 octobre Après la reconquête du pays, Hissen Habré est investi Président de la République tchadienne.

10 novembre Mort de Léonid Brejnev. Youri Andropov est nommé secrétaire général du P.C. soviétique le 12 novembre.

13 novembre Levée par le Président des États-Unis de l'embargo qu'il avait décidé en juin.

12 décembre Le Général Jaruzelski annonce en Pologne la suspension de l'état de guerre, mais certaines mesures d'exception sont maintenues.

7 décembre Première réunion à Paris de la commission franco-allemande sur la sécurité et la défense.

1983

23 mars Discours du Président Reagan sur la « guerre des étoiles ».

5 avril Expulsion par le gouvernement français de 47 diplomates et ressortissants soviétiques accusés d'espionnage.

17 mai Signature de l'accord israélo-libanais mettant fin à l'état de guerre entre les deux pays et prévoyant le retrait des forces étrangères du Liban.

28-30 mai Conférence des sept pays les plus industrialisés du monde à Williamsburg.

24 juin Faya Largeau, la principale ville du nord du Tchad, tombe aux mains des rebelles dirigés par Goukouni Oueddei, armés surtout par la Libye.

22 juillet En Pologne, l'état de guerre instauré le 13 décembre 1981 est levé.

30 juillet Faya Largeau est reprise par l'armée tchadienne.

10 août Début de l'arrivée du détachement militaire français au Tchad (Opération « Manta »).

23 octobre Le Q.G. des *marines* et le siège d'une compagnie de parachutistes français à Beyrouth sont détruits par des camions piégés et des camions-suicides. 58 Français et 200 Américains sont tués.

24 octobre Visite éclair du Président de la République au Liban.

25 octobre Débarquement des troupes américaines dans l'île antillaise de la Grenade.

31 octobre Après 8 ans de dictature militaire en Argentine, Raoul Alfonsin est élu Président.

14 novembre Les premiers missiles de croisière de l'OTAN arrivent en Grande-Bretagne.

22 novembre Le Bundestag approuve l'implantation des missiles Pershing en RFA.

23 novembre Les négociations de Genève sur les euromissiles sont interrompues à l'initiative de Moscou.

7 décembre La France se retire du « groupe des Cinq » sur la Namibie.

17 décembre La France apporte son concours à l'évacuation des combattants palestiniens de Tripoli (Liban).

1984

7 février Retrait des *marines* américains de la force multinationale à Beyrouth.

9 février Mort de Youri Andropov. M. Tchernienko est élu secrétaire général du Comité central du PC soviétique.

15 février L'armée iranienne lance de nouvelles offensives en territoire irakien.

31 mars Le Président Gemayel met officiellement fin à la mission de la force multinationale au Liban.

20 avril En Afghanistan, les forces soviéto-afghanes lancent la plus importante offensive depuis l'arrivée de l'Armée rouge en décembre 1979.

Juin Le Conseil européen de Fontainebleau fixe la date du 1er janvier 1986 pour l'adhésion de l'Espagne et du Portugal au Marché Commun.

7-9 juin Sommet de Londres : 10e conférence économique des sept principales démocraties industrialisées.

1985

7-8 janvier MM. Andréï Gromyko et George Shultz, réunis à Genève, décident l'ouverture de négociations américano-soviétiques sur les armes nucléaires et spatiales.

11 mars M. Mikhaïl Gorbatchev est élu secrétaire général du P.C. soviétique et succède ainsi à Constantin Tchernienko, décédé le 10 mars.

12 mars Ouverture des pourparlers américano-soviétiques sur la limitation des armements à Genève.

29-30 mars Le Conseil européen de Bruxelles entérine l'accord sur l'adhésion à la CEE, à partir du 1er janvier 1986, de l'Espagne et du Portugal.

8 avril M. Gorbatchev accepte le principe d'un sommet soviéto-américain proposé par M. Reagan, et annonce un moratoire, jusqu'en novembre, sur le déploiement des SS 20 en Europe.

17 avril Paris propose le projet Eurêka, qui vise à « mettre en place sans délai l'Europe de la technologie ».

1-10 mai Voyage de M. Reagan en Europe.

2-4 mai Onzième sommet des sept pays les plus industrialisés à Bonn. Le Président Mitterrand annonce que la France ne participera pas à l'initiative de défense stratégique (IDS) proposée par M. Reagan.

12 juin Signature du traité d'adhésion de l'Espagne et du Portugal à la C.E.E.

29-30 juin Le Conseil européen de Milan convoque une conférence de révision des traités de Rome.

21 juillet L'état d'urgence est décrété dans 36 des 265 districts d'Afrique du Sud. Le 24 juillet, M. Laurent Fabius annonce le rappel de l'ambassadeur français et la suspension de tout nouvel investissement dans ce pays.

22 septembre Les ministres des Finances des Cinq (États-Unis, France, Grande-Bretagne, Japon et RFA), réunis à New York, décident de faire baisser le dollar pour lutter contre l'aggravation du déficit américain du commerce extérieur.

2-5 octobre Visite de M. Gorbatchev en France.

24 octobre A l'occasion du quarantième anniversaire de l'ONU, le Président Reagan appelle l'URSS à rechercher avec les États-Unis un règlement négocié de cinq conflits régionaux : Afghanistan, Angola, Cambodge, Éthiopie et Nicaragua.

19-21 novembre MM. Reagan et Gorbatchev se rencontrent à Genève pour le premier sommet soviéto-américain depuis juin 1979.

INDEX
DES NOMS CITÉS

TABLE

II. *De l'équilibre des forces*

III. *De l'Europe*

IV. *Du droit des peuples à disposer d'eux-mêmes*

Imprimé en France
FRHW010844310721
27918FR00024B/264

9 782213 017921